ISBN 350 300 3770

GRUNDLAGEN DER GERMANISTIK

Herausgegeben von Hugo Moser
Mitbegründet von Wolfgang Stammler

7

HÖFISCHE EPIK
DES DEUTSCHEN MITTELALTERS

Erster Teil:

Von den Anfängen bis zu Hartmann von Aue

von

Kurt Ruh

ERICH SCHMIDT VERLAG

© Erich Schmidt Verlag, Berlin 1967
Druck: A. W. Hayn's Erben
Printed in Germany · Nachdruck verboten

Vorwort

So häufig die höfische Epik im Rahmen der Geschichte der Literatur des Mittelalters dargestellt wurde, noch nie war sie Gegenstand einer Monographie. Man mag diese Tatsache erstaunlich finden, aber das Erstaunen schwindet, wenn man sich bewußt wird, daß die Spätphase höfischer Epik, von der Mitte des 13. Jahrhunderts an, erst vor wenigen Jahren im Rahmen von HELMUT DE BOORS 3. Band der ‚Geschichte der deutschen Literatur' (München 1962) eine umsichtig geordnete und durch leitende Gesichtspunkte bestimmte Darstellung gefunden hat. Gleicherweise fehlt bis heute eine Geschichte der Heldenepik, der Legende, der Geschichtsepik, der Märendichtung. Die Gattungsgeschichte scheint wenig verlockend, oder kommt sie heute verfrüht angesichts so vieler Unsicherheiten in Fragen der Chronologie, der Quellen, der konstituierenden Formen, des künstlerischen Ranges vieler Denkmäler? Aber was heißt verfrüht? Wir werden nie dazu kommen, nur mit Fertigbestandteilen zu arbeiten. Es wäre, ohne eigene Zubereitung einzelner Bausteine und Baukörper, ohne Stellungnahme hier und dort, ohne Umschichtungen und Umwertungen, nicht einmal reizvoll.

Gerne gestehe ich, daß es mir ein Vergnügen war, vorliegendes Bändchen zu schreiben, das sich mit dem *premerains vers* der Gattungsgeschichte der höfischen Epik beschäftigt. Das Vergnügen verdanke ich dem Gegenstand und der Vergegenwärtigung des Lesers, für den das Buch in erster Linie geschrieben ist: den Studierenden. Daß es aus der Praxis von Vorlesungen und Seminarübungen erwachsen ist, wird man unschwer erkennen. Es ist aber auch nicht nur ein Extrakt solcher Bemühungen. Die Fachkollegen sind angesprochen, indem ich zumal neueste Publikationen kritisch zu beleuchten mich nicht scheute. Ich tat das nicht um der Polemik willen oder nur, um die Speise der Darstellung zu würzen, sondern um die Sachfragen durch Diskussion zu fördern.

Auf der andern Seite bleibt die Verpflichtung gegenüber einer mehr als hundertjährigen Forschung groß. Sie dürfte, hier wie bei jeder Darstellung vielfach behandelter Themen, sogar größer sein, als sich der Autor, der schrittweise über viele Jahre hinweg seinen Gegenstand bewältigt hat, bewußt ist. Groß ist sie bestimmt im Bereich der altfranzösischen Literatur, wo ich nur ein Eindringling sein kann und der Orientierung durch den

Kenner bedurfte. Andererseits schien es mir eine notwendige Aufgabe zu sein, die national beschränkte Betrachtungsweise entschiedener zu sprengen, als es bisher in Darstellungen höfischer Dichtung der Fall war. Das Alexanderlied, der Tristan- und der Florisroman, die ‚Eneide‘ und die Artusdichtungen in deutschsprachigen Fassungen sind zunächst einmal als Ausformungen französischer Modelle zu beurteilen, Ausformungen, die vor allem durch soziologische Faktoren (Stand, Bildung, Publikum) bedingt sind, nicht aber über das Sprachliche hinaus ‚nationale Aneignung‘ bedeuten. Erst von Wolfram an darf dieser Aspekt ernsthaft erwogen werden.

‚Höfische Epik‘ als Gattungsbegriff, nicht nur wie üblich als literaturgeschichtliche Ordnungskategorie genommen, bedarf der Rechtfertigung. ‚Höfisch‘ spricht Gesellschaftliches und Ideologisches aus; thematisch geworden, etwa als *aventiure* und *minne,* kann es zum Inhalt der ‚Epik‘ werden; aber erst wo es diese als Formkategorie determiniert, d. h. sich selbst Modelle schafft, dürfte sich ‚höfische Epik‘ als Gattung ausweisen. Ob und inwieweit dies zutrifft, vermag nur die Darstellung selbst zu rechtfertigen. Dies aber sei vorweggenommen: Anders als in der klassischen Antike, in der d a s regelgebende Modell (Homer) am Anfang steht, haben sich im mittelalterlichen Abendland verschiedene Modelle epischer Darstellung erst allmählich ausgebildet, und auch die ‚höfische‘ Epik formte sich in verschiedenen Typen aus. Dabei sind nicht alle bis zur Reife, d. h. zum normhaften Typus gediehen, manches blieb Versuch, anderes fand keine Nachfolge. Kein Zweifel kann jedoch darüber bestehen, daß der Artusroman, wie ihn Chrétien de Troyes (wirkungsgeschichtlich gesprochen) für die abendländische und Hartmann von Aue für die deutsche Welt geschaffen haben, den höchsten Grad gattungsmäßiger Ausformung erreicht. Was ihm vorangeht, die antikisierenden Romane, der (sentimentale) Minneroman, findet in ihm sozusagen Ziel und Erfüllung. Hier ist das Muster, das jahrhundertelang vorhalten konnte.

Ich nannte dieses Muster ‚Roman‘, und dies im vollen Bewußtsein, daß das deutsche Mittelalter den Begriff des Romans nicht kennt. Aber das französische Mittelalter brauchte ihn bereits im 12. Jahrhundert für ‚Erzählung in der Volkssssprache‘, ja es bezeichnete damit, wenn auch zunächst ohne Reflexion auf die Form, genau das, was wir (gesprochene) h ö f i s c h e Epik, im Gegensatz zur (gesungenen) nationalen Heldenepik (Chansons de geste) nennen: *romanz,* das ist der ‚Alexander‘, der ‚Tristan‘ und ‚Floris‘, der ‚Eneas‘ und der Trojanerkrieg. Von besonderer Bedeutung ist, daß Chrétien die ‚Charrete‘, den ‚Yvain‘ und den ‚Conte du Graal‘ ausdrück-

6

lich als *romanz* bezeichnete (Char. 1 f., Yv. 6815, Gr. 7 f.); im ‚Yvain‘ 5364 ff. wird zudem berichtet, wie ein Burgfräulein zur Unterhaltung aus einem *romanz* vorliest. Wenn die deutschen Dichter den Begriff nicht übernahmen, so wird es daran gelegen haben, daß sie ihn als ‚französische Erzählung‘ verstanden und verstehen mußten. Mit *romanz* konnten sie niemals ihre eigenen Werke bezeichnen, die primär als Eindeutschungen verstanden wurden.

Aber auch von den Gattungsmerkmalen her rechtfertigt sich der Terminus ‚Roman‘ für die höfische species der Großerzählung, wenigstens wenn wir von den Romandefinitionen des 17. und 18. Jahrhunderts ausgehen: „eine erdichtete Geschichte, heroicorum facinorum fabulosa narratio"; „eine erdichtete Helden- oder Liebs-geschichte, fabula Romanensis, historia amatoria et fabulosa" (siehe Trübners Deutsches Wörterbuch V, 436). Damit ist auch die Thematik des m i t t e l a l t e r l i c h e n Romans umschrieben: Abenteuer und Liebe, und desgleichen der Charakter des ‚Erdichteten‘, d. i. Fiktiven, die ‚Wunschwelt‘, die beglückt und umstrickt und „die leeren Räume der Wirklichkeit" ausfüllt. Schon Dante wußte davon: *Arturi regis ambages pulcerrime* (De vulg. eloqu. I x2). Anderes Verbindendes tritt hinzu: das Lehrhaft-Polymathische, das sich in den Falten des Geschehens ansiedelt, das präzise Roman- S c h e m a , das Ordnung und Ziel in die Fülle der Abenteuer trägt. Einzig das Kriterium der prosaischen Formgebung trennt: die mittelalterliche Erzählung hat Versgestalt (der freilich schon seit dem 13. Jahrhundert die Prosafassung zur Seite tritt). Doch macht dieser Unterschied der Form den Begriff ‚Roman‘ für mittelalterliche Epik nicht untauglich, zumal der entwicklungsgeschichtliche Zusammenhang zwischen (höfischer) Versepik und späterem Prosaroman offenkundig ist.

Zum Roman als Form par excellence der höfischen Erzählung treten Kleinformen: die französischen Lais, Episodengedichte (‚La Folie Tristan‘, ‚Tristan als Mönch‘, ‚Sir Gawain and the Green Knight‘), Thesengeschichten (‚Moriz von Craûn‘, ‚Heidin‘, ‚Herzmäre‘). Letztere borgen sich als Stoffgrundlage vielfach den Schwank, unterwerfen ihn der Richtschnur eines Exempels. Manches blieb dabei im Stadium des Versuchs.

Die Grenzen der Groß- wie der Kleinform höfischer Epik sind nach allen Seiten offen. Es gibt Symbiosen des Romans mit der Legende (‚La Queste del St. Graal‘, ‚Die gute Frau‘, ‚Mai und Beaflor‘) und mit Helden- und Geschichtsepik (‚Willehalm‘). Form und Geist höfischer Epik dringt ferner einzelhaft in andere Gattungstypen ein: es gibt ‚Höfisches‘ in den ‚Nibelungen‘ und in der ‚Kudrun‘, Hartmanns Legenden werden nach Stil- und

Darstellungsformen mit Recht ‚höfisch‘ genannt. Angesichts dieser Sachlage, die sich im Fortgang der Entwicklung zunehmend differenziert, sieht sich der Darsteller zu ständigen Abgrenzungen veranlaßt. Grundsätzlich wird in vorliegender Gattungsgeschichte der Kreis so eng wie nur möglich gefaßt. Höfisch gefärbte Legende und Heldenepik bleiben außerhalb der behandelten Denkmäler, also etwa Hartmanns ‚Gregorius‘ und ‚Armer Heinrich‘, das Nibelungenlied und die ‚Kudrun‘, wenn auch der Blick auf sie frei gehalten wird. Anderes, das sich im Grenzrain der Gattungen entwickelt hat, erfährt nur eine summarische Behandlung. Die Darstellung bleibt auf die Grundtypen ausgerichtet.

Dieses Bestreben drängte auch die kulturgeschichtlichen Aspekte zurück: zeitgeschichtliche Hintergründe, Ritterstand und Lehnswesen, ritterliche Tugendlehre, Sitte und Bildung und dergleichen. Die Gattungsgeschichte, die auf Einsträngigkeit angelegt ist, jedenfalls sich vor der Verfächerung ins Viele und Allgemeine zu hüten hat, darf auf sie verzichten, und sie kann es unbeschwert, weil jene zeitgeschichtlichen Realien in jeder Literaturgeschichte, vorbildlich bei de Boor, geboten werden. Einzig die ‚Einführung‘, pädagogischen Impulsen entsprungen, hat den Zweck, einige Grundbegriffe, Themen und Farben der höfischen Welt als ‚Leitbild‘ voranzustellen, auf das die erste Phase höfischer Epik, man möchte fast sagen zielstrebig, ausgerichtet ist.

In diesem Sinn möchte das vorliegende erste Bändchen der ‚Höfischen Epik des deutschen Mittelalters‘ als Einheit verstanden sein.

Würzburg, im Juli 1967   Kurt Ruh

Inhalt

Abkürzungen und Kurztitel

Die in der Zitation verwendeten Abkürzungen von Zeitschriften, Reihen, Nachschlagewerken u. dgl. sind die in der germanistischen Fachliteratur üblichen. Für einige wiederholt zitierte Werke gebrauche ich die folgenden Kurztitel:

de Boor, Lit.Gesch. I, II: Helmut de Boor und Richard Newald, Geschichte der deutschen Literatur von den Anfängen bis zur Gegenwart. 1. Bd. H. de Boor, Die deutsche Literatur von Karl dem Großen bis zum Beginn der höfischen Dichtung, München ⁶1964; 2. Bd. ders., Die höfische Literatur. Vorbereitung, Blüte, Ausklang, München ⁶1964.

Köhler, Ideal und Wirklichkeit: Erich Köhler, Ideal und Wirklichkeit in der höfischen Epik. Studien zur Form der frühen Artus- und Graldichtung (Beihefte zur Zs. f. rom. Phil. 97), Tübingen 1956.

Maurer, Leid: Friedrich Maurer, Studien zur Bedeutungs- und Problemgeschichte, besonders in den großen Epen der staufischen Zeit (Bibliotheca germanica 1), Bern ²1961.

Maurer, Relig. Dichtungen I, II: Die religiösen Dichtungen des 11. und 12. Jahrhunderts, 2 Bde., Tübingen 1964/65.

Loomis, Arthurian Lit.: Arthurian Literature in the Middle Ages. A Collaborative History, edited by Roger Sherman Loomis, Oxford 1959.

Loomis, Arth. Tradition: Arthurian Tradition and Chrétien de Troyes, New York ²1952.

Innerhalb einzelner Kapitel wird die jeweils eingangs angeführte Literatur in der Regel nur mit dem Autorennamen zitiert.

I. Einführung

a) Artus-Idealität

Hartmanns ‚Iwein‘-Prolog

Swer an rehte güete
wendet sîn gemüete,
dem volget sælde und êre.
des gît gewisse lêre
5 künec Artûs der guote,
der mit rîters muote
nâch lobe kunde strîten.
er hât bî sînen zîten
gelebet alsô schône
10 daz er der êren krône
dô truoc und noch sîn name treit.
des habent die wârheit
sîne lantliute:
sî jehent er lebe noch hiute:
15 er hât den lop erworben,
ist im der lîp erstorben,
sô lebt doch iemer sîn name.
er ist lasterlîcher schame
iemer vil gar erwert,
20 der noch nâch sînem site vert.

Wer sein Streben nach der *rehten güete*, den wahrhaften Gütern und Werten des Lebens, ausrichtet, dem wird *sælde und êre* zuteil. *Sælde* und *êre*, Leitbegriffe höfischer Idealität, prägen sentenzhaft-unüberhörbar den Anfang des ‚Iwein‘, und sie werden die Erzählung beschließen als Güter, die der Dichter sich und allen (im Einklang mit der Artus-Ideologie gedachten) Hörern wünschen möchte: *wan got gebe uns sælde und êre.*

Sælde bezieht sich auf das irdische Dasein, ist jedoch nicht mit *wunschleben* gleichzusetzen, womit Hartmann wenig später das festliche Hofleben des Pfingsttages charakterisiert (44): dieses ist zwar glanzvoll und hochgestimmt wie ein *sældenrîchez* Leben, aber ohne überirdische Weihe, während *sælde* die Segnung Gottes (beatitudo) in sich schließt. Freilich des ‚höfischen' Gottes: *sælde* ist im Umkreis der höfischen Literatur Standesbegriff, *sældenrîch* sind der *rîter* und die *frouwe*. Das gehobene Standesgefühl des Ritters, das nichts mit Adelsstolz oder gar Standesdünkel zu tun hat, sondern im Bewußtsein besteht, zu großen ritterlichen und sittlichen Taten bestimmt zu sein, drückt sich im Begriff der *sælde* am vollkommensten aus. *Sælde* bewirkt Erfolg und ist zugleich die Frucht erprobter ritterlich-höfischer Tugenden wie *stæte, triuwe, manheit, frümekeit*, ist Glück und Segen umschließendes Dasein, Heilsfülle. Als *frou Sælde* (Erec 3460, 9899 ff.) ist sie die gute Fee des höfischen Menschen.

Auf ein nhd. Äquivalent müssen wir verzichten, da der moderne Mensch das Lebensgefühl der *sælde* nicht mehr kennt und mithin keinen entsprechenden Begriff geprägt hat. Das Miteinander von irdischem ‚Glück' und göttlichem ‚Heil' ließe sich am besten mit ‚Glückseligkeit' bezeichnen — wenn nicht zuviel vom Geiste des aufklärerischen 18. Jahrhunderts in diesen Begriff eingegangen wäre.

Ere ist, wie immer wieder betont wurde, in der überwiegenden Zahl der Belege äußere Ehre, das Ansehen, *werdekeit, lop, prîs*, also ungefähr das, was die Franzosen ‚point d'honneur' nennen. Wenn Erec es sich gefallen lassen muß, von einem Zwerg mit einer Geißel geschlagen zu werden, so liegt die erlittene Schmach nicht minder im Umstand begründet, daß die Königin und ihre Begleiterin Augenzeugen sind, als im Faktum selbst (*und schamte sich nie sô sêre / wan daz dise unêre / die künegîn mit ir vrouwen sach* 106 ff.; siehe auch 115, 122 ff.). Das will indes nicht heißen, daß *êre* nicht auch auf den Persönlichkeitskern, die honestas, zielt, also eine Tugend ist. Die Wertschätzung der Person durch die Gesellschaft spiegelt eben die *êre* als inneren Wert, so wie im mittelalterlichen Denken die Form den Inhalt meint und Formverletzung den wirklichen Fehl anzeigt. Allein für das gesellschaftliche Bewußtsein, dessen Ausdruck der höfische Roman ist, mußte notwendigerweise die *êre*, die das Ansehen trifft, thematisch werden: als Triebkraft der Aventiure. Ehrverletzung schließt vom Artushof aus. Erec durch die Geißelschläge des Zwergs vor den Augen der Königin, später durch das Gerede des Hofes über des Neuvermählten ritterliche und gesellschaftliche Passivität, Iwein, der einen verbindlichen Termin versäumt, Parzival, der vor dem Gral und Anfortas versagt, verlieren mit der *êre* ihre Artuswürdigkeit, müssen sie in der Aventiure neu erringen, und die Gesellschaft ist es, die sie erneut bestätigt.

Daß das Streben nach der *güete* zum Gewinn von *sælde und êre* führt, davon gibt uns König Artus *gewisse lêre* (4), eine untrügliche Bestätigung. *Künec Artûs der guote*: die Wendung stammt aus Chrétiens ‚Yvain‘, der gleich einsetzt mit *Artus li buens rois de Bretaigne*. Es gehört zu der ausgereiften Kunst der Chrétien-Rezeption Hartmanns, daß er den Begriff des ‚guten‘ Königs im Abstraktum *güete* vorweggenommen hat und diese als höchsten Lebenswert erscheinen läßt. Wenn wir nun lesen: *künec Artûs der guote*, so ist dieses *guot* bereits mit spezifischem Gehalt erfüllt: Artus ist Vorbild der Güter und Werte, die zu *sælde und êre* führen.

Das Folgende ist Explikation: Artus wußte sich in echtem Rittersinn *lop* (Nachruhm) zu erwerben; er lebte *schône* (vorbildlich), so daß er *der êren krône* trug und sie jetzt noch trägt, nämlich in der unauslöschlichen Erinnerung seiner Landsleute. Diese sprechen die Wahrheit, wenn sie meinen, er lebe noch heute (auf der Feeninsel Avalon, siehe unten S. 94). Hartmann deutet diese Überlieferung im geistigen Sinne: mag er auch gestorben sein, *sô lebt doch iemer sîn name*.

Die Schlußverse (18 ff.) kehren zur sentenzhaften Form des Anfangs zurück. Was dort positiv gesagt ist, erscheint nunmehr in negativer Formel: Wer Artus nachfolgt, entgeht *lasterlîcher schame* (Schmach und Schande).

Artus ist so Symbol vollendeten höfischen Rittertums. Und dennoch wird er uns, wenigstens im klassischen Artusroman Chrétienscher Prägung, nicht in seiner Aktivität, d. i. als ‚Held‘, vorgestellt. Seine Waffentaten, ohne die *lop* im Umkreis ritterlichen Denkens nicht bestehen kann, werden zwar vorausgesetzt, nicht aber aufgezeigt. Als Mittelpunkt seiner um ihn versammelten (tätigen) Ritterschaft kann er sich selbst nicht in Bewegung setzen. Er spornt an, ist Promotor der Aventiure, ‚semper movens immobilis‘, ‚unbeweglicher Beweger‘, wenn es gestattet ist, eine alte Gottesformel auf ihn zu übertragen. Um Aventiure in Gang zu bringen, den Kosmos ritterlicher Tat zu erhalten, veranlaßt Artus zu Beginn des ‚Erec‘ die Jagd auf den weißen Hirsch, im ‚Iwein‘ den Aufbruch zur gefährlichen Quelle. Dazu stimmt der wiederholt erwähnte Zug, daß der König seine Ritter nicht eher zur Tafel lud, als ihm wenigstens e i n Abenteuer gemeldet worden ist:

> Artûs, bî dem ein site lac:
> nehein rîter vor im az
> des tages swenn âventiure vergaz
> daz si sînen hof vermeit. (Parz. 309, 6 ff.; weiter: Lanzelet
> 5708 ff., Wigalois 247 ff., Strickers ‚Daniel‘ 400 ff.)

Artus ist es auch vor allem, der Ritterschaft verleiht. Unzählige Knappen brechen zu seinem Hofe auf, um sich von diesem König aller Könige das Ritterschwert umgürten zu lassen. So führt im Lancelot-Prosaroman die Jungfrau vom Lac den jungen Lancelot an den Artushof, damit er dort und nirgend anderswo die ritterliche Weihe erhalte. In gleicher Absicht läßt sich Wigalois, der Sohn Gaweins, zu Artus führen (1455 ff.), und Parzival erfährt von den drei Rittern im Walde, daß König Artus Ritterschaft verleihe: *der bringet iuch an ritters namen, / daz irs iuch nimmer durfet schamen* (123,9 f.).

Mit seiner Ritterschaft bildet Artus die Tafelrunde. Diese ist Idealbild der höfisch-ritterlichen Gesellschaft: die Kreisform als vollkommenste Form — sie ist Gottessymbol! — spricht es aus. Hinzu kommt, daß die runde Gestalt der Tafel kein Oben und Unten, mithin keine Rangordnung zuläßt. Alle Mitglieder dieser auserlesenen Gesellschaft sind, wenigstens ideologisch, gleichen Ranges: *wande in* [den Tafelrundern] *ir zuht des verjach: / nâch gegenstuol dâ niemen sprach, / diu gesitz wârn al gelîche hêr* (Parz. 309,23 ff.).

Die Aventiure, die Artus inspiriert und in Gang bringt, findet ihren natürlichen Ausgleich im Fest, im geselligen Dasein, in der *hovesfröide*. Am Artushof ist *alles des diu überkraft / des man ze vreuden gert* (Wigalois 1458 f.). Zur Pfingstzeit ist es feststehender Brauch, daß der König ein prächtiges Hoffest in Szene setzt. Hartmanns ,Iwein' setzt mit der unvergleichlichen Schilderung eines solchen ein:

> Ez het der künec Artûs
> ze Karidôl in sîn hûs
> zeinen pfingesten geleit
> nâch rîcher gewonheit
> 35 ein alsô schœne hôchzît
> daz er vordes noch sît
> deheine schœner nie gewan ...
> mänlich im die vreude nam
> der in dô aller beste gezam.
> 65 dise sprâchen wider diu wîp,
> dise banecten den lîp,
> dise tanzten, dise sungen,
> dise liefen, dise sprungen,
> dise schuzzen zuo dem zil,
> 70 dise hôrten seitspil,
> dise von seneder arbeit,
> dise von grôzer manheit.

So kann Wolfram mit leiser Ironie sagen:

> Artûs der meienbære man,
> swaz man ie von dem gesprach,
> zeinen pfinxten daz geschach,
> odr in des meien bluomenzît. (281, 16 ff.)

Feste entfalten sich auch, wenn ein Artusritter von glücklicher Fahrt zurückkehrt. Nach der Heimkehr Erecs vom Sperberabenteuer entfaltet sich ein Freudenfest ohnegleichen mit farbig-prächtigen Aufzügen (Aufmarsch der fünf alten und fünf jungen Könige 1941 ff.), mit Spiel und Tanz, Musik und galanter Unterhaltung (2142 ff.). Bis zu Gottfried Kellers Apotheosen bürgerlicher Festfreude hat sich nie mehr solcher Festglanz in der deutschen Literatur manifestiert. Hier und dort sind es beglückende Erhöhungen wirklicher Feste und Feiern, ‚Gesundbrunnen‘, um mit Keller zu reden, nationalen bzw. höfischen Daseins.

Das Leben des höfischen Ritters besteht so im Wechsel von *aventiure* und *hôchzît*. *Aventiure* mit *arebeit, lîden, ungemach; hôchzît* mit *hovesfreude, wunschleben, seitspil* und *kurzwîle*. Und alle Artusromane der Blütezeit enden mit der Feier, münden in eitel Freude. Sie kennen weder den schicksalhaften Tod des Helden wie das heroische Gedicht, noch die Minnetragödie der frühhöfischen Dichtung. Es klingt aus wie im Märchen oder in Goethes ‚Hochzeitslied‘:

> Trompeten und klingender, singender Schall,
> Und Wagen und Reiter und bräutlicher Schwall,
> Sie kommen und zeigen und neigen sich all,
> Unzählige, selige Leute.
> So ging es und geht es noch heute.

Literatur: Zur *sælde:* R. STRÜMPELL, Über Gebrauch und Bedeutung von *sælde, sælic* und Verwandtem bei mhd. Dichtern, Diss. Leipzig 1917; TH. SCHARMANN, Studien über die *Sælde* in der ritterlichen Dichtung des 12. und 13. Jahrhunderts, Würzburg 1935; H. GÖTZ, Leitwörter des Minnesangs (Abhandlungen der Sächs. Akad. d. Wissensch. zu Leipzig, Philol.-hist. Kl. 49, 1), Berlin 1957, S. 11—52, bes. S. 38 ff. — Zum Ehrbegriff: H. EMMEL, Das Verhältnis von *êre* und *triuwe* im Nibelungenlied und bei Hartmann und Wolfram (Frankfurter Quellen und Forschungen 14), Frankfurt a. M. 1936, S. 30 ff; MAURER, Leid, Anhang II. — Zur *güete:* M. BINDSCHEDLER, *Guot* und *güete* bei Hartmann von Aue, Festschrift für Friedrich Maurer, Stuttgart 1963, S. 352 bis 365.

b) Aventiure und Minne

Die Jagd auf den weißen Hirsch im ‚Erec‘

L i t e r a t u r : siehe unten im Erec-Kapitel, S. 112; zum Aventiure-Begriff besonders KÖHLER, Ideal und Wirklichkeit, Kap. III.

Der Auftakt zum ‚Erec‘ fehlt in der Überlieferung des Hartmannschen Werkes. Daß er mit Chrétiens Fassung übereinstimmt, ergibt sich aus dem weiteren Zusammenhang, mit Ausnahme der Warnung Gaweins, die vorgesehene Jagd könne dem König *ne gre ne grace*, also Streit und Ärger, eintragen (39 ff.), denn Hartmann tilgt den bei Chrétien tatsächlich eintretenden Streit der Artusritter (285 ff.). Ich folge Chrétien bis zum Einsatz Hartmanns.

Artus hält auf Caradigan (Hartmann: Karadigân) zur Osterzeit glänzenden Hofstaat. Zum Abschluß der Festlichkeiten möchte er den alten ‚Rechtsbrauch‘ (*costume* 38) seines Vaters Pandragon (1811, Hartmann: Utpandragôn 1787), die mit einem Schönheitspreis verbundene Jagd auf den weißen Hirsch, erneuern. Dagegen wendet sich Gauvain (Gawein), Neffe des Königs und Primus der Tafelrunder, indem er erklärt, dieser Brauch, wonach der glückliche Erleger des Jagdtieres die schönste Dame des Hofes küssen dürfe, werde zu gefährlichem Streit führen. Jede der hier anwesenden 500 hochgeborenen, schönen und feingebildeten Damen habe zu ihrem *ami* einen tapferen Ritter, der seine Freundin für die Schönste halte und dies mit dem Schwerte zu beweisen entschlossen sei. Aber der König bleibt bei seinem Wort. Morgen in der Frühe werde die Jagd *an la forest avantureuse* (65) stattfinden.

So bricht bei Tagesanbruch die Jagdgesellschaft auf, der König voran mit Rittern und Treibern. Nach ihnen besteigt die Königin, begleitet von einer schönen Jungfrau, ihren weißen Zelter, augenscheinlich um von ferne die Jagd zu verfolgen. Noch eine Weile später sprengt Erec davon, ein junger, hochgeachteter Ritter der Tafelrunde von großer Schönheit. Er hat einen Mantel von Hermelin über die Schultern geworfen, sein Waffenkleid ist aus byzantinischer Seide, seine Beinkleider aus Brokat. Das ist keine Jagdausrüstung; zudem ist er nur mit dem Schwerte bewaffnet. Er erreicht die Königin mit ihrer Dame und bietet ihr seine Begleitung an. An der Jagd scheint ihm nichts gelegen zu sein.

An dieser Stelle setzt die Hartmann-Überlieferung ein: *bî ir und bî ir wîben, / diz waz Erec fil de roi Lac, / der vrümekeit und sælden phlac.*

Erecs galante Pflichten sind von kurzer Dauer. Es kommt zur Begegnung mit dem Zwerge, der seinem Herrn, einem schwerbewaffneten Ritter, und dessen Dame (*eine jungfrouwen gemeit* 12, Chrétien: *une pucele de grant estre* 144) vorangeht. Die Königin schickt, nach höfischer Sitte, ihr Hoffräulein zum Zwerg, um sich nach dessen Herrschaft zu erkundigen. Die Botin erhält jedoch keine Antwort,

16

und wie sie sich dem Ritter selbst zuwenden will, versetzt ihr der Zwerg einen Peitschenhieb über Gesicht und Hände. Erec, der den mißgeborenen *wenigen* zur Rede stellt, ergeht es nicht anders. Und das Schlimmste ist, er vermag sich nicht zu rächen: *der ritter hete im genomen den lîp, / wan Erec was blôz als ein wîp* (102 f.). Damit ist seine Ehre vernichtet. Er verläßt die Königin und folgt heimlich dem düster wirkenden Trio — weder der Ritter noch die Dame hatten ein Wort gesprochen —, entschlossen, seine Schmach durch Herausforderung des Ritters als des Verantwortlichen zu rächen.

Sind wir im Märchen, oder nehmen wir an der (freilich überhöhten) Wirklichkeit königlicher Hofhaltung und ritterlichen Lebens teil? Der Erzähler spielt bewußt auf zwei Klaviaturen. Die Jagd auf den weißen Hirsch scheint Geheimnisvolles und Gefährliches in sich zu schließen. Sie findet in der *forest avantureuse* statt und mußte, wenigstens bei Chrétiens Publikum, die Erinnerung an Entrückungen des jagenden Helden in eine jenseitige Welt (Guigemar-Lai der Marie de France) oder an den Hirsch als Ungeheuer wecken, dessen Erlegung eine Heldentat ohnegleichen ist (Tyolet-Lai). Andererseits formt der Dichter scharfumrissene, farbige Bilder der diesseitigen Welt höfischen Lebens: die bunte Pracht der Hofgesellschaft mit vielen guten, kühnen und stolzen Rittern und Jungfrauen, schön, anmutig und feingebildet; der Aufbruch der Jagdgesellschaft am frühen Morgen und die entfesselte Jagd selbst (letztere nur bei Chrétien). Wiederum düster, geheimnisvoll, zumal bei Chrétien im Waldesdunkel — Hartmann verlegt den Schauplatz auf eine *heide* (7) —, ist die Begegnung mit der fremden Reisegesellschaft. Man erwartet die Verlockung in einen Hinterhalt, die volle Öffnung ins Märchenhafte.

Nichts von allem geschieht. Die Jagd führt ohne Zwischenfall zur Erlegung des weißen Hirschs durch die Hand des Königs, und Erec, in der Verfolgung des fremden Ritters, tut sich eine heitere Gegend im Abendglanz auf: ein Schloß auf der Höhe, in dem der Ritter Herberge nimmt, ein Marktflecken in der Niederung und überall frohes, bewegtes Leben, wie es einem Festtag voranzugehen pflegt.

Damit ist die Atmosphäre des Artusromans angedeutet. Sie wechselt, oft fast unmerklich, zwischen Wirklichkeit und Wunderwelt, und ich möchte glauben, daß gerade dieses Hinübergleiten von einer Daseinsebene in die andere zu dem gehört, was auch noch heute den Leser zu bestricken vermag. Freilich geht es dem Dichter primär keineswegs um Atmosphäre. Er ist daran, eine höchst kunstvolle, allseitig funktionsbedingte Handlung aufzubauen — ohne deren Gesetze zu enthüllen. Es scheint nämlich alles auf Überraschung angelegt zu sein. Die Hirschjagd öffnete den Weg zu gefährlicher Aventiure — und verläuft wie eine ganz gewöhnliche Jagd; der Held der Erzählung entzieht sich ihr — und wir erfahren nicht einmal, warum! Aber ist nicht gerade die Nichtteilnahme Erecs der Grund, daß die berühmte Jagd so unspektakulär endet? Denn aus der erwarteten Jagdaventiure in der *forest aventureuse* ist die Abenteuerfahrt Erecs geworden. Die Hirschjagd ist m. a. W. stimulans actionis: sie führt den Helden aus der Hofburg Artus' hinaus auf die Straße der Aventiure.

Ein weiteres: Die Hirschjagd ist *costume*, Rechtsbrauch (Hartmann überträgt *costume* mit *reht* 1107, 1144, 1793, 1841, *gewonheit* 1785, 9774, einmal sehr präzis mit *reht nâch der gewonheit* 1114). Sie zu erfüllen, ist königliche Pflicht, mag sie auch, wie Gawein wissen will, schwierige Situationen heraufbeschwören. Die Verpflichtung zur *costume Pandragon* setzt aber deren Sinn und Funktion voraus: sie bringt, wie wir bereits wissen, tätiges Rittertum in Gang. Tritt Aventiure nicht von selbst an die Tafelrunder heran (wie es Erec in der Zwergenbegegnung widerfährt), so muß man sie suchen, ja provozieren. Genau dies tut Artus mit der Jagd auf den weißen Hirsch. Er erfüllt damit in schönster Weise seine Existenz.

Alles, was Artus unternimmt, ist *costume*-Verpflichtung: die Ritter solange hungern zu lassen, bis eine Aventiure gemeldet wird, die reiche Ausstattung von Knappen, die an seinen Hof kommen, das Gewähren von Bitten (mit oft katastrophalen Folgen), die Annahme jeglicher Herausforderung usw. Ebenso ist die Aventiure der Ritter vielfach *costume*-bedingt: die Burg, die der Quartiersuchende betritt, hat eine, zumeist schmach- oder verderbenbringende *gewonheit*: es gilt Riesen zu bekämpfen, fahrende Betten zu besteigen, erwartete Fragen zu stellen. Bestehen bedeutet in diesem Falle Befreiung des *costume*-Forderers von bedrückender und leidvoller Bindung: es gibt *costumes* böser Mächte, die zu beseitigen zu den vornehmsten Aufgaben des Ritters gehört (,Schastel marveil' im ,Parzival', ,Dolorose Garde' im Prosa-Lancelot).

Literatur : E. KÖHLER, Die Rolle des ,Rechtsbrauchs' (costume) in den Romanen des Chrétien de Troyes, in: Trobadorlyrik und höfischer Roman, Berlin 1962, S. 205—223.

Aventiure, die Artus in Gang bringt und seine Ritter bestehen, ist das, was auf einen zukommt (adventura), vielfach verbunden mit dem Charakter des Überraschenden und Gefährlichen. Doch ist für die Dichter der Blütezeit *âventiure* fast gleichbedeutend mit ritterlichem Kampf (explizit besagt dies die Erklärung des Kalogreant auf die Frage des Waldmenschen: *âventiure? waz ist daz?* Iwein 527 ff.), wenigstens pflegen sich Aventiuren in ritterlichen Zweikämpfen zu erfüllen. Doch fehlt auch die ,romantische' Komponente der Aventiure nicht (Chrétien, Yvain 366), und sie tritt im Laufe der Entwicklung immer entschiedener hervor: es gilt menschliche und tierische Ungeheuer (Riesen und Drachen) zu erschlagen, toddrohende Brücken zu überschreiten (Unterwasser- und Schwertbrükken im ,Lancelot'), Jungfrauen und Frauen aus roher Gewalt zu befreien, verzauberte Gärten und Schlösser, aber auch Jungfrauen (Drachenkuß im ,Lanzelet' des Ulrich von Zatzikhoven) zu erlösen, wunderbare Gegenstände zu erwerben. So oder so sind „unnennbare Leiden zu erdulden". Wozu das alles? Aventiure ist Erprobung und Bewährung der Ritterschaft. *Wand ich nâch anders nihte envar*, erklärt Kalogreant abschließend im oben angeführten Zusammenhang: zu keinem andern Zwecke, als in der Aventiure höhere *werdekeit* zu erringen (537), ist er ausgeritten. Deshalb ist der Ritterroman eo ipso Abenteuerroman. Jede sieghafte Aventiure ist Bewährung und Aufstieg zu höherer *werdekeit*. Ist der Anstoß wie im ,Erec' verletzte Ehre, so geht es um Rehabilitierung (*daz ich mich des erhol* 127, 483); in Wirklichkeit wird durch das Bestehen nicht nur das Verlorene wieder zurückgewonnen, sondern der Ritter auf eine neue, höhere Daseinsstufe gehoben. Man muß zuerst verlieren, um Höchstes zu gewinnen. Der Ritter selbst ist sich dessen kaum bewußt, er denkt nur an Wiedergutmachung. Es ist sozusagen die ,List der Aventiure', wenn sie die notwendige Satisfaktion vor der Gesellschaft zu höherem Zwecke führt.

Nicht jeder Ritter ist zu höchster *werdekeit* berufen, aber alle erstreben sie. Es gibt Erwählungen dazu. Den Auserwählten fallen die Aventiuren reihenweise an, andere können tagelang durch die Wälder streifen, ohne auf eine einzige zu stoßen: Frau Aventiure kann gnadenlos sein. Die einen bestehen, andere nicht. Kalogreant gelingt es nur, das Gewitter des Quellenabenteuers zu überstehen, er wird jedoch vom Quellenritter zu Boden geworfen. Iwein wiederholt das Unternehmen, und ihm wird der Sieg zuteil. Es gibt ferner Auserwählte, die Aventiure nicht wie Kalogreant und Iwein zu suchen brauchen, sondern nach denen sie, oft unvermutet und wider Willen des Ritters, greift. Erec gehört zu diesen. Endlich hören wir von Aventiuren, zu denen man nur von höherer Instanz berufen sein kann: zur Erringung des Grals.

Der êren krône, die Vollkommenheit, ist in der Regel dem Titelhelden vorbehalten. Stets aber kommt sie Gawein zu. Sie umschließt nicht nur Tapferkeit, Mut, Leidensfähigkeit — diese Tugenden zeichnen auch den Durchschnitt aus —, sondern Selbstverleugnung und Selbstüberwindung, darüber hinaus die Totalität der Person. Eine mittelenglische Artus-Episodendichtung läßt dies in reinster Ausprägung erkennen: ,Sir Gawain and the Green Knight' (um 1370).

Die Geschichte beginnt, wie immer wieder in der Artusepik, mit einer Herausforderung. In der Silvesternacht erscheint die furchterregende, riesenhafte Gestalt des Grünen Ritters und fordert die Tafelrunder auf, ihm mit einem einzigen Beilschlag das Haupt vom Rumpfe zu schlagen, dafür solle der Ritter, der
solches wage und vollbringe, übers Jahr in der Grünen Kapelle seinen eigenen
Nacken dem Beile darbieten. Gawain ist es, der diese verzweifelte Aventiure
auf sich nimmt. Der Kopf des Grünen fällt, womit freilich kein Toter am Boden
liegt, denn der unheimliche Gast hebt seinen Schädel wiederum auf, erinnert an
die Verpflichtung, verläßt den Hof.

Es ist für einen Ritter von Gawains Rang selbstverständlich, daß er sein Wort
hält, auch wenn er in den sichern Tod geht. Nach Allerheiligen bricht er auf,
denn er muß die Grüne Kapelle suchen; zur Weihnachtszeit gelangt er zu einer
einsamen Burg, wo man ihm versichert, die gesuchte Stätte befinde sich in un-
mittelbarer Nähe, er könne ruhig hier bis zum Jahresende verweilen. Gawain
gewinnt die Freundschaft des Gastwirts, bezaubert durch seine angeborene
Liebenswürdigkeit die Damen, zumal die Burgherrin. Drei Tage vor dem
grausigen Stelldichein in der Kapelle wird in Weinlaune ein Pakt geschlossen:
der Burgherr geht auf die Jagd und seine Beute soll Gawain erhalten, während
dieser das, was er zu Hause zu erbeuten verstehe, dem Jäger zu überlassen hat.
Und nun wird die schöne Burgfrau zur Verführerin. In den ersten Tagen trägt
sie einen, zwei Küsse davon, die Gawain dem Burgherrn getreulich als seine
,Beute' gegen reichliches Wildbret zurückerstattet. Der letzte Tag bringt für
Gawain eine unerhörte Probe. Er war nie ein Tugendheinrich, in Sachen Minne
schon gar nicht. Und jetzt steht er vor seinem Tode: der Unhold der andern
Welt, der Grüne Ritter, wartet auf ihn und wird ihm unfehlbar den Kopf ab-
schlagen. Aber da ist das Versprechen dem Gastgeber gegenüber. Würde er
diesem die Ehre rauben, bräche er sich selbst die Treue, sein ganzes Leben ver-
löre Sinn und Wert, er wäre nicht mehr der Auserlesene, Vorbildliche, zum
Höchsten Berufene. Gawain weist Leib und Ring der Dame zurück. Aber eines
behält er: den grünen Gürtel, der unverwundbar macht. Und er verschweigt
ihn auch gegenüber dem Wirt, stattet nur die auf drei gewachsene Zahl der
Küsse zurück. — Am anderen Morgen steht Gawain vor der Kapelle und bietet
seinen entblößten Nacken dem Beile des Grünen Ritters dar. Dieser schlägt
zweimal daneben, beim dritten Schlag streift er ihm hauchdünn die Haut. Zweimal hatte Gawain vor dem Gastwirt, der sich als der Grüne zu erkennen gibt,
Wort gehalten, das dritte Mal leicht gefehlt: nicht durch sinnliche Verlockung,
sondern weil er am Leben hing, und dafür ist er gezeichnet worden. Der Gürtel
bleibt ihm als Geschenk und Mahnung.

Diese Geschichte ist so ausdruckskräftig, daß auch der moderne Leser
keiner Deutung bedarf. Sie zeigt den Artusritter auf seiner Höhe, im
Vollbesitz der sittlichen Kräfte, aber auch in seinen realen Möglichkeiten.
Gawain ist bewundernswert, eine „Perle unter weißen Erbsen", wie der

Grüne Ritter sagt, aber doch Mensch genug, um einen letzten Rest von Todesfurcht nicht zu verleugnen.

Literatur: Ausgabe: J. R. R. Tolkien - E. V. Gordon, Oxford 1925. Deutung: G. L. Kittredge, A Study of Gawain and the Green Knight, Harvard 1916 (reprinted Gloucester, Mass. 1960); L. H. Loomis, Gawain and the Green Knight, in: Loomis, Arthurian Lit. S. 528—540; H. Zimmer, Abenteuer und Fahrten der Seele, Zürich-Stuttgart 1961, S. 79 ff.

Wir kehren nochmals zum Ausgangspunkt, dem Auftakt des ‚Erec‘, zurück. Wenn die Jagd auf den weißen Hirsch dazu da ist, Aventiure in Gang zu bringen, so ist der Lohn, der dem Jagdsieger winkt, Minnelohn: der schönsten Dame Kuß. Das Mit- und Ineinander von Aventiure und Minne gehört in der Tat zu den konstitutiven Elementen des Artusromans. Führt die Aventiure auf den Weg zur ritterlichen Vollkommenheit, die Minne tut es auch, und so vermag sie ritterliche Tat unmittelbar zu begleiten.

Für Erec, den die Aventiure auf ihre Bahn gerissen hat, sieht es freilich nicht so aus, als wäre ihm irgendein Anteil an der *costume Pandragon* beschieden. Die Jagd findet ihren Abschluß, während er den lieben langen Tag der Spur des fremden Ritters mit seiner Begleitung nachgeht. Wie er die heimlich Verfolgten in der Burg des Herzogs Imain zu Tulmein Herberge nehmen sieht, sucht er selbst ein Nachtquartier. Er findet es mit Mühe in der Ruinenwohnung eines (ohne eigene Schuld) verarmten Ritters, und hier kommt er auch zu dem, wessen er am dringlichsten bedarf: zu Waffen. Um dem Ritter, der die *unvuoge* des Zwerges zuließ, erfolgreich entgegentreten zu können, braucht er aber noch mehr: eine Dame. Auch auf Tulmein ist eine *costume* im Gang: der alljährlich *ze vreuden sîner* (des Herzogs) *lantdiet* ausgesetzte Sperberpreis. Den Sperber darf sich die schönste Dame von der Stange holen, ihrem Ritter aber liegt es ob, ihren Anspruch auf den Schönheitspreis wenn nötig mit Lanze und Schwert durchzusetzen. Zweimal schon hat die Freundin von Erecs Widersacher den Preis gewonnen, ohne daß es die Ritter anderer, und wie man sagte, schönerer Frauen angesichts des Waffengewaltigen gewagt hätten, ihn ihr streitig zu machen. Erec bedarf also, um hier auf Tulmein seinen Beleidiger herauszufordern, einer Dame, und sie wird ihm in der Tochter seines Gastwirts, Enite, dem schönsten und liebenswertesten Mädchen unter der Sonne, zuteil. So geht es im Kampf des folgenden Tages nicht nur um Rache und Ehre, sondern um Minnegewinn: nur der Sieger darf Enite heimführen. Die große Bewährung gelingt: Erec kehrt mit strahlendem Waffenruhm und einem Mädchen von so auserlesener Schönheit an den Artushof zurück, daß Artus, der glückliche Jäger des weißen Hirschs, keinen Augenblick zögert, es mit freudiger Zustimmung aller durch seinen Kuß auszuzeichnen.

Es gibt kaum ein schöneres Modell für das Zusammenwirken von Aventiure und Minne, Rittertüchtigkeit und Schönheit, als die skizzierte ,Erec'-Episode, und es wird durch das ganze Werk hindurch thematisch bleiben. Daß aber die siegreiche Waffentat, zumal zu Beginn einer ritterlichen ,Laufbahn', den Gewinn einer schönen Frau einschließt, bildet die Regel. Iwein erhält mit dem sieghaft bestandenen Quellenabenteuer die Hand der Laudine, Parzival durch seine Waffentaten vor Pelrapeire die der Kundwiramurs; Gawan erobert sich mit den Bewährungen von Schastel marveil die stolze Orgeluse, der Turniersieger Gahmuret Herzeloyde, Parzivals Mutter; dem Lanzelet in Ulrichs von Zatzikhoven Roman fallen mit seinen drei ersten ritterlichen Erfolgen gleich drei Frauen zu, und er nimmt sie alle, ohne sich große Gedanken über den schnellen Wechsel zu machen: daher ist er auch der *wîpsælige* Lanzelet. Nur der Legendenheld Gregorius erfährt solche *gewonheit* ad malam partem, indem er auf diese Weise seine Mutter heiratet, die Blutschande des Elternpaares erneuert.

Minnegewinn als Lohn ritterlicher Tat, zum festen Handlungsschema geworden, läßt nicht alle Möglichkeiten der Minne zur Wirkung kommen. Erst wo Minne dauerndes Stimulans zu Heldentaten ist, gewinnt sie ihre höchste Kraft. Im Kampfe zwischen Erec und Mabonagrin im Wundergarten *Joie de la curt* sind es die Damen, die Mut und Hand der Streiter beflügeln: *die kraft gâben in ir wîp* (9171); der Waffengang selbst wird im Bilde des *minnespils* dargestellt (9106 ff.). Vor allem aber ist es Lancelot in Chrétiens ,Karrenritter' und im Prosa-Lancelot, der sich durch seine Minne zur Königin Ginover zu allen großen Taten verpflichtet weiß: *,Ich [were] nye so zu großen eren und hohen sachen komen, werent ir nit gewest. Ich enhett keyn hercz gehabt zu myner ritterschafft . . . . Aber darumb das ich an uch und uwer schonheit gedacht han, das hatt myn hercz in groß hoffart gebracht, so, was sachen ich anfing, bracht ich lichticlichen zu ende'* (Prosa-Lancelot II, S. 439,5 ff.). Das ist Minnerittertum par excellence. Für Wolfram sind es die Ritter aus dem Heidenland, die *durch die minne* kämpfen: Feirefiz, der Halbbruder Parzivals, läßt sich von Secundille von Thabronit und Thasme, der reichsten und schönsten Königin des Orients, zu unerhörten Taten inspirieren, *Thabronit* und *Thasmê* ist sein Kampfruf im Streit, gegen den Parzival nur aufkommt mit einem ebenso leidenschaftlichen *Pelrapeire* (739,24 ff.; 743,23 ff.). (Sie nennen die Städte ihrer Damen, weil diese selbst nach den Spielregeln höfischer Minne nicht genannt werden dürfen.) Im ,Willehalm' sind es wiederum die Heidenritter, vorab Arofel und Tesereiz, die sich *durch wîbes dienst* und mit Minnezeichen wohl versehen in den Kampf stürzen. Aus solchem Minnedienst erwächst dann für Wolfram der Grundkonflikt des 2. Titurel-Fragments: die sittliche Rechtfertigung gefahrvollen Dienstes im Auftrag einer Frau. Der Wunsch der Geliebten, ein Brackenseil, auf dem in kunstvoll-zierlichen Buchstaben eine rührende Liebesgeschichte geschrieben ist, zu besitzen, führt zum Tod des Freundes.

Was Artus selbst betrifft, so ist er in der Minne ebenso wenig aktiv wie in der Ritterschaft, aber Minne — wie die Aventiure — zu f ö r d e r n , gehört freilich zu seinen ,Pflichten'. Daß Artus' Hofburgen voll schöner Frauen und gelegentlich der Schauplatz von Schönheitskonkurrenzen sind, zeigt gerade unser Modellfall des ,Erec'-Beginns. Und jede Schöne hat ihren *âmis. och wânde dô ein frouwe sân, / si solt den prîs verloren hân, / hete si dâ niht ir âmis,* bemerkt Wolfram mit gutmütigem Spott (216,23 ff.). Artus stiftet aber auch gerne Ehen oder gibt jungen Paaren seinen königlichen Segen plus reiche Ausstattung: Erec und Enite, Lanzelet und Iblis. Wolfram läßt Artus, wiederum mit schalkhafter Übertreibung, im 14. Buch des ,Parzival' gleich ein halbes Dutzend Ehen prominenter Persönlichkeiten schließen: *Artûs was frouwen milte: / sölcher gâbe in niht bevilte* (730,11 f.).

Abenteuer und Minne, ihr Sinn, ihre Einheit ist die eigentliche Thematik Chrétiens und damit Hartmanns. Das harmonische Miteinander beider Lebensmächte und ihre Bindung an die Gesellschaft waren nicht von selbst gegeben, sondern mußten — das trifft nur für Chrétien zu — errungen und verteidigt werden. Dies geschah, wie es ERICH KÖHLER (Ideal und Wirklichkeit, Kap. V) am eindrucksvollsten gezeigt hat, in der Auseinandersetzung mit dem ,Tristan', der kurz nach der Mitte des 12. Jahrhunderts in Nordfrankreich seine erste höfische Gestaltung fand (die sog. ,Estoire'). Im Wortlaut kennen wir sie freilich nicht, aber sie ist aus Eilharts von Oberge ,Tristrant' und Bérouls ,Roman de Tristan' mit verhältnismäßig großer Sicherheit zurückzugewinnen.

Der Tristanroman ist nur von e i n e r Macht beherrscht, der Liebe; diese selbst ist das Abenteuer: Abenteuer der Seele, die einzige und verzehrende Passion. Der wahre Liebende ist Märtyrer der Minne und um ihretwillen zu allem bereit: zu Not und Tod, aber auch zu Schmach und Schande. Diese Konzeption ist nicht, wie man zunächst meinen möchte, eine Spätform des höfischen Romans, sondern sie steht an dessen Beginn und bedeutet eine ständige Gefährdung der von Chrétien erstrebten und errungenen Balance. Wir umreißen sie genauer im folgenden Abschnitt.

c) Das Abenteuer der Minne
,La Folie Tristan‘

Die ,Folie Tristan‘ ist ein Episodengedicht. Es verdient in unserem Zusammenhang den Vorzug vor Eilharts Darstellung (8583—9032) — der fragmentarische ,Tristan‘ Bérouls überliefert die Narren-Episode nicht —, nicht nur um seiner künstlerischen Geschlossenheit willen, sondern weil der Deutsche gerade Episoden von der Art der ,Folie Tristan‘ nach Gehalt und Sinn nicht zu begreifen vermochte. Die Narrheit Tristans ist ihm mehr oder weniger nur ein (erneutes) Beispiel des von ihm bewunderten ,listigen‘ Tristan. Aber das ist keineswegs der Sinn der Episode.

Von den beiden Fassungen der ,Folie‘ ist die Berner die kürzere und altertümlichere; sie könnte Béroul zur Quelle haben, jedenfalls steht sie ihm stilistisch nahe. Die Oxforder ,Folie‘ dürfte bereits unter dem Einfluß der Tristandichtung des Thomas gestanden haben, obschon dieser die Narren-Szene verworfen hat. Ich halte mich im folgenden an die Berner ,Folie‘ als des getreueren Repräsentanten der ,Estoire‘.
Beide Fassungen sind herausgegeben von J. BÉDIER: Les deux poèmes de la Folie Tristan (Societé des anciens textes français), Paris 1907. Neuausgabe von E. HOEPFFNER in den Publications de la Faculté des Lettres de l'Université de Strasbourg. Textes d'Etude 3 (Folie de Berne, ²1949) und 8 (Folie d'Oxford, ²1943). Die Berner ,Folie‘ mit deutscher Übertragung ist ferner bei FR. RANKE, Tristan und Isold (Bücher des Mittelalters), München 1925, S. 107—125 zu lesen; darnach wird im folgenden zitiert.

Tristan ist für immer von Markes Hof und damit aus Isolds Nähe verbannt. Er lebt in der Fremde, ein Meer trennt die Geliebten, mit einer andern Isold, der weißhändigen, ist er vermählt, aber er liebt sie nicht. Unablässig beklagt er sein Geschick und verzehrt sich in Sehnsucht. Da erfaßt ihn der Gedanke, die Geliebte „in der Tracht eines schwermütigen Narren" (*en abit de fol onbraje* 105) aufzusuchen. „Er zerreißt seine Kleider, zerkratzt sein Gesicht, und wen er sieht, den schlägt er; sein blondes Haar hat er sich scheren lassen. Keinen gibt's dort an der Küste, der nicht glaubte, daß das Wahnsinn sei; aber sie wissen nicht, wie ihm zumute ist. In seiner Hand trägt er eine Keule; wie ein Narr zieht er daher; jeder schreit ihm nach und wirft ihm Steine an den Kopf" (129 ff.). So kommt er nach Cornwales zu König Marke. „Als Tristan vor den König trat, da war er gar erbärmlich anzuschauen: die Haare kurz, der Hals lang, ganz wie ein Narr sah er aus. Um der Liebe willen litt er große Not" (150 ff.). Die Rolle Tristans, die er in erstaunlicher Kühnheit spielt, veranlaßt Marke, den Narrendisput bald abzubrechen und sich zur Jagd zu rüsten. Brangaene ist die erste, die ihn erkennt. Die Königin selbst aber glaubt vor einem Betrüger zu stehen, obschon er Geschichten erzählt, die nur Tristan wissen kann.

Erst wie Tristans treuer Hund Hudent, den er der Königin zurückgelassen hat, seinen Herrn erkennt und ihm die Hände leckt und Isold den Ring am Finger des angeblichen Narren erblickt, fällt ihr die Binde von den Augen. Die Liebenden genießen noch einmal — zum letzten Mal, wie der Kenner der ,Estoire' wußte — das Glück der Minne.

Man würde den Dichter der ,Folie' (wie den der ,Estoire') mißverstehen, wenn wir Minne hier als magisch-bindende Macht verstünden — obschon dreimal an den Minnetrank erinnert wird: dieser hat schon hier nur die Bedeutung eines Zeichens. Vielmehr geht es darum, Liebe als ,Tugend', als Zug des Herzens, als ,ars' darzustellen, sie fällt damit völlig in den Verantwortungsbereich der Liebenden: die Fahrt zu Isolde an den Hof Markes ist actio, nicht blindes Müssen.

Tristan macht sich zum Narren. So verpönt, ja verabscheuungswürdig es war, Hand an die eigene Wohlgestalt, das Spiegelbild des inneren Menschen, zu legen, um der Liebe willen wird es höchstes Verdienst. „Um Euretwillen", ruft Brangaene der Isolde zu, „hat er sich zum Narren scheren lassen" (363), er ist der „treueste Liebhaber, den es je gab und jemals geben wird" (359 f.). Ein anderes Tristan-Episodengedicht, der ,Donnei des amants', spricht es noch deutlicher aus, durch den Mund der Dame des Dialogs, die Tristan über alle anderen Liebhaber stellt: „Tristan setzte um ihretwillen alles aufs Spiel, mehr als heute je einer um seine Geliebte tun würde: er ließ sich scheren, ganz wie ein Narr, Bart und Haar, an Kopf und Nacken, und ließ sich einen Tölpel schimpfen und Suppenwasser über sich gießen. Damit zeigte er vor aller Welt, daß er sie nicht zum Spaße (*en gabes*, d.h. mit leidenschaftlichem Ernst) liebte" (RANKE S. 107). Alles für die Geliebte: Schönheit und Ehre, Gut und Leben.

Das schließt in sich, daß der Liebende zum Dulder wird. „Was hab ich in dieser Liebe gelitten!" (55) ruft Tristan zu Beginn seiner Sehnsuchtsklage aus, und wir dürfen darin die eigentliche Grundkonzeption der Episode erkennen. Als Narr erlebt er die Schmach der Erniedrigung und Demütigung. „Um der Liebe willen litt er so große Not" (154). Daß sich Isold als merkwürdig schwerhörig erweist und Tristan so lange nicht in der Narrengestalt erkennen will, gehört zu eben dieser Sinngebung: Tristan muß dulden, harte Worte der Geliebten hören, um deretwillen er diese Schmach auf sich nimmt, ihre Zurückweisung erfahren, so daß er resigniert feststellt: „Ich hatte einst ein Lieb, doch jetzt, so scheint es, hab' ich es verloren" (478 f.). Der wahre Minner ist Märtyrer.

Die Verbindung von Tristan und Isold bedeutet Ehebruch, aber der Dichter stellt das Problem nicht heraus. Liebe und Ehe liegen auf gänzlich verschiedenen Ebenen. Und Liebe ist der Ehe übergeordnet. Ehe kann hier auch nicht Ziel der Minne sein wie in schlechten (gelegentlich auch in guten!) Ehebruchromanen. Weder Tristan noch Isold denken jemals an Ehe. Tristan liebt Isold die Blonde — um es mit äußerster Schärfe zu formulieren —, weil sie nicht seine Frau ist, weil zwischen ihr und ihm das Hindernis des Gatten steht und damit der Antrieb, es immer wieder zu überwinden. Ehe widerspricht der Liebe, weil sie besitzt, was immer wieder neu errungen sein will.

Damit ist schon deutlich geworden, wie sehr es dem Dichter der Narrenepisode gelungen ist, ein an und für sich vulgäres (und dem Publikum geläufiges) Schwankmotiv einer Idee zu unterwerfen. Die Überlistung des Gatten wird nicht thematisch, nur die Not, der Einsatz, das Leiden und die Schmach des Liebenden. Gerade in der Selbstentäußerung erlebt die Minne ihren höchsten Triumph. Die Geschichte des Ehebruchs durch List wird zu einem Hohenlied der Liebe, *qui totes choses vaint* (71).

Und doch verbleibt die Tristan-Minne — ich spreche nun im Blick auf den ganzen Roman — in der Spannung, und zwar einer unlösbaren Spannung, zur Gesellschaft und damit zu feudalen und sittlichen Bindungen. Das ‚Recht‘ Markes als Gatte und Feudalherr konnte mit Fug nicht bestritten werden, so sehr das Gebot der Minne als eine Art Naturrecht gefeiert wird (dazu siehe Kap. IV, S. 46 ff.). Es ist das Verdienst Chrétiens — davon sind wir ausgegangen —, daß er diesen Zwiespalt erkannte und überwand. Er ersetzte die höfische Ehebruchminne durch die höfische Ehe. Damit blieb Minne Tugend, Erziehungsmacht, ohne die Gesellschaft zu bedrohen. Er holte aber auch den Liebenden, der als solcher, wie es der Tristanroman bezeugt, kein Heldentum, zumal keines im Dienste der Gesellschaft kennt, zur ritterlichen Tat zurück, indem Minne und Minnelohn Aventiure bewirken und in Gang halten.

Das Zusammenwirken von Tat und Eros, der beiden Grundkräfte des Ritters (und des Mannes schlechthin), und ihre Bindung an die Gesellschaft (den Artushof) zeigt der ‚Erec‘ in exemplarischer Gestalt. Wie sehr dieser Ausgleich gefährdet war und immer wieder neu versucht werden mußte, verrät uns die weitere Entwicklung Chrétiens über die ‚Charrete‘ und den ‚Yvain‘ zum ‚Conte du Graal‘.

II. Der ‚Ruodlieb‘

Eine Frühform des ritterlichen Romans

Um die Mitte des 11. Jahrhunderts, also ein Jahrhundert vor der Stauferzeit, entsteht im Benediktinerkloster Tegernsee, aus der Feder eines Geistlichen, eine Erzählung in lateinischen leoninischen Hexametern, die man als „Vorform der höfisch-ritterlichen Welt der Stauferzeit" (DE BOOR), deren Helden als „Ideal des miles curialis" (SCHWIETERING) bezeichnet hat.

Ausgaben: FR. SEILER, Halle 1882; K. LANGOSCH, Waltharius. Ruodlieb. Märchenepen. Lateinische Epik des Mittelalters mit deutschen Versen, Darmstadt 1956; EDWIN H. ZEYDEL, Ruodlieb. The Eearliest Courtly Novel (Univ. of North Carolina. Studies in the Germanic Language and Literatures No. 23), Chapel Hill 1959.
Literatur: K. BURDACH in: Die Entstehung des mittelalterlichen Romans (Vorspiel I, 1, Halle 1925, S. 101—158), S. 144—158; ergänzend dazu: K. DAHINTEN, Zum Problem der literarhist. Stellung des ‚Ruodlieb‘, Hist. Vjschr. 28 (1934), S. 503—512; K. LANGOSCH, ‚Historischer Kern‘, Entstehungszeit und Grundidee des Ruodlieb, Corona Quernea (Festgabe K. Strecker), Leipzig 1941, S. 266—295; HELENA M. GAMER, Studien zum Ruodlieb, ZfdA 88 (1957/58), S. 249—266; W. BRAUN, Studien zum Ruodlieb. Ritterideal, Erzählungsstruktur und Darstellungsstil (Q. u. F., NF 7), Berlin 1962 (dort S. 109 ff.: Bibliographie); FR. BRUNHÖLZL, Zum Ruodlieb, DVjS 39 (1965), S. 506—522 (über Bildung des Autors, Sprache und Darstellung).
Die Bruchstücke aus Tegernsee im clm. 19486 dürfen als Autograph gelten; sie überliefern ca. 2300 Verse der auf knapp 4000 Verse geschätzten Dichtung.

Die fragmentarische Überlieferung, und dabei ganz besonders der fehlende Abschluß, erschwert den Einblick in Gesamtplan und besondere Fügung des Werkes. Die von LANGOSCH vorgenommene Gliederung nach fünf Lebenskreisen, durch die der Held hindurchschreitet — der königliche Hof mit Königsdienst, die bäuerliche Welt der Reiseerlebnisse, der Lebenskreis einer adeligen Schloßdame, die Familie mit Brautwerbung, die (nur noch angedeutete) Heldensage mit höchster Erfüllung: Königsbraut und Königtum — ist einprägsam, dürfte aber keineswegs das kompositorische Grundprinzip des Autors gewesen sein. Klar zu erkennen ist dies: Die drei ersten Ratschläge des Königs (die übrigen neun sind allgemeine Weisheitslehren) sind bestimmend für die spätere Handlung; sie bewähren sich in den Erlebnissen und Begegnungen des heimziehenden Helden. Diese bilden zugleich den erzählerischen Höhepunkt: die spannungsreiche und übel endende Geschichte des Rothaarigen, der bei einem Alten mit junger Frau einkehrt; die schöne Idylle, die Ruodlieb beim jungen Bauern mit altem Eheweib beschieden ist. Das heißt: negative und positive Explikation der Ratschläge, vertieft durch die Herausstellung der sittlich-religiösen Spannung luxuria-superbia gegen modestia-pietas. Luxuria-superbia des Rufus und der jungen Bäuerin, Gier, Anmaßung, Verwegenheit, die zur Auflösung aller Rechtsnormen, zum Verbrechen führten; pietas-modestia des Ruodlieb und seiner Gastgeber als Tugenden vorbildlicher Menschen. Dürfen wir in der Ausweitung der ethischen Signifikanz eine wesentliche Eigenleistung des Autors erblicken, so kann in der Grundlage dieses Hauptteils das Märchenschema nicht übersehen werden. Es gibt genaue Parallelen dazu (s. A. SCHMELLER in ZfdA 1, 1841, S. 401—423).

Die folgenden Erzählpartien sind weder stoffgeschichtlich noch typologisch genauer zu bestimmen. Wir stellen nur fest, daß der Gegensatz des Klugen, der sich an Ratschläge hält, und des Törichten, der in die Irre geht, sich in den Liebesabenteuern des Neffen und der Brautwerbung Ruodliebs wiederholt. Leider sind wir durch Lücken der Überlieferung über das Verhältnis des Neffen zu seiner Phryne nicht genauer orientiert, aber auch die rasche Eheschließung mit dem Schloßfräulein stößt unverkennbar auf die Skepsis des Autors (*Qualiter inter se concordent, quid mihi curae?* XIV, 99). Und so dürfen wir wohl auch die Heiratsgeschichte des Neffen, nicht nur dessen vorausgehende Buhlerei als Kontraststück zum klugen Verhalten Ruodliebs in Fragen Weib und Ehe betrachten. Die Reiseerlebnisse mit dem Roten stellten demnach das in fast schematischer Klarheit durchgeführte Modell der späteren, lockerer erzählten Romanpartien dar.

Was das Schlußstück der Fragmente betrifft, die sog. Heldensage-Episode, so schließe ich mich der Meinung BRAUNS (S. 69 ff.) an, der nachweist, daß „von einem bloßen Einmünden des ‚Ruodliebs' in die Heldensage keine Rede sein kann". Genau besehen, stammen nur die Namen, die im Eckenlied (Str. 79 ff.) und der Thidreksaga (c. 98) wiederkehren, aus der Heldensage, während die Träume der Mutter dem geistlichen Bereich zuzuordnen sind und die Zwergengestalt den Dindimus-Briefen im Alexanderroman des Pseudokallisthenes verpflichtet sein dürfte. Dieser Nachweis von BRAUN leuchtet um so mehr ein, als auch andere stoffliche Elemente aus der spätgriechischen Romanwelt stammen: Beschreibungen von Fischarten, der Abrichtung seltener Vögel, von Kunstwerken, Bildern, allerhand Kuriositäten. Das braucht noch nicht zu heißen, daß der Autor unmittelbar aus diesen Quellen geschöpft hat. Es ist, im Hinblick auf seine bescheidene literarische Bildung, eher unwahrscheinlich.

Zu den märchentypischen Strukturelementen der Dichtung tritt Erzählschema und Geist der L e g e n d e. Das überrascht, aber man übersehe nicht, daß Ruodlieb kaum je als ‚Held‘, sondern als Anwalt und Wahrer von Frieden und Gerechtigkeit erscheint. Er kennt weder Ruhmsucht noch Geltungsdrang, nicht Rache und Leidenschaft. Auf seinen Fahrten geht es nicht um Selbstentfaltung — dies im Unterschied zum Aventiure-Ritter des Hochmittelalters —, Ehre ist keine Dominante seines Charakters und seines Handelns. Kurzum, Ruodlieb hat mit dem traditionellen Heldenbild antiker oder germanischer Prägung recht wenig zu tun. Um so mehr (wie BRAUN nachgewiesen hat) mit einem Legendentypus, der im 10. und 11. Jahrhundert im Zuge der cluniazensischen Reform wirksam wurde, geschaffen, um den Adel für seine Aufgaben als Schutzmacht der Kirche heranzubilden. So zeigt die Vita des Geraldus de Aurillac aus der Feder Udos von Cluny (MPL 133, Sp. 639—704) die Erfüllung einer wahren militia christiana. Die sanctitas bewährt sich in ritterlichem Dienst an der Christenheit, in gerechtem Kampf, d. h. in dem Kampf um Recht und Ordnung, im Verzicht auf Rache und Strafe, im Schutz der Armen, Witwen und Waisen. Dieser vorbildliche Legendenheld tritt im ‚Ruodlieb‘ in die weltliche Literatur über, zum ersten Mal und zunächst durchaus singulär.

Man kann sich fragen, ob der thematische Grundriss der Erzählung für die Aufnahme dieses Legendenideals geeignet war, und man möchte es bezweifeln. Aber von da aus wird jedenfalls die breite Ausführung des 1. Teils — Ruodlieb am Königshof, die Friedensverhandlungen, die ehrenvolle Behandlung der Besiegten — verständlich. Was sich von der Struktur her lediglich als Einführung und Vorspiel zu verstehen gibt, das erhält, vom geistigen Gehalt aus gesehen, ein entscheidendes Gewicht.

Die Verflechtung von Legende und Roman, die wir gleich beim ersten, wenn nicht deutschsprachigen, so doch deutschen Roman feststellen, ist von grundsätzlicher Bedeutung. Beide Gattungen stehen in der Entwicklung der mittelalterlichen Erzählliteratur in engster Wechselbeziehung. Sie befruchten sich gegenseitig und immer wieder von neuem.

Die Legendenforschung hat schon längst nachgewiesen, daß sich die christliche Legende von allem Anfang an in der Komposition, in der Typisierung der Personen, in der Darstellung nach dem Vorbild des hellenistischen Romans ausgerichtet hat. Dieser ist, um eine Formulierung BURDACHS zu übernehmen, „hervorgegangen aus einem Zusammenwachsen von alten Schiffermärchen, Poesie und fabulierender Geschichtsschreibung, ethnographischer und zoologischer Wundererzählungen, teratologischer Briefliteratur, aufschneiderischer Reisegeschichten, neuplatonischer und neupythagoreischer Zauberromantik, literaturgeschichtlich-biographischer Legende, philosophischer Utopien, der erotischen mythologischen oder frei erfundenen Novelle" (S. 108). Die meisten dieser amorphen Elemente übernahm die Legende, die schließlich nicht nur religiöse Bedürfnisse zu befriedigen hatte, sondern Unterhaltungsliteratur sein mußte und sein wollte. In der Volkssprache dokumentiert zuerst die englische Literatur die Integrierung hellenistischer Erzählelemente in der Heiligenvita: z. B. in der altenglischen Andreaslegende in hemmungsloser Entfaltung der Motivik des Romanrepertoires. In Deutschland ist es, um nur ein Beispiel zu nennen, die Crescentia-Legende der Kaiserchronik, die das hellenistische Romanschema in nichts verleugnen kann. Die Legende, so reich befruchtet mit dem Gut des antiken Romans, speiste selbst wieder den mittelalterlichen Roman: indem sie einerseits unmittelbar ihre romanhaften Motive weitergab, andererseits ihre eigenen Strukturelemente in den Dienst des neuen Romans zu stellen vermochte.

Das letztere trifft, und n u r das letztere, für den ‚Ruodlieb' zu. Die militia christiana des Geraldus-Typus prägt nun auch den ritterlichen Romanhelden mit säkularem Ziel: im ‚Ruodlieb' mehr im lehrhaft-pädagogischen Bereich als darstellerisch; im höfischen Roman des Hochmittelalters aber wird die militia christiana wirklich thematisch werden.

Man denke an den Weg der *arebeit* und des Leidens, der dem höfischen Ritter auferlegt ist, aber er ist als ein Weg der Prüfung der Weg zur Vollendung. Man denke weiter an das Exemplarische dieses Weges und der ritterlichen Existenz. Vorbildlich bewähren die Heiligen ihren Glauben im Martyrium oder bekennen ihn in einem Leben des Tugendkampfes und des Dienstes; König Artus andererseits ist, wie der ‚Iwein'-Prolog es in klassischer Weise formuliert, das Vorbild aller Rittertugenden; wer ihm nacheifert, *dem volget sælde und êre.* Man denke endlich an die heilsgeschichtliche Stufung im Aufbau der Legende, die im höfischen Roman wiederkehrt: Weltleben — heiliger Wandel und Bewährung u. U. bis zum Tode — Wundertaten nach dem Tode; im Artusroman: unproblematischer Gewinn von *êre* und *minne* — Krise und Bewährung — ins Märchenhafte gehobene Vollendung.

Die engsten Beziehungen zwischen dem ‚Ruodlieb' des 11. Jahrhunderts und dem höfischen Roman der Blütezeit fand man in den Schilderungen von Kleidern, Waffen und Geräten, sowie der Lebensformen, zumal im Zeremoniell des Abschieds und Empfangs, bei Tisch und feierlichen und festlichen Handlungen. Zu den Zeltschilderungen in Veldekes ‚Eneide' und Ulrichs von Zatzikhoven ‚Lanzelet', der Beschreibung von Enites Pferd im ‚Erec' gibt es in der Tat im ‚Ruodlieb' bemerkenswerte Vorformen.

Mit Ausdauer wird die Ausrüstung des reich beschenkten Grafen geschildert, mit noch größerer (in 30 Versen) der Luchsstein; in fast peinlich wirkendem Detail beschreibt der Verfasser die Beinkleidung, deren sich die Gäste der Schloßherrin erfreuen durften. Fische, Vögel im Bauer, die Tierwelt überhaupt (siehe M. WEHRLI, Ruodlieb und die Tiere, Festschrift J. Quint, Bern 1964, S. 251—261), die Brote mit dem Königsschatz: alles erfährt eine sorgfältige, wenn auch punktuell wirkende Deskription seiner Erscheinungsweise.

Realistischer Beobachtung sind diese Schilderungen nicht entsprungen, oder doch nur ausnahmsweise. Das meiste stammt aus dem rhetorischen Unterricht, aus Plinius und Isidor, weniges aus der lateinischen Poesie. Im Zeremoniell manifestiert sich Byzantinisches (siehe DAHINTEN S. 510 f.), vor allem aber benediktinische Formkultur; in der Bewirtung durch den jungen Bauern ist sogar klösterliche Sitte in ländliches Milieu übertragen. Bei der Beschreibung der Kuriosa mag Freude am Seltenen und Merkwürdigen mitspielen; in der Regel verrät sich auch in diesen Schilderungen, die uns z. T. amüsieren, z. T. langweilen, der erzieherische Nerv des Autors. Demgegenüber haben die Beschreibungen der höfischen Dichter vorwiegend dekorativen Charakter, sie dienen der Schaustellung höfischer Prachtentfaltung, der Schönheit, des Reichtums, des Auserlesenen, Köstlichen und Seltenen, sind auch Ruhepunkte der Handlung und nicht zuletzt Kabinettstücke virtuoser Beschreibungstechnik.

Daß die Frau so sichtbar in Erscheinung tritt, war ein weiterer Anlaß für die Forschung, den ‚Ruodlieb‘ in die Nähe der staufischen Dichtung zu rücken. Die junge, sinnliche Bäuerin müssen wir freilich von vornherein ausklammern: hier liegt das Legendenschema zugrunde: buhlerisches, sündiges Weltleben — Bekehrung und Buße. Aber es bleiben die Schloßherrin und ihre Tochter sowie die Domicella, die in ihrer Lebensführung nicht ganz einwandfreie Braut des Ruodlieb. Das sind adelige, gebildete Damen, und sie repräsentieren nicht nur einen Typus, sondern erfahren eine scharfe individuelle Zeichnung. Verfeinert erscheinen die Umgangsformen zwischen Mann und Frau, man mag sie schon galant nennen. Das alles erinnert an Stellung und Rolle der Frau im höfischen Roman — aber doch nur sozusagen beim ersten Lesen. Sehen wir genauer hin, so zeigt sich, daß die Geschlechterliebe vorwiegend negativ gewertet wird: die junge Frau der Rufusepisode ist nur der extremste Fall, das Schloßfräulein und dessen Ehe mit dem Neffen werden mit Skepsis betrachtet, die sponsa electa Ruodliebs erweist sich als unwürdig. Von Minne als höchstem Wert oder überhaupt als Wert kann also keine Rede sein.

Die Bedeutung des ‚Ruodlieb' für die Entwicklung des späteren Romans erfährt dadurch keine Minderung. Sie ist nur weniger in einer geistesgeschichtlichen Kontinuität — das Werk hatte keinerlei Nachwirkungen — als im Grundsätzlichen zu suchen. Als Modellfall ist der ‚Ruodlieb' von hohem Erkenntniswert. Er zeigt, wie unter bestimmten Voraussetzungen — militia Christi-Ideal, benediktinischer ‚Humanismus' — sich eine spezifisch mittelalterliche Romanform herausbilden konnte. Als ritterlichen (nicht als höfischen!) Roman wird man den ‚Ruodlieb' ohne Zögern ansprechen dürfen. Er steht als solcher in der Tradition des christlichen Herrscherideals und des Adeligen als miles christianus. Das sind Elemente, die später auch im höfischen Roman wirksam werden, wenn auch in stärker säkularisierten Formen.

Den Abstand vom höfischen Roman verdeutlichen neben der Minne, die nicht hinanzieht, nicht Impuls zu großen Taten ist, sondern vielmehr als eine Gefahr für die Verwirklichung des männlichen Lebensideals erscheint, die nicht ständisch begrenzte Grundhaltung und das Fehlen der Aventiure. Der Held, zwar von Adel, bewegt sich auch außerhalb seiner Standeswelt, und, was noch wichtiger ist, nicht nur Vertreter des Adels können vorbildlich sein, sondern auch niedrig Geborene (der junge Bauer, der Ruodlieb aufnimmt und bewirtet). Ein Aventiure-Roman konnte der ‚Ruodlieb' aber nicht werden, weil der Held nicht im Zeichen der Selbstentfaltung steht (die zugleich, wenigstens im Sinne der Artusideologie, zum Wohl der Gemeinschaft gereicht), m. a. W. weil der Aufbruch des Individuums noch nicht erfolgte, der die Voraussetzung der Aventiure-Konzeption des hochhöfischen Zeitalters ist.

Nicht von der Erfüllung des Romans vor und nach 1200 her versteht sich der ‚Ruodlieb', sondern nur aus den spezifischen Kräften und Möglichkeiten seines eigenen Zeitalters heraus. Er formt ein ritterliches Lebensideal und eine ritterliche Wertwelt, die das Cluniazensertum im neuen Leitbild des miles Christi geprägt hat, und er formt sie, in einem Erzählschema aus dem Bereich des Märchens, mit den Elementen literarischer und humaner Bildung, die dem damaligen Benediktinertum zur Verfügung standen.

Zum Verhältnis Legende-Roman siehe M. Wehrli, Roman und Legende im deutschen Hochmittelalter, Worte und Werke (Bruno Markwardt-Festschrift), Berlin 1961, S. 428—443.

III. Der Alexanderroman

Der lateinische ‚Ruodlieb' im süddeutschen Tegernsee ist ein Sonderfall. Nicht, daß eine Erzählung dieser Art entwicklungsgeschichtlich nur hier, an diesem Ort und von bestimmter Hand, möglich gewesen wäre, aber er fand kaum ein Publikum, führte zu keiner Nachfolge.

Der erste volkssprachige Roman, den das Mittelalter hervorgebracht hat, wurde gleich zu einem seiner beliebtesten Stoffe, der alle Länder und Leserkreise zu erobern verstand: der ‚Alexander'. Immer wieder reizte er zu neuen Gestaltungen, blieb durch alle Jahrhunderte des Mittelalters hindurch virulent, und so vermag er, mehr als jeder andere Lesestoff des Mittelalters, den Verlauf und Wandel, die soziologischen und geistigen Voraussetzungen des mittelalterlichen Romans zu spiegeln.

Allein die deutsche Literaturgeschichte weiß fast ein Dutzend Alexanderdichtungen zu nennen, einige freilich nur dem Namen nach.

Am Anfang steht das Alexanderlied des P f a f f e n L a m p r e c h t (nach 1150), das uns in der Brechung dreier Redaktionen vorliegt, wobei der Straßburger Fassung (um 1170) stil- und formgeschichtlich eine Schlüsselstellung in der Entwicklung der frühhöfischen Erzählkunst zukommt.

In die hochhöfische Zeit fällt der ‚Alexander' des B e r t h o l d v o n H e r - b o l z h e i m, der leider zu den verlorenen Dichtungen gehört. Er wurde, nach dem zuverlässigen Zeugnis Rudolfs von Ems (Alexander 15662 ff.), für den Zähringerherzog Berthold V. geschrieben, den wir — schon im Hinblick auf Hartmanns episches Werk — gerne als Mäzen nach Interesse und Geschmack genauer kennenlernen möchten. War diese Dichtung ein höfischer Unterhaltungsroman oder mehr ein Fürstenspiegel?

Letzteres ist der um 1240 verfaßte ‚Alexander' R u d o l f s v o n E m s (hrsg. von V. Junk, StLV 272 und 274, Tübingen 1928), und er dürfte den Söhnen Kaiser Friedrichs II. gegolten haben. Alexander ist hier das Idealbild eines ritterlichen Königs nach Bildung und Adel der Gesinnung, in seinen kriegerischen Taten und selbst in der Minne, die mit aparter Diskretion zur Darstellung kommt.

Eine Generation später, zwischen 1271 und 1286, huldigt U l r i c h v o n E t z e n - b a c h in seiner ‚Alexandreis' (hrsg. von W. Toischer, StLV 183, Tübingen 1888) Ottokar von Böhmen. Nach diesem letzten Aufschwung ritterlich-höfischer, exemplarisch gemeinter Idealität wird der ‚Alexander' im 14. Jahrhundert Unterhaltungsliteratur, und zwar für den gebildeten bürgerlichen Laien wie für

Hofkreise: Unterhaltung mit kräftiger Beimischung heilsgeschichtlicher und moralisierender Elemente.

Das gilt für S e i f r i t s ‚Alexander‘ v. J. 1352 (hrsg. von P. GEREKE, DTMA 36, Berlin 1932) wie für den ‚G r o ß e n A l e x a n d e r‘ (oder ‚Wernigeroder Alexander‘) eines unbekannten alemannischen Verfassers (hrsg. von G. GUTH, DTMA 13, Berlin 1908). Diese Dichtungen wecken vor allem das Staunen des Lesers angesichts unerhörter Taten und Erlebnisse, man erfährt aber zugleich Belehrung über die Laster der superbia und curiositas, die sich des großen Eroberers bemächtigten und ihn rastlos in die Höhe der Lüfte und die Tiefe des Meeres trieben.

Im 15. Jahrhundert endlich, u. a. in J o h a n n e s H a r t l i e b s ‚Alexanderbuch‘ (hrsg. von R. BENZ, Deutsche Volksbücher Bd. II, 1924), tritt der Stoff wieder in die Form der Prosa zurück, in der Pseudokallisthenes’ griechischer Roman Alexanders Siegeszug durch die Weltliteratur angetreten hat. Der gelehrte Autor schreibt für Münchener Hofkreise, aber Bildung und literarischer Geschmack haben sich nunmehr derart ausgeglichen, daß die Lektüre höfischer Zirkel zugleich ‚Volksbuch‘ werden konnte. — Im selben Jahrhundert schrieb ein nicht weiter bekannter Meister B a b i l o t h eine Alexandergeschichte in deutscher Prosa (siehe FR. PFISTER, ZfdA 79, 1942, S. 114—121).

Was erklärt den beispiellosen Erfolg des Alexander-Stoffes in der Weltliteratur und ganz besonders im mittelalterlichen Abendland? Zunächst der Umstand, daß er durch Pseudokallisthenes (um 200 v. Chr.) eine Form gefunden hatte, die immer wieder, auch in der Gegenwart, ein weites Publikum findet: große Geschichte in romanhafter Verbrämung und damit mit den Elementen des Wunderbaren, Sensationellen, Intimen. Ferner erwies er sich in seiner weltanschaulichen Unverbindlichkeit als gefügig, immer wieder neu und anders nach ideologischen Leitbildern ausgerichtet zu werden: Alexander als Heros, als mustergültiger Ritter, als virga furoris Domini, als Exempel menschlicher vanitas: der Stoff ließ sich alles willig gefallen. Im 12. Jahrhundert, als der Alexanderroman die Volkssprache eroberte, kam die Empfänglichkeit für die östliche Wunderwelt, aber auch der ‚reale‘ Sinn für den geschichtlichen Ort der Heilsgeschichte hinzu, ‚Interessen‘, die die Kreuzzüge zu wecken und zu nähren wußten.

Der Weg, der den Alexanderroman des Pseudokallisthenes den Volkssprachen des abendländischen Mittelalters zuführte, zeigt exemplarisch die Bedeutung der l a t e i n i s c h e n Vermittlung: den ‚Res gestae Alexandri Macedonis‘ des Julius Valerius (nach 300) folgt in der Mitte des 10. Jahrhunderts das Werk des Archipresbyters Leo, auf dessen verschiedene Redaktionen und Erweiterungen — die ‚Historia de preliis‘ ist die wirksamste — sich ein Großteil der volkssprachlichen Alexanderepen zurückführen läßt. Geringer ist die Wirkung des geschichtlichen Alexander in der Darstellung des Curtius Rufus. Immerhin gehört diese zu den Quellen Rudolfs von Ems und liegt, über Walters von Châtillon höchst erfolgreicher Hexameter-Dichtung, der ‚Alexandreis‘ des Etzenbachers zugrunde.

In diesem Zusammenhang beschäftigt uns nur die Frühform des mittelalterlichen Alexanderromans. Er tritt uns zuerst um 1120 in der Dichtung des A l b e r i c h v o n B e s a n ç o n entgegen, von der leider nur die ersten 105 Verse erhalten sind, hierauf um die Jahrhundertmitte im Alexanderlied des P f a f f e n L a m p r e c h t, das sich auf Alberichs Werk als Quelle beruft. Beide Erzählwerke stellen in der jeweiligen Nationalliteratur den Vorklang der ritterlich-höfischen Versepik dar.

Alberichs Werk markiert schon formal den Übergang von der Chanson-de-geste-Epik zum *romanz*: es bewahrt zwar die Tiradenform, die assonierenden Versreihen beliebiger Zahl, führt aber den später für die höfische Dichtung maßgebenden Achtsilber ein, den beweglichen Kurzvers, der sein flüssiges, elegantes Erzählen ermöglicht.

Mit Lamprechts Alexanderlied beginnt die Rezeption der französischen Literatur in Deutschland; es ist zugleich der erste deutschsprachige ‚Roman‘.

A u s g a b e n : Vorauer Alexander: hrsg. von FR. MAURER, Das Alexanderlied des Pfaffen Lamprecht. Das Rolandslied des Pfaffen Konrad (Dt. Lit. in Entwicklungsreihen, Geistliche Dichtung des Mittelalters, Bd. 5) Leipzig 1940; ders., Relig. Dichtungen II, S. 536—566; Faksimile-Ausgabe: K. K. POLHEIM, Die deutschen Gedichte der Vorauer Handschrift, II. Teil, Graz 1958; Lamprechts Alexander, nach den drei Texten mit dem Fragment des Alberich von Besançon und den lateinischen Quellen hrsg. und erklärt von K. KINZEL (Germanist. Handbibl. 6), Halle 1884; Basler Alexander: Die Basler Bearbeitung von Lamprechts Alexander, hrsg. von R. M. WERNER (StLV 154), Tübingen 1881.
L i t e r a t u r : W. WILMANNS, Alexander und Candace, ZfdA 45 (1901), S. 229 bis 244; J. VAN DAM, Zur Vorgeschichte des höfischen Epos. Lamprecht, Eilhart, Veldeke (Rheinische Beitr. u. Hilfsbücher 8), Bonn-Leipzig 1923; H. DE BOOR, Die Stellung des Basler Alexander, ZfdPh 54 (1929), S. 129—167; E. SCHRÖDER, Die deutschen Alexander-Dichtungen des 12. Jahrhunderts (Nachr. d. Gesellsch. d. Wiss. zu Göttingen 1928, phil.-hist. Kl., Heft 1), S. 45—92; A. HÜBNER, Alexander der Große in der deutschen Dichtung des Mittelalters, Die Antike 9 (1933), S. 32—48 (= Kleine Schriften zur deutschen Philologie, Berlin 1940, S. 187—197); G. CARY, The Medieval Alexander, Cambridge 1956; C. MINIS, Über die ersten volkssprachigen Alexander-Dichtungen, ZfdA 88 (1957/58),

III. Der Alexanderroman

S. 20—39; W. SCHRÖDER, Zum Vanitas-Gedanken im deutschen Alexanderlied, ZfdA 91 (1961), S. 38—55; W. FISCHER, Die Alexanderliedkonzeption des Pfaffen Lamprecht (Medium Aevum. Philologische Studien 2), München 1964; FR. PFISTER, Alexander der Große. Die Geschichte seines Ruhms im Lichte seiner Beinamen, Historia. Zs. für alte Geschichte 13 (1964), S. 37—79; J. QUINT, Die Bedeutung des Paradiessteins im ‚Alexanderlied‘, Formenwandel (Festschrift zum 65. Geburtstag von Paul Böckmann), Hamburg 1964, S. 9—26.

Lamprecht vermochte sich in der F o r m dem Vorbild nur teilweise anzugleichen: er übernahm den Kurzvers (französischer Achtsilber = deutscher Viertaktvers), den er in der deutschen Geschichts- und Bibelepik bereits vorfand, nicht aber die assonierende Laissenstrophe, wofür es in der heimischen Tradition keine Entsprechungen gab. Im Gewand des paarreimigen Kurzverses erscheint so die neue und so zugkräftige Spezies epischer Dichtung von Anfang an in der ihr gemäßen, sozusagen ‚produktiven‘ Form. Sie wird, über den ‚Straßburger Alexander‘ und Hendrik van Veldeke hin zu Hartmann, Wolfram und Gottfried, zwar sehr viel strenger, feiner und gewandter werden, nicht aber sich strukturell verändern.

Damit distanziere ich mich von FRIEDRICH MAURERs These (Relig. Dichtungen I, Einführung [Die Formen der religiösen Dichtungen des 11. und 12. Jahrhunderts] S. 1—60 und II, S. 517 ff.). MAURER hat mit imponierendem Einsatz die Langzeilenstrophe grundsätzlich für alle Dichtungen vor Veldeke postuliert, auch für die umfangreichen Denkmäler wie ‚Kaiserchronik‘, ‚König Rother‘, Lamprechts ‚Alexander‘. Nur zum ‚Alexander‘ sei hier in Kürze Stellung genommen.

1. Ich bin durchaus mit MAURER der Ansicht, eine Langzeile mit Zäsur sei keineswegs dasselbe wie zwei Kurzverse, und gerade dies ist der Grund, daß ich mich mit Langzeilen des ‚Alexander‘ nicht befreunden kann. Es fehlt diesen binnengereimten Langzeilen ausgerechnet die feste Struktur, die wir beim germanischen Stabreimvers einerseits, bei der heldenepischen Dichtung (und der frühen Lyrik) andererseits beobachten können: sie entbehren jeder festen Ordnung der Kadenzen, der „Einheit des Ungleichen": ihr Anvers ist strukturell identisch mit dem Abvers. Was sie zu Langzeilen macht, ist einzig ihre Syntax (‚Zeilenstil‘), und dies nun doch mit nicht unbeträchtlichen Ausnahmen, d. h. Reimbrechungen (4, 1 f.; 3 f.; 8, 3 f.; 12, 4 f.; 13, 6 f.; 14, 2 f.; 16, 1 f. usw.). Man vergleiche die sog. Langzeilen des ‚Alexander‘ hinsichtlich ihres Zeilenstils mit dem Nibelungenlied! Warum sollte eigentlich das Kurzversspaar nicht organisch zur syntaktischen Einheit zusammenwachsen können, zumal in einer Zeit, da der Reimklang noch nicht ermüden konnte? Reimbindung ist immerhin auch in der Dichtung der Blütezeit nicht ungewöhnlich (Gottfrieds ‚Tristan‘!), wenn auch Reimbrechung bevorzugt wird. Ich meine, Lamprechts ‚Alexander‘ hat entschieden

mehr ‚Form', wenn wir ihn in Kurzversen lesen als in binnengereimten Langzeilen.*

Zur näheren Begründung von MAURERS Langzeilentheorie siehe dessen ‚Gesammelte Aufsätze': Dichtung und Sprache des Mittelalters, Bern-München 1963, S. 174—213. — Dagegen: W. SCHRÖDER, Zum Begriff der ‚binnengereimten Langzeile' in der altdeutschen Versgeschichte, Festschrift Josef Quint, Bonn 1964, S. 194—202; Zu alten und neuen Theorien einer altdeutschen ‚binnengereimten Langzeile', PBB (Tüb.) 87 (1965), S. 150—165; Zu Friedrich Maurers Neuedition der deutschen religiösen Dichtungen des 11. und 12. Jahrhunderts, PBB (Tüb.) 88 (1967), S. 249—284.

2. Die ungleichzeiligen Strophen, die MAURER ansetzt (sie schwanken im ‚Alexander' zwischen drei und dreizehn Langzeilen), lassen gleichfalls eine eigentliche Struktur vermissen. Einen Vergleich mit der altfranzösischen Laissenform halten sie nicht aus: diese ungleichen Strophen haben ihren festen Zusammenhalt dank der durchgehenden Assonanz, während kein besonderes Formelement die Langzeilen der postulierten Alexanderstrophe untereinander bindet, nicht einmal Paar zu Paar. Mir ist keine Strophe in deutscher Dichtung des Mittelalters bekannt, die sich einzig durch inhaltliche Geschlossenheit legitimieren müßte; immer, auch bei den einfachsten Typen, etwa der Morolfstrophe, ist es ein formales und damit deutlich ins Gehör fallendes Kriterium, das die Strophe erst zur Strophe macht. Zugegeben sei, daß der ‚Alexander' in bald kürzeren, bald längeren Erzählblöcken von drei bis dreizehn Verspaaren gedichtet ist. Das ist jedoch ein stilistisches Phänomen: kurzatmiges Erzählen. Strophen sollte man diese ‚Einheiten' nicht nennen.

3. Auf Grund der bekannten Äußerungen Gottfrieds von Straßburg und Rudolfs von Ems (letzterem dürfte bezüglich Veldeke, wie C. MINIS zwingend dargetan hat [*Er inpfete daz erste ris*, Groningen 1963, S. 9 ff.], keine Stimme zugebilligt werden) kommt MAURER zu der Überzeugung, daß Veldekes Werk einen völligen Neueinsatz der deutschen Formkunst bedeutet. Diese Annahme zieht unerbittliche Konsequenzen nach sich. MAURER hat sie insoweit gezogen, als er den ‚Straßburger Alexander' nach der ‚Eneide' datiert. Dafür gibt es auch bemerkenswerte philologische Argumente (MINIS S. 11 ff.). Dann aber müssen wir mit einer Wirkung des limburgisch-niederrheinischen ‚Eneide'-T o r s o rechnen, von dem keine Spur auf uns gekommen ist. Anders gälte es, den ‚Straßburger Alexander' in die späten 80er Jahre zu verlegen, d. h. nach oder doch gleichzeitig mit Hartmanns ‚Erec'. Aber auch Eilharts ‚Tristrant' erforderte die Spätdatierung, die man mit guten Gründen aufgegeben hat. MAURER hat sich dazu nicht geäußert, und ohne umfassende Überprüfung dieses Fragenkomplexes ist auch keine Stellungnahme möglich. Bevor aber die Spätdatierung des ‚Straßburger

* Zur Beurteilung der Reimbindung in der Kurzversdichtung und deren Überwindung ist höchst aufschlußreich: P. MEYER, Le couplet de deux vers, Romania 23 (1894), S. 1—35. Die Entwicklung in der deutschen Epik dürfte nicht anders verlaufen sein als in der französischen.

Alexander' und des ‚Tristrant' oder die Wirkung des ‚Eneide'-Torso (ab 1174) wahrscheinlich gemacht werden kann, scheint es mir nicht erlaubt, die ‚Eneide' vor den ‚Straßburger Alexander' zu stellen.

Offen bleibt ferner die Stellung des Trierer ‚Floyris'. MAURER müßte ihm Langzeilen-Strophen zuschreiben oder auch ihn von seinem bisherigen chronologischen Platz (um 1160/65) verweisen. Als nachveldekisches Gedicht wird der ‚Floyris' jedoch zu einem Kuriosum: er hätte Veldeke paarreimigen Viertakter adaptiert und sonst überhaupt nichts von seinem Vorbild gelernt oder übernommen.

Endlich ist zu bedenken, daß Veldeke mit dem ‚Sente Servas' begonnen hat. Nicht die weltweite ‚Eneide', sondern die aus lokalen Interessen und Impulsen hervorgegangene Legende wäre somit die Dichtung des ‚völligen Neueinsatzes'. Das ist zumindest ein Schönheitsfehler der Entwicklung.

Das Verhältnis der drei Fassungen des Lamprechtschen ‚Alexander', des Vorauer ‚Alexander' um 1160 (V), des Straßburger vor 1170 (S) und des Basler aus dem 13. Jahrhundert (B), stellt eine Crux der Forschung dar, aber eine, wie mir scheinen will, mit Zeit und Weil zu lösende Crux.

Der Schluß von V (ab 1497) muß als Zutat des Schreibers gelten: die überhastete Erzählweise, die sprachlich-stilistischen Mißklänge, der lexikographische Fremdkörper *march* (1527) für *ros,* der *gûte pfaffe Lampret* machen dies zur Gewißheit. Fest steht auch, daß die Vorlage (*V) weiterführte — 1497-1522 entsprechen einer Partie aus der Schlacht am Strâge in der B-Fassung (3248 bis 3301) —, und zwar gegen Geschichte und Roman, aber nach I Makkabäer 1, 1, bis zu Darius' Tod durch Alexanders Hand, wenn wir unterstellen wollen — und wir dürfen es —, daß sich der V-Schreiber bei seinem Notschluß vom Ende seiner Vorlage bestimmen ließ. Entsprach diese Vorlage dem Lamprechtschen Original? Die Antwort hängt von der Vorentscheidung ab, ob der Pfaffe eine Alexander-Vita oder eine durch die Heilsgeschichte bestimmte Alexandreis intendierte. Wenn ich das letztere (u. a. im Blick auf die Tobias-Dichtung Lamprechts) annehme, entscheide ich mich für die Gleichung *V = Lamprecht. Entsprach Alberichs Tiradendichtung nach ihrem Umfang dem Lamprechtschen ‚Alexander'? Diesen Schluß legen jedenfalls die geringe Selbständigkeit des Pfaffen und die *Alberîch*-Nennung im V-Schluß (1528), aber auch die auf Alberichs Gedicht beruhende Zehnsilblerredaktion (MINIS S. 10 ff.) nahe.

Daß der vanitas-Gedanke des Prologs nicht für das epische Geschehen des Lamprechtschen ‚Alexander' verbindlich erscheint, erschwert die Frage nach der Grundkonzeption.

Nahm der Pfaffe aus dem Moselland das Leben Alexanders als Exempelgeschichte für die Hinfälligkeit irdischer Herrlichkeit und Größe, so wäre es jedenfalls bei einer völlig abstrakten Zielsetzung geblieben. Denn indem er durch Alberichs Vermittlung der griechischen Romanquelle folgt, übernimmt er einen Alexander, der vorbildlich sein will. Vorbildlich als Held und Eroberer, kühn und listenreich, vorbildlich als Mann von Erziehung und Bildung (63—220), aber auch vorbildlich in seinen Herrschertugenden. Zwar wird seine Neigung zu Zorn und unbeherrschter Tat nicht verschwiegen, aber er ist dem Appell des Darius-Boten, er möge gerecht sein und seinen Zorn über Unschuldige bezähmen, zugänglich: *er wart den boten genâdich* (1071 ff.). Und durchaus positiv fällt die zusammenfassende Charakteristik des zum Jüngling Heranwachsenden aus:

> Alsô stætich was ime sîn mût,
> umbe al werltlîch gût
> sô wolter nî nieht geliegen
> noch sich fone cheiner wârheit gezien. (225 f.)

Zur Vorbildlichkeit gehören auch Adel und Legitimität der Geburt. Lamprecht betont (mit Alberich), daß Alexander *rehter cheiser slahte* war, König Philipp sein wirklicher Vater, und er straft die Pseudokallisthenes-Tradition — Neptanabusprolog der ‚Historia de preliis‘ — Lügen, *daz er eines goukelâres sun wâre* (71 ff.). In gleichem Tenor (*nû sprechent bôse lugenâre*) weist er die Überlieferung zurück, Alexander habe seinen Vater von einem Felsen in die Tiefe gestoßen, weil dieser gelogen hätte (229 ff.).

Mit der Vorbildlichkeit Alexanders (nur Salomon ist unter den Königen dieser Erde über ihn zu stellen [62 ff.]; hat man diese Stelle nicht überanstrengt?) läßt sich nun der vanitas-Gedanke schlecht vereinen. Genau besehen, hat die salomonische Einsicht auch nur die Funktion, den Verfasser zur Tätigkeit, d. h. zum Dichten anzuspornen: sie ist Prolog-Topos und somit keineswegs unbedenklich auf den Helden der Erzählung zu beziehen (FISCHER S. 28 ff.). Zum Ausgangspunkt der Interpretation wird man das *vanitatum vanitas* (22) aber auch nicht machen dürfen, wenn man *vanitas* topisch zu verstehen sich weigert: was die Dichtung selbst dafür hergibt, lesen wir fast nur im ‚Straßburger Alexander‘!

Anders urteilen und argumentieren H. DE BOOR, Lit. Gesch. I, S. 221 ff., W. SCHRÖDER und J. QUINT (siehe Literaturangaben). Sie übersehen zwar keineswegs die positiven Seiten des Alexanderbildes Lamprechts, unterwerfen sich jedoch dem Gleichklang von Prolog und Schluß (der Straßburger Fassung!). Daraus wird ersichtlich, daß die Stellung zur vanitas-Idee des Alexanderliedes nicht unwesentlich von der Beurteilung des Umfangs des Lamprechtschen Originals abhängt. Wer annimmt, daß „der Dichter aus einem nicht mehr erfindlichen

Grunde sein Werk abgebrochen hinterlassen", daß es aber „in seinem Plan gelegen [hat], das ganze Leben Alexanders bis zu seinem Tod darzustellen" (QUINT S. 20), der gewinnt für dessen vanitas-Intention einen entschieden festeren Anhalt als derjenige, der sich für die ‚Kurzform' bis zu Darius' Tod entscheidet. Dazu aber bestimmen mich, MINIS folgend, die heilsgeschichtliche Ausrichtung (siehe unten) und das Argument der französischen Zehnsilblerredaktion.

Indem der Fortsetzer zum ‚Iter ad paradisum' griff, zur erst dem 12. Jahrhundert angehörigen Paradiesreise Alexanders mit dem Motiv des Steins, der, auf der Waage, alle Herrlichkeiten dieser Welt aufwiegt — in diesem ‚Stein der Demut' glaubte man das Vorbild zum Gralstein Wolframs zu erkennen —, war nun freilich die Möglichkeit gegeben, das vanitas-Motiv auf Alexander zu beziehen, d. h. thematisch werden zu lassen. Das geschah in der Erweiterung X, auf die S und B zurückgehen, und ich möchte meinen, daß das vanitas-Stichwort des Prologs eine Anregung war, die neue Alexander-Quelle in der Ausweitung der Lamprechtschen Dichtung zu verwenden. Jetzt erhält auch das Beiwort *wunderlich* eine zwielichtige Wertung. Im V-Alexander (der uns das Original zu ersetzen hat) scheint *wunderlich* nur eine Übersetzung von *magnus* zu sein (V 45 = Alberich 17 *Alexander magnus*) wie schon der *wunderliche Alexander* im Annolied (326) und in der Kaiserchronik (11,10). In V. 4080, 4896, 6739 der Straßburger Fassung schwingt im *wunderlichen man* unverkennbar das Urteil der Maßlosigkeit mit, die durch den Himmelstein der Demut theologisch fixiert und korrigiert wird.

Der Lamprechtschen Dichtung fehlt nun freilich nicht die geistliche Ausrichtung als solche. Sie zielt auf die Heilsgeschichte hin, und insoweit steht das Alexanderlied in der Tradition des Annoliedes und der Kaiserchronik. Die ersten (von Alberich unabhängigen) Prologverse erinnern an das Alexander‚bild' zu Beginn des ersten Makkabäerbuches (1, 1—9), und dieses steht nach kirchlicher Auslegung (Hrabanus Maurus: s. FISCHER S. 54 f.) in Beziehung zu der Ziegenbock-Widder-Vision in Daniel 8, die den Untergang des Meder- und Perserreiches durch den ‚rex Graecorum' prophetisch kündet. Damit rückt das Alexanderreich mit seinem Herrscher in den Aspekt der vier biblischen Weltreiche (Dan. 7), unter denen es das letzte vorchristliche war, mithin unter Gottes Willen: Alexander ist Werkzeug Gottes, Gottes Geißel. Man muß zugeben, daß es Lamprecht nicht gelungen ist, diesen Gesichtspunkt zur eigentlichen Darstellung zu bringen (in späteren Alexanderdichtungen, vor allem im Seifritschen, dominiert er), aber die Intention ist da (V. 437 ff. erinnern explizit an die Daniel-Vision), und der Redaktor der Vorauer Handschrift

hat sie jedenfalls erkannt, wenn er den ‚Alexander‘ zwischen alttesta-
mentlichen und Leben-Jesu-Dichtungen einordnet. Außerdem will der
Verfasser dem Leser bewußt machen, daß der Schauplatz der Alexan-
der-Taten biblisch-heilsgeschichtlicher Boden ist: in Nicomedias wurde
Pantaleon gemartert (601 f.), in Samaria heilte Elisa den aussätzigen Nae-
man (693 f.), in Pitania schlug Judith Holofern das Haupt ab (695 f.),
in Tyrus trat das kanaanäische Weib an Jesus heran (715 ff.), Sardes wird
in der Apokalypse genannt (1391 ff.), ins Mederreich wurde Tobias
mit dem Engel gesandt (1461 f.), in Armenien kam die Arche Noah auf
trockenes Land (1467 ff.).
Wir glauben diese geistliche Ausrichtung auf die Heilsgeschichte dem
d e u t s c h e n Dichter zuschreiben zu dürfen. Der ‚Alexander‘, aus französischer Literatur herübergeholt, war ein genus novum, und die Einordnung in die literarische Tradition deutscher Epik drängte sich auf, d. h.
vollzog sich von selbst, weil Lamprecht fest in dieser Tradition stand: er
ist der Autor der Tobias-Geschichte. Also Eingliederung in die Bibel- und
Geschichtsepik, und es trifft sich ansprechend, daß sie auch äußerlich in
der Vorauer Handschrift durchgeführt ist.
Trotz den erwähnten theologisch-biblischen Implikationen wird man
den Lamprechtschen ‚Alexander‘ nicht als geistliche Dichtung ansprechen
dürfen. Wo fehlt schon geistliche Interpretation in einer Zeit, in der der
Geistliche noch allein die Buchliteratur zu verwalten hatte? Der Durch-
schnittsleser nahm den ‚Alexander‘ als Unterhaltungsroman, als Geschichte eines mächtigen Eroberers mit Belagerungsszenen, die aktuelles techni-
sches Interesse erwecken mußten (Einsatz von modernen Belagerungs-
werkzeugen und griechischem Feuer bei der Eroberung von Tyrus), mit
Schlachten- und Zweikampfschilderungen. Aventiure, soweit es nur krie-
gerisches Geschehen bedeutet, kommt hier zu ihrem Recht. Noch mehr
in die Zukunft weist die positive Wertung der Bildung. Ausführlich berichtet Lamprecht von der Erziehung des Königssohnes durch sechs Meister; Sprachen und Musik — Rotten- und Harfenspiel wie Gesang — gehören zu diesem Programm. Minne findet hingegen noch keinen Raum.
Sie wächst dem Werk auch in der erweiterten und modernisierten Form,
die uns der S t r a ß b u r g e r A l e x a n d e r bietet, nur episodenhaft und
gleichsam schüchtern zu. Wohl aber treten wir mit dieser Redaktion in die
Wunderwelt der Aventiure ein. Und damit beginnt auch höfische Luft
zu wehen.
Mit der Weiterführung der Alexandergeschichte über den Triumph über
Darius hinaus war dem Phantastischen und Märchenhaften breiter Raum

gewährt. Bäume wachsen mit der Sonne in die Höhe, Mädchen entstehen aus Blumenkelchen und vergehen mit dem Sommer. Es gibt einen Palast aus Edelsteinen, und goldene Ketten hängen ins Wasser hinab, das den Schloßhügel umschließt; zweitausend Stufen aus Saphir führen zu ihm hinan. Wir stehen mit Alexander am Ende der Welt, wo der Himmel sich um die Erdennabe dreht wie ein Rad um seine Achse, und vor den Edelsteinmauern der Paradiesesburg. Natürlich wird dem Leser auch eine Musterkarte orientalischer Mißgeburten präsentiert: ein dreigehörntes Ungeheuer elephantischer Ausmaße, das 36 Soldaten erstach und deren 50 zertrat, Sechshänder aus dem Geschlecht der Affen, Vögel mit Menschengebiß, auf Nasen- und Ohrenfraß erpicht, eine menschenähnliche Kreatur mit Schweinsborsten (homo pilosus).

Alexander — ich deutete es schon an — ist kein Minner, nichts fürchtet er mehr, als daß man in der Heimat von ihm sagen könnte, ein Weib habe ihn bezwungen (6205). Dies erklärt er der Königin Candacis, die sich in Alexanders Bildnis verliebt hat und sich — ein Zug, welcher der älteren Alexanderüberlieferung durchwegs fehlt (WILMANNS S. 236 ff.) — auch des lebendigen Urbilds zu bemächtigen versteht, aber er erfüllt wie Odysseus bei Kalypso der Minne Gebot fast widerwillig. Sinnenhafter als die Minneszene selbst, die durch Alexanders Bedenken einen frostigen Ton erhält, ist die delikate Schilderung des Palastes der Königin. Am höfischsten wirkt jedoch die Begegnung mit den Blumenmädchen (5193 ff.), die mit Anmut und sinnlichem Reiz beschrieben werden. Längere Partien dieser Szene könnten in einem Artusroman stehen.

Zur formalen Kunst des ‚Alexander' und dessen Wirkung bleibt grundlegend: H. DE BOOR, Frühmhd. Studien. Vom Vorauer zum Straßburger Alexander. Ein Beitrag zur vorklassischen Formentwicklung, Halle 1926, S. 1—149. Ferner J. VAN DAM, Der künstlerische Wert des Straßburger Alexander, Neophilologus 12 (1927), S. 104—117; D. TEUSINK, Das Verhältnis zwischen Veldekes Eneide und dem Alexanderlied, Amsterdam 1946. Anders (Veldeke *vor* dem Straßburger Alexander): J. VAN MIERLO, Veldeke's onafhankelijkheid tegenover Eilhard van Oberg en den Straatsburgschen Alexander (Koningl. Vlaamsche Acad. voor Taal- en Letterkunde, Verslagen u. Mededeelingen 1928); C. MINIS, *Er inpfete daz erste ris* (Amsterdamer Antrittsrede), Groningen 1963; MAURER, Relig. Dichtungen II, S. 519 f.

IV. Der alte Tristanroman

Wir handeln im folgenden nicht von einzelnen Denkmälern der Tristansage und ihren literargeschichtlichen Bedingtheiten, sondern vom Tristanroman schlechthin, wie er nach 1150 in die Literatur eintritt, also von der sog. ‚Estoire‘, dem vor allem durch Eilharts von Oberge ‚Tristrant‘ (um 1170), Bérouls Tristanfragmente (1180—90) sowie einige Episodendichtungen faßbaren nordfranzösischen Archetypus. Sein Ursprungsort ist nicht mit zureichenden Argumenten zu bestimmen. Manches aber spricht für den Hof von Poitou mit Eleonore, die 1137 Gattin König Ludwigs VII. von Frankreich und 1152 Gemahlin Heinrichs II. von England wurde, als Anregerin und Förderin. Das paßte gut zu dieser schönen und geistreichen Frau, die schon vom Trobador Bernart de Ventadorn mit Isolde in Verbindung gebracht wurde und nicht minder viel bewundert und viel gescholten wurde als die literarische Isold.

Ausgaben: Eilhart von Oberge, hrsg. von Fr. Lichtenstein (Q. u. F. 19), Straßburg-London 1877; K. Wagner, Eilhart von Oberge, Tristrant. Die alten Bruchstücke (Rheinische Beitr. u. Hilfsbücher 5), Bonn-Leipzig 1924; Béroul, Le Roman de Tristan, ed. E. Muret - L. M. Defourques (Les classiques français du moyen âge), Paris ⁴1957; Berol, Tristan und Isolde (Klassische Texte des romanischen Mittelalters in zweisprachigen Ausgaben), übersetzt von U. Mölk, München 1962; ‚Folie Tristan‘ siehe oben S. 24.

Literatur: J. Bédier: Le Roman de Tristan par Thomas, 2 Bde., Paris 1902 und 1905; G. Schoepperle, Tristan and Isolt. A Study of the Sources of the Romance, 2nd edition, expanded by a Bibliography and Critical Essay on Tristan Scholarship since 1912 by R. S. Loomis, 2 Bde., New York 1960; Fr. Ranke, Tristan und Isold (Bücher des Mittelalters), München 1925; J. van Dam: Tristanprobleme [Forschungsbericht], Neophilologus 15 (1929/30), S. 18—34, 88—103, 183—201; D. de Rougemont, L'amour et l'occident. Edition remaniée et augmentée, Paris [1956]; E. Köhler, Ideal und Wirklichkeit, bes. Kap. V.

Dem ‚Tristan‘ als dem ersten Liebesroman der mittelalterlichen Literatur war eine Wirkung ohnegleichen beschieden. Zwar könnte die kümmerliche Überlieferung der frühen Tristandichtungen Zweifel daran wecken, aber ich denke, daß gerade der lebhafte Gebrauch der Tristanliteratur dessen Untergang gefördert hat, denn der Widerhall in Reminiszenzen und Nachschöpfungen war so nachhaltig wie bei wenig anderen, noch so breit tradierten Erzählwerken. Vor allem aber hat die Darstellung und Wertung der Tristan-Minne Probleme aktualisiert, die zur Stellungnahme geradezu herausforderten. So mußte in einem Werk, das die außereheliche Liebe feiert und das Recht auf Liebe fast im Sinne eines Naturrechts betont, das Verhältnis des Individuums zur Gesellschaft eine besondere Akzentuierung erhalten. Das hat KÖHLER (Ideal und Wirklichkeit, Kap. V), dem sich die folgende Darstellung stark verpflichtet weiß, eindrucksvoll dargetan.

Man hat, wie mir scheint mit Recht, von der ‚Renaissance des 12. Jahrhunderts‘ gesprochen. Es vollzog sich in diesem Säkulum, zunächst im französisch-normannischen Kulturbereich — neben dem neuerweckten Studium antiker Autoren durch Bernhard von Chartres, Johannes von Salisbury, Pierre de Blois und anderen, einem Studium, das mehr als eine bloße Rezeption bedeutete —, ein allgemeiner Aufbruch geistiger Kräfte, die das i n d i v i d u e l l e Bewußtsein des Menschen weckten oder doch den Blick für das Einzelhafte schärften. Das Jahrhundert brachte die Frühform des Nominalismus hervor, der den Universalien, den genera, den Charakter realer Existenz absprach und diese für die Einzeldinge beanspruchte. Es schuf neue Formen der Religiosität, sei es die auf den Gottessohn, den Fleisch gewordenen Logos, ausgerichtete Frömmigkeit — „durch Christus den Menschen zu Gott" wurde zu einem Leitsatz der praktischen Theologie —, sei es, am eindruckvollsten in der Mystik Bernhards von Clairvaux, in der Auslegung der Braut des Hoheliedes als anima, *minnende sêle*, nicht mehr als ecclesia. In diesem Jahrhundert, um ein drittes Symptom zu erwähnen, manifestiert sich aber auch, im Briefwechsel Abaelards mit Heloïse — man darf sagen: in bestürzender Weise — das Individuum mit seinen naturhaften Ansprüchen, und zwar durch die Kraft des Eros.

Man muß diese Erscheinungen im wissenschaftlichen, religiösen und sittlichen Bereich mit dem Aufbruch einer Laienkultur zusammensehen, die uns im Hochadel am sichtbarsten entgegentritt. In der Luft der seigneuralen Höfe Frankreichs und Englands entsteht als reinster Ausdruck des neuen Weltbewußtseins die h ö f i s c h e Literatur, Troubadourkunst und Epik. Und in ihr dominiert die stärkste der individuellen Kräfte: die Minne.

Wie sie den Menschen verwandelt, ihm Züge des Außerordentlichen, ja des Extravaganten und Närrischen verleiht, zeigen uns anschaulich-anspruchslos die Trobadorbiographien. Mögen die (spät überlieferten) Viten eines Peire Vidal, der „alles für wahr hielt, was ihm gefiel und wonach ihn verlangte", oder eines Jaufre Rudel mit seiner einzigen, erst im Tode erfüllten Fernliebe wahr oder erfunden sein (sie sind im wesentlichen erfunden): sie verraten uns, daß nach der Vorstellung der Zeit der Liebende Züge des Ungewöhnlichen und Phantastischen aufweist, daß er ein Schicksal hat, nicht zu messen mit den üblichen Maßstäben menschlicher Existenz, faszinierend und oft von Tragik umwittert: romanhaft mit einem Wort. Ich erinnere daran, weil diese Trobadorviten der Tristandichtung eigentümlich nahe stehen, stimmungsmäßig und z. T. auch thematisch und motivisch, wie es auch schwerlich ein Zufall sein kann, daß bei den Trobadors Tristan als *amador* schlechthin erscheint.

Minne als Lebensmacht, die verwandelt, auserwählt und damit zu einer Ausnahmestellung in der Welt führt, läßt ihre gefährdende Macht erkennen; sie löst den einzelnen aus den festen Ordnungen der Welt, sie bedroht deren soziales und ethisches Gefüge.

Die Trobadorkunst, die Minnelyrik schlechthin, ist dieser Gefahr entgangen, indem sie die Liebe als erzieherische Macht erkannte und verpflichtenden Regeln unterwarf. Erst dadurch wurde Minne höfisch im Vollsinn des Wortes. Schon der Umstand, daß der Sang von Minne der *joie*, der *fröide* der Gesellschaft, galt, führt sie in die Gemeinschaft zurück und noch mehr die gesellschaftlichen Konventionen, denen sie sich unterwarf: ihr Dienstcharakter, ihre Feudalisierung, ihre Spiritualisierung dadurch, daß sie nur Streben, keine Erfüllung kennt. Besonders bezeichnend für die — nachträgliche, wie ich betonen möchte — Vergesellschaftlichung der Minne (nachdem man ihre Sprengkraft erkannt und erfahren hatte) ist die *huote*: durch sie schützt die Gesellschaft sich selbst und die *frouwe* vor der den ordo gefährdenden Gewalt der Minne, und der Dichter akzeptiert sie, auch wenn er sie verwünscht (Friedrich von Hausen MF 50,19). Jetzt bedingen sich Individuum und Gesellschaft wieder gegenseitig, das Individuum ist auch Träger des gesellschaftlichen Ideals und dadurch exemplarisch. So konnte es in der lyrischen Kunst, so elementar die Minne in ihr aufbrach, nicht zu einer Krisis der Gemeinschaftsidee kommen.

Eben dies geschah in größter und für viele Zeitgenossen alarmierender Eindringlichkeit in der Tristandichtung.

Man vergegenwärtige sich, daß Tristan und Isold der höfischen Gesellschaft angehören, ja für sie prädestiniert sind: durch ihren Stand, ihre Schönheit und (was in späteren Fassungen immer stärker betont wird) ihre Bildung. Für Tristan treten ritterliche Qualitäten hinzu: er ist der Kühnste, Tapferste, Erfolgreichste in Waffengängen. Seine erste große Tat, der Moroltkampf, zeigt ihn zudem in der vorbildlichen Rolle des

Befreiers. Diese Mustergültigkeit ist mit dem Liebestrank aufgehoben. Die Protagonisten werden zu Ehebrechern, Tristan bricht zudem die feudale Treue gegenüber seinem König und Oheim: nicht einmalig-nothaft, sondern unaufhörlich und einem neuen Lebensgesetz unterworfen. Die feudal-höfischen Ordnungen werden nun als widernatürlich, Liebesdrang und Liebeserfüllung als Recht der Natur empfunden. Individuelle und gesellschaftliche Wahrheit lassen sich nicht mehr miteinander vereinen; die ‚Treue‘ der Liebenden schließt die feudale Treue und den consensus mit der Gesellschaft aus.

Wir verfolgen den gesellschaftsfeindlichen Zug der Tristanliebe an einigen Hauptmotiven des Romans.

Da sind die Barone unter Führung Andrets (ich gebrauche die Namensformen Eilharts). Sie üben die Funktion der *huote* aus, sind auf höfische Sitte und die Ehre ihres Lebensherrn bedacht. Das ist — objektiv gesehen — nicht nur eine notwendige, sondern durchaus ehrenvolle Aufgabe, ja es ist die erste und höchste Pflicht des Hofmannes, auf Ehre und Ruf des königlichen Herrn bedacht zu sein, und damit auch Pflicht, Tristan vor dem König zu verklagen oder — solange nur der Verdacht eines unerlaubten Verhältnisses zur Königin besteht — diesen vor dem Neffen zu warnen. In den Augen des Dichters sind nun aber Andret und Genossen böswillige Ehrabschneider — *dô wart âne wundin / Tristant sêre vorsnetin* (Eilhart 3082 f.) —, sie handeln aus Haß und Neid, und die männliche Jugend wird in diesem Zusammenhang aufgefordert, solche *bôsheit* zu meiden und in der *vromigheit* Tristan nachzueifern, von dem versichert wird: *he en hâte keine schult mêr, wan daz he nâch den êren rang* (3140 f.). Das ist nun eine vollkommene Umwertung der Werte, wenn sie auch dem guten Eilhart kaum recht bewußt geworden ist: er verwünscht Andret, den *valschen*, in den Grund des Rheins und preist Tristans ‚Ehre‘, die dieser schon längst verloren hat! Diese Stellungnahme — beim ‚Estoire‘-Autor dürfte sie entschiedener formuliert gewesen sein als beim deutschen Dichter — bedeutet nun aber, daß den Liebenden nicht nur das Recht der Leidenschaft, sozusagen als Ausnahmerecht, zugestanden wird, sondern daß dieses Recht das Recht der Gesellschaft aufhebt, sofern sich diese gegenüber dem Einbruch der Leidenschaft zu sichern anschickt. Diese Haltung nimmt der Dichter freilich nur gegenüber der Zwischenschicht der *merkære* ein. Markes Recht wird nie in Abrede gestellt, auch wenn seine Methode listiger Überführung Mißbilligung findet: die Aufstellung der Sensenfallen trägt ihm die Schelte *der leidige wert* (Eilh. 5304) ein. Daß Tristan jedoch in der Hochzeitsnacht den König betrogen hat, ist dem

Dichter durchaus klar, und er stellt es unmißverständlich fest: *sus sô wart daz ane gevân, ! daz der koning ward betrogin* (2850 f.) — entschuldigt die Liebenden freilich im selben Atemzug durch den Hinweis auf den Minnetrank.

So sehen wir uns einer ‚doppelten Wahrheit' gegenüber: dem Recht des Individuums auf Leidenschaft — was der Liebende in ihrem Namen tut, ist zwar nicht objektiv gut, aber durch die Macht der Minne gerechtfertigt — und dem Recht der feudalen Gesellschaft, wenigstens soweit es Marke betrifft.

Die doppelte Wahrheit, der Widerspruch zwischen Minnerecht und der gesellschaftlichen Bindung, manifestiert sich auch in den Liebenden selbst. Das erweist sich mit besonderer Deutlichkeit im Waldleben. In der Wildnis sind den Liebenden keine Schranken mehr gesetzt, zwischen Tristan und Isold steht kein königlicher Herr und Gemahl mehr, keine trennende Gesellschaft, stehen keine Merker und Neider. Alle äußeren Entbehrungen sind ihnen, wie Eilhart versichert, *ein kinder spel. / wen si hâtin dâ bî vroude vel* (4549 f.). Und ähnlich Béroul: „Noch nie haben zwei Menschen so viel Glück genossen wie sie seit der Zeit, da sie im Walde waren" (1787 f.). Aber: dem Dichter wird es schwer, an das Glück der Minnenden zu glauben. Er betont immer wieder die Dürftigkeit ihrer Lebensweise: ihre Nahrung bestand nur aus Kräutern, Wild und Fischen, sie waren dem Frost ausgesetzt, die Kleider fielen ihnen vom Leibe: *si hâtin ein lebin herte / in dem wilden walde* (Eilh. 4546 f.); *aspre vie meinent et dure* (Ber. 1364).

Doch nicht nur der Dichter empfindet, gleichsam aus seiner Objektivität und Distanz heraus, die Mühsal des Waldlebens, sondern die Liebenden selbst: *und begunde in harte leidin / in dem walde dez ungemach: / sie enmochten einen einigen tach / die arbeit nicht mêr lîden* (Eilh. 4736 ff.). Das ist nicht nur (Eilhart zuzuschreibende) überdeutliche Formulierung der nunmehr termingerecht verminderten Wirkung des Trankes, sondern vor allem ein Ausdruck der Unmöglichkeit, auf die Dauer ohne Gesellschaft zu leben. Béroul läßt Tristan ausrufen: „Vergessen habe ich die Ritterschaft, ein höfisches und ehrenhaftes Leben zu führen . . ., ich weile nicht an einem Hof unter Rittern . . . Jetzt müßte ich an dem Hof eines Königs weilen und hundert Knappen mit mir, die mir helfen würden, die Waffen anzulegen . . . Und es tut mir leid um der Königin willen, der ich eine Hütte statt eines mit Teppichen geschmückten Gemachs gebe. Im Walde lebt sie, und dabei könnte sie mit ihrem Gefolge in schönen Gemächern wohnen, die mit seidenen Tüchern ausgehängt sind" (2165 ff.).

Nicht anders Isold: „Ach Unglückliche, wozu habt Ihr Eure Jugend gehabt? Im Wald lebt Ihr wie eine Sklavin, schwerlich findet Ihr einen, der Euch hier dient. Ich bin Königin ... Die jungen Mädchen aus ehrenvollen Ländern, die Töchter edler Vasallen müßte ich bei mir in meinen Gemächern haben, um ihren Dienst entgegenzunehmen" (2201 ff.).

Welch ein Paradox! So unerträglich und qualvoll früher das Leben am Hofe war, in den Armen eines ungeliebten Gatten, unter den Augen der ‚Merker': die Trennung vom Hofe macht deutlich, daß sie ohne diesen nicht leben können — womit sie auch das Recht und die Forderungen der Gesellschaft anerkennen, freilich nur so lange, als sie von ihr ausgeschlossen sind! Nach der Rückkehr ins höfische Leben wirkt die gesellschaftsfeindliche Kraft der Minne von neuem, führt in neue Minnekrankheit, in neues Sehnen und Leid. Isold wird ein härenes Hemd anziehen, Tristan die Schmach der Verkleidung und Verunstaltung auf sich nehmen. Versöhnung, Ausgleich zwischen Individuum und Gesellschaft, bringt erst der Tod.

Schon der keltische ‚Ur-Tristan' endete mit Not und Tod, aber anders gewendet und anders begründet. Diese Erzählung war, so viel wir davon zu wissen glauben, auf den Gegensatz von Mannestreue und persönlicher Mannesehre aufgebaut: das Weib fordert Liebe, der Mann möchte die Treue gegenüber dem König bewahren — was ihm nicht gelingt, da die Königin seine Mannesehre provoziert. Diese Konzeption verrät uns vor allem auch der ursprüngliche Schluß, wie ihn der Tristan-Prosaroman überliefert: Tristan reißt Isold mit sich in den Tod, und es ist dieser Tod die Rache des Mannes für Leid und Untreue, in die er durch die Liebesforderung des Weibes verstrickt wurde. Die Liebe war also nicht Problem dieser Geschichte, noch viel weniger Ideal. Wenn nun der französische ‚Estoire'-Dichter diese durchaus negativ gewertete Liebe durch den höfischen Minnebegriff ersetzte, ist damit nicht — und so will es der Großteil der Forschung — ein Werk entstanden, das den Widerstreit von (feudaler) Ehre und Minne zum Konflikt erhebt? Das ist nur bedingt richtig. Man muß sich das folgende vergegenwärtigen:

In der älteren epischen Dichtung (Chansons de geste) herrschte als oberstes Gesetz die Lehensbindung und Lehenstreue. Die höfische Literatur setzt nun an die Stelle des Herrschers die Frau: Feudalisierung der Minne, statt Herrscherlob Frauenlob in der Lyrik, statt Herrendienst Frauendienst in der Epik. Gerade diese Feudalisierung macht den höfischen Charakter der Minne aus. Wenn aber der Protagonist im höfischen Liebesroman ‚Vasall' einer Dame ist, so heißt dies auch, daß die Liebenden nur der höfischen Gesellschaft angehören können, ja deren eigentliche Repräsentanten sind. Wie sehr dies im Tristanroman der Fall ist, wurde oben gezeigt: die gleichen Menschen, die sich in ihrer Minne über die bindenden Pflichten der Gesellschaft hinwegsetzen, sind nach Stand, Schönheit und Bildung deren exemplarische Vertreter!

Hinzu kommt: wie die höfische Minne in epischer Darstellung des Gatten bedarf, so die höfische Gesellschaft der feudalen Mitte, des Königs. Wenn sich nun die Rolle des Königs auf die Frau übertragen hat, Herrendienst zu Frauendienst geworden ist, so ist doch der königliche Herr nicht abgetreten: er bleibt in der Funktion des Gatten wie des Lehensherrn, und zwar mit Notwendigkeit, weil ohne ihn die höfische Liebe des Protagonisten nicht realisierbar wäre. Ohne Marke keine Tristan-Isold-Liebe. So ist mit der Erhebung der Dame zur ,Herrin' der Gegensatz von Vasallen- und Minnetreue mitgegeben, und jede Verwirklichung der höfischen Minne ist Bruch der Vasallentreue. Die Frage ist nur, ob dieser tiefe innere Bruch vom darstellenden Künstler zum Konflikt erhoben worden ist, ob er seine Helden in diesen Gegensatz hineinführt, sie ihn erleiden, daran zugrundegehen läßt.

Das ist augenscheinlich nicht der Fall. Nie beklagen Tristan und Isold den Verlust ihrer Ehre vor Marke, dem König und Gatten, sie kennen nur das Recht ihrer Minne. Wohl aber, wie im Waldleben deutlich wird, beklagen sie den Verlust der Gesellschaft, empfinden sie die Spannung zwischen der Minneerfüllung fern vom Hof und der gesellschaftlichen Repräsentation. So ist der empfundene und erlebte Konflikt tatsächlich der zwischen der Verwirklichung des Individuums in der Minne und der Unausweichlichkeit der gesellschaftlichen Existenz, nicht zwischen Minnetreue und Lehenstreue. M. a. W., der Konflikt spannt sich im soziologischen, nicht im ethisch-sittlichen Bereich.

Dieser Konflikt ließ sich in der lyrischen Darstellung der höfischen Minne vermeiden, weil sie von der Existenz des Gatten wie der ritterlich-feudalen Gesellschaft abzusehen in der Lage war. In epischer Darstellung war dies ohne Verlust der Realität, derer das Epische bedarf, nicht möglich, und daher ließ sich im Ehebruchroman das Ideal der höfischen Minne nicht ungebrochen verwirklichen. Entweder zerbricht die Minne (wie es von Eilhart am Schluß des Waldlebens als Möglichkeit angedeutet wird) oder dann die Gesellschaft und mit ihr der ordo schlechthin. Die Unmöglichkeit, den individuellen und gesellschaftlichen Anspruch zugleich zu erfüllen, führt nun aber unentrinnbar zum dunklen Ende. Die Liebenden können nur den Tod wählen.

An dieser Stelle wird, trotz erstaunlicher Motivgemeinschaft, der tiefgreifende Unterschied zur ‚Wîs und Râmîn‘-Erzählung bewußt, an die F. R. SCHRÖDER (Die Tristansage und das persische Epos ‚Wîs und Râmîn‘, GRM 42, 1961, S. 1—44) auch geschichtlich den abendländischen Tristanroman glaubte binden zu können. Was dem persischen Epos fehlt, ist gerade diese unausweichliche Spannung zwischen Individuum und Gesellschaft. Die Gesellschaft fällt nicht in den Blick, deshalb kann der Wüstenaufenthalt (die motivische Entsprechung zum Waldleben) den Liebenden zum wirklichen Paradies werden. Daß die Liebe zwischen Wîs und Râmîn nur vom Individuum her gesehen wird, zeigt sich auch darin, daß der Gatte und König Moabad keine ‚Welt‘, kein Ordnungsprinzip vertritt, welches die höfische Minne zugleich fordert und in Frage stellt. Deshalb ist auch ein Happy-End möglich: der König kann sterben, und die Liebenden werden zu glücklichen Ehegatten. Eine solche Lösung würde im Falle der Tristandichtung schon fast als deren Parodie anmuten. „Imaginez cela", ruft DENIS DE ROUGEMONT aus, „Madame Tristan! C'est la négation de la passion!" (S. 30)

Ob der ‚Estoire‘-Dichter den aufgezeigten Konflikt und die Unausweichlichkeit des Liebestodes voll empfunden und zur Darstellung gebracht hat, ist schwer zu entscheiden. Eilhart jedenfalls vermochte beides nicht nachzuvollziehen. Die Béroul-Fragmente aber sind zu knapp, als daß sie ein Urteil gestatteten. Immerhin zeugt Bérouls Darstellung des Waldlebens von einem offeneren Blick für das problematische innere Verhältnis der Liebenden zur Gesellschaft als Eilharts Schilderung.

Ich habe schlechthin von der ‚Estoire‘ als dem aus Eilhart und Béroul, z. T. auch aus den Episoden-Gedichten (‚Folie Tristan‘) zu erschließenden Archetypus gesprochen: die Forschung unterscheidet seit RANKE ‚Estoire‘ und ‚Estoire-Fortsetzung‘ (für welche ich die einfacheren Bezeichnungen ‚Estoire‘ I und II gebrauche). Wir sprachen selbstverständlich von letzterer. Es war der Verfasser der ‚Estoire‘ II, der die magisch-zerstörerische Minne der ‚Estoire‘ I (die mit einem gleich dem Waldleben folgenden Finale abschloß) zur allbeherrschenden und triumphierenden Lebensmacht erhob, die vital-undifferenzierten Menschen des früheren Gestalters ins Ritterliche, Höfische, Empfindsame umformte. Das wird deutlich in den Partien, die wir seiner wesentlich aus antikem und orientalischem Erzählgut genährten Erfindung verdanken, also vor allem im Isold-Weißhand-Teil der Dichtung und in der Elterngeschichte. Die Umformung der ursprünglichen Erzählung hingegen blieb in Ansätzen stecken und mußte stecken bleiben: das Motiv des Minnetrankes hätte sich nicht ohne Zerstörung der Grundfabel beseitigen lassen, und die Abschwächung der Wir-

kung blieb eine in sich widerspruchsvolle Erfindung (Thomas und Gottfried haben sie denn auch rückgängig gemacht); sie schien dem ‚Estoire‘
II-Dichter jedoch notwendig, äußerlich, um die Trennung der Liebenden
über lange Zeiträume hin zu begründen (die ursprüngliche Wirkung des
Trankes führte nach einer Woche unerfüllter Liebe zum Tode), innerlich,
um Minne als ‚Tugend‘ feiern zu können, jedenfalls als eine Macht, die
allein der Verantwortung der Liebenden untersteht. Dieser Dichter bedurfte keines magisch wirkenden Trankes, und er verwertet ihn auch nur
am Schluß, um Marke, dem nach dem Tode der Liebenden das Fatum des
Trankes mitgeteilt wird, versöhnlich-milde zu stimmen (oder handelt es
sich hier um eine Zudichtung Eilharts?).

Minne als virtus: was im Namen der Liebe geschieht, ist gut, wenn auch
jenseits ritterlich-feudaler Gesittung. Entschuldigung und Sühne bedarf
allein der Mangel an Liebe. Isold büßt ihr liebloses Verhalten mit dem
Tragen des härenen Hemdes. Tristan aber führt nicht blinder Zwang
immer wieder über die Meere zu Isold zurück; seine Fahrten fallen in den
Bereich des Willens. Selbst wenn er sich zum Narren macht und sich dabei
Bart und Haar scheren läßt, so ist dies als höchstes Verdienst zu werten,
gerade weil dem höfischen Menschen so viel an Schönheit des Leibes und
der Erscheinung gelegen war. Das ist virtus des wahrhaft Minnenden, und
ebenso die Erduldung von Schmach und Schande um der Geliebten willen.
Eilhart hat freilich diese Episode, wie so manches, nicht verstanden, aber
die ‚Folie Tristan‘ verrät uns ihren wahren Sinn: „Um der Liebe willen litt
er große Not" (siehe oben S. 24 ff.).

Wir stellten dies heraus, um der Meinung entgegenzutreten, daß die Tristan-
minne der ‚Estoire‘ (II)-Fassungen von einer „von außen herangetragenen Magie"
beherrscht sei. Es trifft zwar zu, daß erst Gottfried den Trank „der seelenlosen
Zaubermechanik entkleidet" hat, aber dieser ist ja für den ‚Estoire‘-Autor, wie
wir gesehen haben, irrelevant, ja der ihm zugrundeliegende magische Liebesbe-
griff steht demjenigen des französischen Dichters aufs entschiedenste entgegen.
Wir dürfen, um ihm gerecht zu werden, nicht in erster Linie an die der Urfabel
entnommenen Partien denken, die umzudeuten außerhalb der Möglichkeit dieses Erzählers lag, sondern an die von ihm neugeschaffenen Episoden. Zudem gilt
die methodische Forderung, die offensichtlichen Interpretationsmängel Eilharts,
dem wir uns stofflich fast ganz anvertrauen müssen, zu berücksichtigen, d. h. die
Motive nach ihrem immanenten Sinn zu befragen. Denn es darf doch vorausgesetzt werden, daß der ‚Estoire‘-Dichter gewisse Motive — wie das oben heran-
gezogene Narrenmotiv — mit Bedacht gewählt hat, um daran seine Minneauffassung zu verwirklichen, und daß er diese Motive so entfaltet hat, daß aus

ihnen ihr Sinn unmittelbar abgelesen werden konnte. Fernstehenden wie Eilhart blieb er freilich verborgen, verwandte Geister wie die Verfasser der Episodengedichte erschlossen ihn mühelos und formulierten ihn auch ausdrücklich. Deshalb sind uns diese Episodengedichte wiederum eine Hilfe, die Sinngebung der Tristan-Isold-Liebe durch den ‚Estoire'-Dichter nicht zu verfehlen.

V. Der Florisroman

Fast gleichzeitig mit dem Tristanroman — man darf die früheste (französische) Fassung mit guten Kriterien um 1160 datieren — trat die Geschichte von Floris und Blanscheflur in die Literatur ein. Ein Liebesroman wie der ,Tristan' — aber von anderer Thematik und anderer Prägung. Uns beschäftigt auch hier nur der Typus, nicht die zahlreichen Einzelgestaltungen.

Die ,version populaire', entschieden jünger als die ,version aristocratique' und mit stoffremden Elementen angereichert, dürfen wir von vornherein ausklammern, zumal die uns erhaltenen mhd., ndld. und ndd. Erzählungen ohne Ausnahme auf die ,version aristocratique' zurückgehen.
Die wichtigsten sind die folgenden:
1. Der Trierer Floyris um 1170, vom Niederrhein stammend, fragmentarisch überliefert, hrsg. von E. Steinmeyer, ZfdA 21 (1877), S. 307—331;
2. Die Flore und Blanscheflur-Dichtung des Alemannen Konrad Fleck, um 1220, hrsg. von E. Sommer (Bibl. d. ges. dt. Nationallit., Bd. 12), Quedlinburg-Leipzig 1846, und W. Golther (Kürschners Dt. Nationallit. IV, 3), Tristan und Isolde / Flore und Blanscheflur, 2. Teil, Berlin-Stuttgart 1890, S. 233 bis 470;
3. Die mittelniederländische Fassung des Dietrich von Assenede, um 1260, hrsg. von J. Reinhold, Paris 1906, und von J. J. Mak, Zwolle 1960;
4. Die mittelniederdeutsche, Flos unde Blankeflos, aus dem Anfang des 14. Jahrhunderts, hrsg. von O. Decker, Rostock i. M. 1913; dazu stellen sich — als Quelle? — die Mülheimer Bruchstücke von Flors und Blanzeflors, hrsg. von H. Schafstaedt, Progr. des Mülheimer Gymnasiums, Mülheim/Rhein 1906.
Ausgabe der ,version aristocratique': Li romanz de Floire et Blancheflor, ed. F. Krüger, Berlin 1938 (Hs. A; dazu die ,version populaire'); Floire et Blancheflor, ed. M. M. Pelan, Paris ²1956 (Hs. B).
Literatur: J. Reinhold, Floire et Blancheflor, Paris 1906; L. Ernst, Floire und Blanscheflur. Studie zur vergleichenden Literaturgeschichte (Q. u. F. 118), Straßburg 1912; dazu: J. Reinhold, Floire und Blancheflor-Probleme, Zs. f. rom. Phil. 42 (1922), S. 686—703; E. Schad, Konrad Flecks ,Floire und Blanscheflur'. Ein Vergleich mit den Zeitgenossen und mit dem mnd. Gedicht ,Flos und Blankeflos', Marburger Diss. (Masch.) 1941; G. de Smet, Der Trierer Floyris und seine französische Quelle, Ludwig Wolff-Festschrift, Neumünster 1962, S. 203—216.

Unter den vorbildlichen Minnern, neben Alexander (!) und Aeneas, erscheint im ersten Minneleich in deutscher Sprache, dem Virtuosenstück des Ulrich von Gutenburg, Floris:

> daz Flôris muost durch Planschiflûr
> sô grôzen kumber lîden,
> dazn was ein michel wunder niet,
> wan si grôz ungeverte schiet,
> als ez der alte heiden riet:
> si wart vil verre übr mer gesant,
> dêr muost in mangiu frömdiu lant.
> dâ ers in eime turne vant
> von guoten listen wol behuot,
> dâ wâgte er leben unde guot:
> des gwan er sît vil hôhen muot.   (MF 74, 23—33)

Der Grundriß der Erzählung ist hier prägnant festgehalten: Die Liebenden werden getrennt, woraus ihr *kumber* erwächst, Blanscheflur wird weit über Land und Meer entführt, Floris folgt ihr nach, findet sie im wohlbewachten Turm eines orientalischen Emirs, sie zu befreien *wâgte er leben und guot*. Daß alles gut ausgeht, besagt der Schlußvers: *des gwan er sît vil hôhen muot.*

Das Erzählschema und mit ihm die Motivik verraten unzweifelhaft die Herkunft des ,Floris‘ aus der Welt des hellenistischen Romans mit seiner Grundthematik Trennung und Wiedervereinigung von Liebenden (Typus: Heliodors ,Äthiopische Abenteuer von Theagenes und Charikleia‘). Spätantik-orientalisch ist auch die Kinderliebe (Daphnis und Chloë), ebenso die ,Idyllik‘ der Erzählung. Orientalisch ist gewiß auch die Blumensymbolik: Rose und Lilie. Daß Floris unter Blumen verborgen zu Blanscheflur getragen wird, gehört mit zu dieser Symbolik, ist deren Episierung: der Geliebte als die schönste aller Blumen.

Man hat das Floris-Gedicht unmittelbar auf einen spätantiken Roman zurückführen wollen: wir können das auf Grund der Quellenlage nicht entscheiden. Trotz dieser Unsicherheit darf der ,Floris‘ modellhaft für den Einstrom der hellenistischen Romanwelt in die höfische Literatur des Mittelalters stehen.

In früherem Zusammenhang (S. 29 f.) wurde darauf hingewiesen, daß sich die Legende Elemente der hellenistischen Erzählkunst anverwandelte und diese dem Abendland, der volkssprachlichen Literatur, weitergab (altengl. ,Andreas‘, mhd. ,Crescentia‘). Der ,Floris‘ fand nun, wenn nicht als Ganzes, so doch nach seinem Schema und in seinen Motiven, ohne diese Ver-

mittlung den Weg in die abendländische Literatur. Im Zeitalter der Kreuzzüge kann dies nicht verwundern. Wie in dieser Zeit antike und arabi-
sche Wissenschaft im Abendland rezipiert wurde, so erfolgte auch die Aneignung antik-orientalischen Erzählgutes. Nur kennen wir im allgemeinen
die Wege nicht, die es genommen hat. Es ist lediglich festzustellen, daß
es im 12. Jahrhundert, zumal in Frankreich, den Dichtern zur Verfügung
stand. Das zeigt auch recht schön der zweite Teil der Tristandichtung: der
Liebestod wandelt das antike Oinone-Motiv ab, das Motiv der zweiten
Isold entstammt einer arabischen Quelle, der Geschichte der Liebe des
arabischen Dichters Kais ibn Doreidsch.

In einigen Fällen ist aber auch ein vermittelndes Glied zwischen spät-
griechischer Romanwelt und mittelalterlicher Epik zu fassen, nämlich die
lateinische Übertragung. Es trifft dies vor allem für die großen Erzähl-
komplexe zu, so, wie wir sahen, für den ‚Alexander‘ oder etwa den ‚Apol-
lonius von Tyrland‘ (‚Historia Apollonii regis Tyrii‘), der in England bereits um 1100, in Deutschland um 1300 durch Heinrich von Neustadt
literarische Gestalt erhält.

Es erfolgt somit die Rezeption des hellenistischen Romans durch die Volkssprachen auf dreierlei Wegen: 1. durch Vermittlung der christlichen Legende, 2. über eine lateinische Übertragung, 3. auf nicht näher zu bestim-
menden Bahnen, z. T. vielleicht durch mündliche Tradierung, handle es
sich nun um geschlossene Erzählstoffe oder um Einzelmotive. Zu dieser
letzten Gruppe gehört jedenfalls der ‚Floris‘.

Damit ist die Stellung des ‚Floris‘ in der Geschichte des mittelalterlichen
Romans umrissen. Ist er auch eine Erzählung (früh)höfischer Prägung?
Zunächst ein negativer Befund: die Aventiure fehlt vollkommen. Nicht
nur im spezifisch mittelalterlichen Wortverstande, vom Modell des hoch-
mittelalterlichen Romans aus gesehen: Aventiure als Mittel der Bestätigung
ritterlicher Vollkommenheit, als Schule männlicher Tugenden, sondern
auch das Abenteuer als bloße Tat, als Ereignis, das es zu bestehen gilt.
Floris vollbringt nicht e i n e Heldentat, er braucht nicht ein einziges Mal
zum Schwerte zu greifen. Die Hindernisse, die sich der Wiedervereinigung in den Weg stellen, etwa die Turmwächter, überwindet unser königlicher Jüngling einfach durch seine Gabe, Vertrauen zu erwecken und damit Helfer zu gewinnen. Auch die List, die sich oft zur Tapferkeit gesellt (Odysseus, Tristan), ist nicht seine Sache. Nicht e r läßt sich ein-
fallen, wie der Turmwächter zu gewinnen sei, sondern der Brückenwäch-
ter, und der Turmwächter wiederum kommt auf die Idee des Blumen-
korbs. Im Turme selbst unternimmt der Jüngling schlechterdings nichts,

um die Geliebte aus den Krallen des Emirs und sich selbst aus einer höchst gefährlichen Lage zu befreien: ihm genügt das minnigliche Zusammensein mit der wiedergefundenen Geliebten, er läßt sich sogar schlafend am hellichten Vormittage vom Emir überraschen. Nein, ein ,Held' ist Floris nicht! Trotzdem bewährt er sich: durch seine Treue vor der Minne.

Man hat schon von Tristan bemerkt, daß diesem das eigentlich Heldische abgehe. Immerhin, er erschlägt Morolt und später den Drachen: zwei ruhmreiche Befreiungstaten. Nach dem Minnetrank freilich tritt der ritterliche Held zurück oder bewährt seine Tapferkeit nur noch in Verfolgung seiner Minneleidenschaft. Gerade dadurch kann aber auch eine Spannung zwischen Aventiure und Minne entstehen — kann ein vollkommener Ritter zugleich ein vollkommener Minner sein? —, eine Antinomie, die erst Chrétien, und wohl gerade im Blick auf die Gegensätzlichkeit von ritterlicher Tat und Minneergebenheit im ,Tristan', überwunden hat. Es fehlt also im ,Floris', weil ihm das Heldische ganz und gar abgeht, auch diese Spannung.

Das gilt n i c h t von der ,version populaire'. Die Suche des Floris nach der Geliebten bot ja an und für sich viele Möglichkeiten aventiurehafter Handlungen, und davon hat der Autor dieser Fassung reichen Gebrauch gemacht.

Ebenso wenig konnte es im ,Floris' zur Spannung Individuum-Gesellschaft kommen, die im ,Tristan' durch die Allgewalt und das Recht der Minne evoziert wird. Zwar ist Floris wie Tristan von der Minne beherrscht, aber er gerät dadurch nicht mit der gültigen Ordnung der Gemeinschaft in Konflikt. Der Grund ist leicht einzusehen: Floris steht nicht in einer feudalen Ordnung wie Tristan, ist auch nicht Glied einer irgendwie gearteten Gesellschaft mit bindenden Gesetzen, denen sich das Individuum unterwirft oder die es, bewußt oder unbewußt, sprengt. Das Fehlen des Hofes als institutionelle Mitte gesellschaftlicher Bindungen ist im Umkreis der mittelalterlichen Dichtung einigermaßen singulär und verrät abermals die Verwurzelung des Werkes in der spätantiken Welt, die nur eine Individualethik kannte. Zudem handelt es sich nicht um die Liebe zu einer verheirateten Frau; ein Gatte ist nicht im Spiele, kein König Marke, den es zu überlisten gilt. Der in der Minne *triuwe* kann so auch nicht gegen den ordo der Ehe verstoßen. Die Ehe ist hier vielmehr Zielpunkt der Handlung. Das unterscheidet den ,Floris' sowohl vom ,Tristan' als auch vom Artusroman Chrétienscher Prägung, in dem die Ehe selbst — genauer das richtige Verhältnis von Ehebindung und Aventiure, bzw. gesellschaftlicher Verpflichtung — zum Problem wird.

So ist im Florisroman weder die höfische Minne noch die höfische Ehe thematisch geworden. Daher die Konfliktlosigkeit dieses Werkes. Trotz dieser negativen Aspekte darf man die Floris-Blanscheflur-Liebe nicht schlechterdings von der höfischen Minne distanzieren. Daß Minne Lebensmacht ist, dokumentiert der Roman aufs eindrucksvollste. Beide Protagonisten sind ihr restlos ergeben, kennen nichts außer ihr. Floris versichert wiederholt, daß er ohne Blanscheflur nicht leben könne, und wir glauben es ihm: nach acht Tagen Trennung ist er vor Liebessehnsucht dem Tode nahe — und in diesem Zuge berührt sich die Floris-Minne nun auch mit der Tristan-Minne. Selbst der Tod ist für die Minne keine Schranke: der Jüngling, der Blanscheflur tot wähnt, begibt sich in den Löwenzwinger, um von den Bestien zerrissen zu werden, und im empfindsamen Schlußteil ist jedes bereit, für das andere zu sterben, und zwar nicht in sittlicher Selbstbehauptung, auch nicht aus dem Martyrium der Minne heraus, sondern aus Übermacht des Gefühls, aus einem fast naiv zu nennenden Zug des Herzens heraus.

Auch in Einzelzügen verspüren wir höfische Luft. Daß Minne schöne Bildung voraussetzt, ist dem Dichter eine Selbstverständlichkeit, und sie wird sogar insofern thematisch, als das gemeinsame Lernen und Hineinwachsen in die Bildungswelt die Kindesminne weckt und nährt. Ebenso sind beide von exemplarischer Schönheit, und diese Bindung der Minne an den gebildeten und schönen Menschen ist nun schon ein Zug von höchster höfischer Signifikanz.

Damit steht der ,Floris', trotz seiner Aventiure-Fremdheit und trotz des Fehlens aller der höfischen Minne zugehörigen Spannungsmomente, fest in der Entwicklung des höfischen Romans. Nicht zwar als verbindliche Ausgestaltung einer exemplarischen Lebensform, aber als empfindsame Spielart des Minneromans für Leser, die „der Liebe Nahrung" suchen. Als solchen möchten wir den ,Floris' im Bilde des mittelalterlichen Romans nicht missen.

VI. Höfisches im Orient-Bild der Spielmannsepen und im ‚Graf Rudolf'

Der Florisroman führte den Hörer und Leser in einen geschichtslosen Orient; das Alexanderlied ordnete das Weltreich des großen Eroberers in die Heilsgeschichte ein und ließ den orientalischen Schauplatz insofern als einen gegenwartbezogenen Geschichtsraum erkennen, als Lamprecht das Interesse auf die Stätten biblischer Geschichte, die das christliche Abendland sich zu erobern anschickte, zu lenken versuchte. Aber das bleibt noch ohne Bezug auf die Kreuzzüge und ohne Zeitkolorit. Dieses wächst der deutschen Epik in der Spielmannsdichtung und — zeitnaher, realer — im ‚Graf Rudolf' zu.

a) Spielmannsepik

Eine Darstellung, die den Begriff ‚höfische Epik' auf die Grundtypen beschränken möchte, darf darauf verzichten, die Spielmannsepen (die ich ohne übervorsichtige Anführungszeichen gebrauchen möchte: es scheint mir heute möglich, sie nach Struktur und Erzähltechnik so präzis zu fassen, daß sich das romantische Bild des Spielmanns nicht mehr vorzuschieben braucht) als Spezies oder gar in ihren Ausformungen, den einzelnen Denkmälern, vorzustellen, muß jedoch den Blick auf sie freibehalten. Zwar führen sie weder zum antikisierenden Roman noch zur Artusepik hin, wohl aber zum Anschewin-Zyklus in Wolframs ‚Parzival'. Der Gahmuret-Feirefiz-Erzählkreis steht nicht nur in der Tradition eines heils- und reichsgeschichtlichen Bewußtseins, wie es — freilich anders — Annolied, Kaiserchronik und Rolandslied ausformten, sondern gestaltet als Folie der geschichtsmythischen Konzeption ein farbenprächtiges Orientbild von Aventiure und Minne. Diese Elemente aber sind die spezifisch höfischen, und insofern sie in den Spielmannsepen vorgeprägt sind, gehören sie ins Blickfeld der höfischen Epik. Aber auch wegen der ‚Zwischenstellung' der Spielmannsdichtungen im Spannungsfeld zwischen Heldenepik und höfischen Roman: sie ist, auch wenn sich direkte Abhängigkeiten wegen der besonderen Überlieferungslage schwer nachweisen lassen, in typologischer Hinsicht unverkennbar.

Zur allgemeinen Orientierung: W. J. SCHRÖDER, Spielmannsepik (Sammlung Metzler), Stuttgart 1962; zur Genesis: TH. FRINGS, Die Entstehung der deutschen Spielmannsepen, Zs. f. d. Geisteswissenschaft 2 (1939/40), S. 306—321; neueste Interpretation: M. CURSCHMANN, Der Münchener Oswald und die deutsche spielmännische Epik (MTU 6), München 1964; zur künstlerischen Technik: H. FROMM, Die Erzählkunst des Rother-Epikers, Euphorion 54 (1960), S. 347 bis 379 [mit ausgezeichneten Bestimmungskriterien zum Typus]. H. SZKLENAR, Studien zum Bild des Orients in vorhöfischen deutschen Epen (Palaestra 243), Göttingen 1966, S. 113—226.

Die gattungsgeschichtliche Ausgliederung der Spielmannsepik, wie sie uns in der Gruppe ,König Rother', ,Herzog Ernst', ,Salman und Morolf', ,Orendel' und ,Oswald' entgegentritt, erfolgte, wie immer bei solchen Prozessen, in der ,Auseinandersetzung' mit andern, benachbarten Typen. Als, nach der Mitte des 12. Jahrhunderts, die moderne französische Erzählkunst in die deutsche Epik einbrach, mußte es, besonders da es doch wohl, soziologisch gesehen, nur e i n Publikum gab, nämlich den weltlichen und geistlichen Adel, fast zwangsläufig zu Überformungen und Assimilationen kommen. So beobachteten wir, wie Lamprecht, wenigstens der Intention nach, seinen ,Alexander' der heimischen Bibelepik anglich. Umgekehrt sah sich die bisher mündlich tradierte Epik, nämlich die durch Schema und Formel bestimmten ,Lieder' berufsmäßiger Erzähler, gezwungen, ihre Technik zu modernisieren. Das mag der Träger der Heldenepik nur zögernd getan haben — der späte Weg zum Pergament weist darauf hin —, dem Spielmann hingegen, gewohnt, sich dem jeweiligen Brotherrn und Publikum anzupassen, aber auch in der soziologischen und ideologischen Ungebundenheit, in der wir ihn sehen dürfen, wird eine Angleichung nicht besonders schwer gefallen sein. Mit anderen Worten: Als sich das aus dem Vortrag lebende Erzählgut in seiner wechselnden Gestalt dem wachsenden Erfolg der fest geprägten Buchepik gegenübergestellt sah, galt es für den Spielmann (der auf der Stufe der schriftlichen Denkmäler ein Geistlicher sein konnte!), bei Bewahrung seiner Art, d. h. seines Repertoires und seiner Erzählschemata, auch seinerseits den Weg zum Buchepos zu finden. Das konnte Änderung der Form — der Versgestalt wie des Stils —, der Motive, der Struktur bedeuten. Wir heben das im Hinblick auf die höfische Epik Wichtigste hervor:

1. Übernahme des fortlaufenden Reimpaarverses, wie ihn die Geschichts- und Bibelepik gebrauchte und wie er sich im Zuge der Rezeption des französischen höfischen Romans mit seinem paarreimenden Kurzvers zu verfeinern anschickte. Das hieß zugleich Wechsel vom sanglichen Vortrag, den die (ursprünglich der Gattung bestimmt eignende) Strophe voraussetzt, zum gesprochenen Wort. (Nur ,Salman und Morolf' bewahrt

die Strophenform — wenn sie nicht, wie die späte Liedform des ‚Herzog Ernst‘ nahelegen könnte, dem strophenfreudigen 15. Jahrhundert unserer ‚Salman‘-Überlieferung angehört.) Die neue Form aber implizierte — oder begünstigte zumindest — eine veränderte Stilhaltung: das Zurückdrängen der Formel, die vermehrte Aufnahme beschreibender Elemente, eine individuellere Diktion schlechthin. Dies alles ist wenigstens in Ansätzen zu beobachten.

MAURER (Relig. Dichtungen I, S. 36—39), hat auch der Spielmannsdichtung der Überlieferung, soweit sie ins 12. Jahrhundert reicht (König Rother), Langzeilenstrophen mit ungleichen Verszahlen zugesprochen. Wenn aber für die vortragsmäßige Frühstufe dieses Typus, woran nicht zu zweifeln ist, die Strophe anzusetzen ist, so war es nach dem Gesetz der Gattung die endgereimte Langzeilenstrophe der Heldenepik. Daß nun diese Form im Stadium der schriftlichen Fixierung wiederum in Langzeilenstrophen, jedoch anderer und weit lockererer Struktur, umgegossen wurde, darf keine Wahrscheinlichkeit beanspruchen. Im übrigen gilt auch für die Spielmannsdichtung das oben S. 36 ff. zum Alexanderlied Gesagte.

2. Übernahme ideologischer Elemente, wiederum im Anschluß an die geschichtsepische Dichtung. So gliedert der ‚König Rother‘ seine Brautwerbegeschichte in die große Reichsgeschichte ein: der königliche Brautwerber ist der Vater Pipins, der Großvater Karls; er ist Kaiser von Rom und gewinnt die Tochter des oströmischen Kaisers Constantin. Man darf solche geschichtlich-politische Überformung nicht zu stark betonen. Sie bleibt Aufputz, ist eher Zugeständnis als Programm.

3. Verbindlicher sind die Ansätze der Spielmannsdichtung zu einer ‚Problemstruktur‘, wie sie CURSCHMANN überzeugend für den ‚Oswald‘ nachweist: Verdoppelung der Motive zur Erörterung oder Korrektur einer Problemstellung, Wiederholung unter anderem Vorzeichen (vgl. die zweite Brautgewinnung Rothers mit neuen Mitteln). Die Ehe, die aus der Brautwerbung resultiert, gehört zu den Problemen, die in die Struktur eingehen (Ehe âne sunde im ‚Oswald‘) — wie im höfischen Roman, der die Ehe mit der Minne (‚Erec‘) oder mit der religio (‚Parzival‘) bindet. Die Minne ist hingegen im Spielmannsgedicht nur Motiv, ohne ‚Heils‘-charakter, geknüpft an Werbung und politischen Zweck; selbst die Werbung ist nur ausnahmsweise persönliche Werbung (Kemenatenszene im ‚Rother‘). Anderseits verlangt die Gefährlichkeit der Werbung dem Manne einen Einsatz ab, der sich der arebeit ritterlicher Aventiure nähert — wenn nicht list vor strît ginge! List, zumal in der Gestalt der Verkleidung, erfordert aber gerade der Gewinn wohlbehüteter Damen, und da

auch der leidenschaftliche Minner sich ihrer bedient (Tristan als Narr, Floris im Blumenkorb) kommt es zu einem neuen Einklang mit dem höfischen Roman. Daß er nicht auf direkter Abhängigkeit beruht, sei nochmals betont. Es ist das gemeinsame Motiv des Frauengewinns, das hier und dort die *list* herbeiruft, und der höfische Erzähler wie der Spielmann holten sie aus dem Bereich antik-mittelmeerischer Fabliaux und machten sie — die Waffe des Niedriggeborenen und Schwachen! — zur Tugend, indem sie sie der Minne, bzw. der Ehre zuordneten.

4. Der Raum der Spielmannsdichtungen ist der des Mittelmeers und des Orients; Jerusalem, Byzanz, Babylon sind zentrale Schauplätze, und der Bezug zu den Kreuzzügen fehlt nie. Zweifelsohne ein Versuch der Aktualisierung; aber die wirklich ,realen' Züge sind spärlich: Heidenkämpfe (doch nie zentral!), heiliges Grab und Tempelherren in Jerusalem (,Orendel'), ein über das Klischee hinausreichendes Bild des Hofes von Byzanz im ,Rother', Kreuze am Waffenrock und Heidentaufe im ,Oswald'. Im wesentlichen bleibt das Orientbild wirklichkeitsfremd, ohne spezifisches Kolorit, der gelehrten ,Literatur' verpflichtet, nicht der Anschauung erwachsen. Trotzdem: die Spielmannsdichtung hat am Orientbewußtsein des deutschsprachigen Publikums ihren wohlgemessenen Anteil. Die Heidenwelt erscheint in ihr als eine Welt des Reichtums und der Pracht, des Seltsam-Kuriosen, als eine Welt gefährlicher Unternehmungen und damit außerordentlicher Bewährungen, als eine Welt mit schönen Prinzessinnen, die zu gewinnen höchsten Einsatzes wert ist. Das aber sind Elemente, die geeignet sind, dem höfischen Roman integriert zu werden. Wolfram tat es im Gahmuret-Feirefiz-Zyklus der Parzivaldichtung.

b) ,Graf Rudolf'

Was wir in den Spielmannsepen weitgehend vermissen, Kolorit der Kreuzzugszeit und des Kreuzzugraumes, das vermittelt uns der ,Graf Rudolf', wenn auch nur in der Gebrochenheit einer fragmentarischen Überlieferung. Es ist ein singuläres Werk: ohne sicher erkennbare Vorlage, ohne sichtbare literarische Bindungen, ohne Nachwirkungen. WILHELM GRIMM hat es deshalb nicht nur als „eins der trefflichsten", sondern zugleich „merkwürdigsten [Gedichte] des deutschen Altertums" bezeichnet. Als Modell einer Erzählform sui generis verdient es intensivere Bemühungen, als ihm bisher von der Forschung zuteil geworden sind.

Ausgaben: W. GRIMM, Grave Ruodolf, Göttingen 1828 und ²1844; C. VON KRAUS, Mittelhochdeutsches Übungsbuch, Heidelberg ¹1912, S. 54—71; 242 bis

244; Peter F. Ganz, Graf Rudolf (Philologische Studien und Quellen 19), Berlin 1964; dort Bibliographie S. 7 ff.

Literatur: J. Bethmann, Untersuchungen über die mhd. Dichtung vom Grafen Rudolf (Palaestra 30), Berlin 1904; L. Kramp, Studien zur mhd. Dichtung vom Grafen Rudolf. Ein Beitrag zur Entwicklungsgeschichte des Stils und der Erzählkunst des höfischen Epos, Bonn 1916; G. Zink, Graf Rudolf: Essai de présentation, Études germaniques 20 (1965) [Hommage à M. Colleville], S. 318 bis 329; W. Sanders, Zur Heimatbestimmung des ‚Graf Rudolf‘, ZfdA 95 (1966), S. 122—149; H. Szklenar, Studien zum Bild des Orients in vorhöfischen deutschen Epen (Palaestra 243), Göttingen 1966, S. 216—26.

Der ‚Graf Rudolf‘, bisher von der Forschung als thüringisches oder hessisches Denkmal bestimmt, ist kürzlich von Sanders mit bemerkenswerten Argumenten dem niederrheinisch-maasländischen Raum zugewiesen worden. Literargeschichtlich tritt er so, wenigstens wenn wir die Dichtung um 1170 ansetzen, etwas aus seiner Isolierung heraus, indem er in die Nähe des ‚Straßburger Alexander‘, des Eilhartschen ‚Tristrant‘ und Veldekes Frühwerk rückt. Beziehungen zu diesen Denkmälern sind zwar nicht zu erweisen, aber auch nicht zu andern Dichtwerken der Zeit. Noch hemmender für unser Verständnis ist der Umstand, daß sich das Werk einer sichern Bindung an eine Quelle entzieht: die Benutzung des 2. Teils des ‚Beuve de Hantone‘ mußte von der Forschung fallen gelassen werden. Fest steht nur, daß dem ‚Graf Rudolf‘ eine französische Chanson de geste zugrunde liegt. Das hilft nicht weit: wir vermögen weder die großen Lücken zwischen den einzelnen Bruchstücken zu ergänzen, noch sind wir in der Lage, die Eigenleistung des deutschen Autors abzuwägen.

Die Fragmente setzen mit dem Aufruf des Papstes zur Befreiung des heiligen Grabes ein. Diesem Appell folgt Rudolf von Arras, Graf von Flandern, begleitet von vielen Waffengefährten. Von Reiseabenteuern berichtet Fragment B gerade noch den Schluß einer Diebs- und Verwundetenepisode. Dann folgt der freudige Empfang in Jerusalem, das von den Christen gehalten wird. Rudolf bietet König Gilot von Jerusalem seine Dienste im Kampf gegen den Heidenkönig Halap an. Vor Scalun (Askalon) finden wechselvolle und blutige Kämpfe statt. Rudolf zeichnet sich aus, verliert jedoch fast alle seine Leute. Auf heidnischer Seite ist der Ratgeber des Königs, Girabobe, Hauptfigur. Durch sein diplomatisches Geschick kommt es zu Waffenstillstand und Frieden. Ein *hogezite* König Gilots mit schon breiten höfischen Schilderungen beschließt diese Fragmentengruppe.

Das nächste Bruchstück (E) bringt die Minne ins Spiel. Rudolf gesteht der Tochter des Heidenkönigs, daß er sie *ane maze* minne, und er findet allsogleich Gehör und, dank dem Arrangement der Kammerfrau und Vertrauten Beatrise, Minnelohn. Unser Held muß demnach auf die Seite Halaps übergetreten sein. Das

bestätigt sich, denn Gilot klagt Rudolf der *untruwe* an und fordert seine Aus-
lieferung: ein Ansinnen, das der Heidenkönig zurückweist. In der Folge (F b)
kommt es sogar zu einem Kampf zwischen dem Grafen und den Christen, auf
die sich Rudolf wie ein Falke stürzt, freilich nur *mit vlacheme sverte*.

Nach einer neuerlichen Lücke großen Ausmaßes lesen wir in Fragment G eine
Besuchs- und Werbeszene: Der König (von Konstantinopel) wirbt in höfischer
Form um die Tochter Halaps, wird aber zurückgewiesen. Doch läßt er sie, auf
ihre Bitte hin, mit großem Zeremoniell und Aufwand taufen. Sie erhält den
Namen Irmengart und wird durch ihr reiches Almosen weit im Lande herum
als *selige vrouwe* gepriesen.

Wie Irmengart — mit Rudolfs Neffen Bonifait, ihrem Kämmerer — nach
Konstantinopel gekommen ist, lassen keine Rückverweise der späteren Textstücke ermitteln. Kaum mit Gewalt, anders ließe sich die vornehm-diskrete Haltung des Königs nicht erklären. Aber es scheint, daß die Liebenden (auf ihrer
Rückreise in die Heimat?) durch einen blutigen Zwischenfall getrennt worden
sind. Wir finden Rudolf wieder (Gb 32 ff.) in Gefangenschaft, aus der er sich mit
Hilfe eines aus Mänteln geflochtenen Seils befreit. Er ist schwer verwundet,
mühsam kriecht er bis zu einem Dornbusch, löscht seinen Durst mit dem Tau
des Grases, nährt sich mit einem vom Jungherrn eines vorbeireitenden Abtes
achtlos hingeworfenen halben Brot, schleppt sich am Boden weiter, bis er ohn-
mächtig hinsinkt, erfährt das Erbarmen eines Pilgers.

Nach der nächsten Lücke treffen wir Rudolf heil und genesen in Konstantinopel. Bonifait überbringt Irmengart die freudige Kunde. Wiedersehen und Wiedervereinigung in einer tageliedartig anmutenden Szene. Hierauf Heimkehr mit
Bonifait und Beatrise: halbwegs fluchtartig — Aufbruch bei Nacht und ohne
Abschied — und doch ungehindert, obschon sie Saumtiere mit großen Lasten
von Gold und Edelsteinen mit sich führen. Während einer Nachtruhe im Freien
werden sie von zwölf Räubern überfallen. Bonifait, der die Nachtwache hält
und den Grafen nicht wecken will, wehrt sich aufs tapferste, erliegt aber der
Übermacht. Rudolf, nun jäh aus dem Schlafe gerissen, erschlägt den Rest des
Gesindels. Mit einer bewegten Totenklage, Vorklang zur Vivianzklage Wille-
halms, schließt das letzte der uns erhaltenen Textstücke.

Als Kreuzzugsdichtung aus französischer Chanson-de-geste-Quelle wird
man den ,Graf Rudolf' zunächst neben Konrads Rolandslied stellen. Aber
er ist dessen Kontrafaktur, zumal in der Heidenfrage. Zwar fehlen Züge
bedenkenlos-grausamer Heidenvernichtung nicht: Gilot stiftet auf dem
Zug gegen Askalon *von rechte* Raub und Brand, Weiber und Kinder werden wie Vieh erschlagen (δ 17 ff.); Rudolf selbst folgt dem Gesetz der
Rache, als er zwei Gefangene hängen läßt (C 2 ff.). Aber das ist erster
Einsatz und Eifer. Man arrangiert sich (Friedensschluß), zum großen Hoffest senden die Heiden Präsente (A 28 ff.). Das spätere kriegerische Auf-

einanderstoßen von Heiden und Christen ist nur noch persönlich bedingt: durch die (in Gilots Sicht) *untruwe* Rudolfs. Der Frontwechsel des Kreuzfahrers bleibt nun freilich erstaunlich; wir dürfen vermuten, daß die Minne zur schönen Heidenprinzessin dabei eine nicht unwesentliche Rolle spielte. Der Heidenkönig aber ist Ehrenmann durch und durch: er stellt sich hinter Rudolf in Wort und Tat, er nimmt sich des jugendlichen Bonifait *uf sîne truwe* an. Ebenso positiv ist das Bild des Ratgebers Girabobe gezeichnet: als *edel man*, der auf *der eren banke* zu sitzen verdient (δ 37 ff.; *biderbe* ist sein eigentliches Attribut. Demgegenüber fallen auf den christlichen König von Jerusalem bedenkliche Schatten: er ist anmaßend und eitel (das Hoffest soll demonstrieren, daß er *genoz* des römischen Kaisers ist Db 46), grausam und unberechenbar.

Diese überraschende Umwertung ist nicht ideologisch bedingt. Wenn man bedenkt, mit welchem Ernst und in welcher Ergriffenheit Rudolf zum Kreuzzug aufgebrochen ist (α 13 ff.), müßte man von einem Gesinnungsbruch ohnegleichen sprechen. Das scheint mir nicht erlaubt. Die gänzlich undogmatische Wertung von Heiden und Christen auf östlichem Schauplatz entspringt vielmehr einem neuen Wirklichkeitssinn, ist ‚Erfahrung‘, sei sie nun aus der persönlichen Anschauung des Dichters oder, was wahrscheinlicher ist, aus Kreuzfahrerberichten gewonnen. Das macht der Vergleich mit chronikalen Quellen, wie ihn SZKLENAR durchgeführt hat (S. 221—224), deutlich: der Vorrang praktisch-politischer Entscheidungen vor religiösem Engagement, die Notwendigkeit von Kompromissen moralischer und persönlicher Natur, die Unbefangenheit im Urteil und Handeln. Was der ‚Graf Rudolf‘ in der Darstellung kriegerisch-politischer Verhältnisse und menschlicher Beziehungen bietet, ist zwar kein reiner Spiegel, aber doch ein Abglanz des geschichtlichen Orients in der zweiten Hälfte des 12. Jahrhunderts.

In dieser Hinsicht ist die Dichtung eine echte Kreuzfahrergeschichte: der Glaubensimpuls des Aufbruchs trifft auf Verhältnisse, die ihm keinerlei Nahrung bieten; an Bekehrung oder Vernichtung der Heiden ist nicht zu denken, es gilt zu leben und leben zu lassen. ‚Humanes‘ Denken, das man dem ‚Graf Rudolf‘ nachgerühmt hat, gilt nicht prinzipiell, sondern ist situationsbedingt.

Die Entspannung aus der Kreuzzugsideologie in die Kreuzzugswirklichkeit gestattet aber auch den Einstrom höfischer Lebensformen. Mit großem Aufwand werden Gilots Hoffest und Irmengarts Taufe in Szene gesetzt; eine Kemenate mit prunkvollem Bett und Frauen, die kostbare Stoffe wirken (αb), ein reich ausgestattetes Pferd (Ab) sind ausführlich

und apart geschildert. Es fehlt auch nicht eine eigentliche höfische Erziehungslehre (γb) mit umfassendem Programm: Tüchtigkeit in Sport
und Kampf, Erziehung zu Zucht und wohlerzogenem Stehen und Sitzen
bei Frauen; dazu treten höfisch-ritterliche Tugenden wie *truwe, ot-
muticheit, milde, stete* und *ere*; Ziel ist: *wisen zu der hovischeit* und
dorpericheit vermeiden (*hövescheit* und *dörperheit* erscheinen hier zum
ersten Mal als konträre Begriffe).
Aber der Dichter kennt den Begriff des Höfischen nicht nur in diesem theo-
retischen Zusammenhang. Beatrise wird mit Auszeichnung *die hovische
unde die wise* (E 40) genannt: ich denke wegen ihrer Gabe der Diskretion. In der Werbeszene — ist es wirklich eine? — zu Konstantinopel (G)
achten Dame und königlicher Besucher genau auf das höfische Zeremoniell.
Vor allem aber ist der Held der Erzählung *zu rechte hovisch*, und er ist
es durch sein *gebere* (Db 23 f.). Wenn er auftritt, werfen ihm die Frauen
heimliche Blicke zu (Db 9 ff.).
Das führt zum Thema der Minne. Leider erfahren wir, bedingt durch eine
große Lücke, nichts von ihrem Beginn. Doch ist anzunehmen, daß der Minneszene in E vorbereitende Begegnungen vorangegangen sind. Vom Ge-
ständnisdialog erfahren wir gerade noch den Schluß, und hier rücken wir
nun doch entschieden in die Nähe von Eilharts ,Tristrant' und Veldekes
,Eneide' — oder zu deren Vorlagen.

>,vrowe, harte groze not
>lidich umme uwere minne.
>alle mine sinne
>han ich an uch gelazen.
>ich mine uch ane maze
>daz ich dar abe was na tot.
>uwer minne tut mir groze not'.
>do sprach die vrowe riche
>wider in gezogentliche
>,Rudolf, du bist mir harte liep.
>daz ne mach ich verhelen nicht.
>ouch tvinget mich die minne'.   (E 14 ff.)

Die folgende Liebesvereinigung ist mit bemerkenswertem Freimut geschildert wie auch die zweite nach langer, leidvoller Trennung (Jb); hier
treten Züge schöner, starker Innigkeit hinzu: eine Vorahnung von Wolframs Gyburc-Willehalm-Szenen.
Weniger in die Zukunft weist Rudolf der *degen* und *helt*. In der kriegerischen Auseinandersetzung zwischen Christen und Heiden fehlt der Ein-

zelkampf und damit das Element ritterlicher Aventiure. Nicht von ungefähr ist der Begriff *riter* nur ein einziges Mal belegt (δ 12) gegenüber 14maligem *helt* und 13maligem *degen*. Die Leiden und Mühsale der Gefangenschaft, Verwundung und Flucht, mit stärker individualisierenden Akzenten geschildert — besonders eindrucksvoll ist die Darstellung des schwer verwundeten Rudolf, sein mühseliges Vorwärtskriechen, das Schutzsuchen in der Dornenhecke —, tragen schon eher die Färbung der ritterlichen Aventiureepik. Der Herkunft nach sind es wohl Motive des hellenistischen Reiseromans.

Entwicklungsgeschichtlich bedeutsam ist das Moment der Reflexion. Dazu gehören die schon erwähnte höfische Erziehungslehre (γ b), die Ausführungen über den Wert eines guten Ratgebers, verbunden mit der Klage, daß es sie nicht mehr gibt (δ 46 ff.), und die Apostrophe über gute Sitten, die *bose wip* nicht haben, weil sie ihnen *svar zu tragende* sind (J 27 ff.). Das hier spürbare pädagogische Engagement führt vielleicht mehr als alles andere in die Nähe der höfischen Klassiker.

Im ,Graf Rudolf' tritt so vieles zusammen: Heroisches aus der Chanson-de-geste-Tradition, Kreuzfahrerwirklichkeit, Höfisches in Lebensformen und Minne, Romanhaftes in Reiseabenteuern, in Trennung und Wiederfinden, Didaktisches. Ob sich alles zur Einheit fügte, lassen die Fragmente schwer erkennen. Wichtiger als der künstlerische Wert der Graf-Rudolf-Dichtung ist uns der Entwurf als solcher: er vereinigt erstmals Elemente, die vierzig Jahre später in Wolframs ,Willehalm' zusammenklingen werden.

VII. Ritterlich-höfische Antike

Neben dem Tristanroman erlangt, im dritten Viertel des Jahrhunderts, die französische Trias Theben-, Aeneas- und Trojaroman in der Ausformung der höfischen Dichtung nachhaltige Bedeutung. Sie vermittelt die bekanntesten Sagenstoffe des Altertums, indem sie diese im Geiste und Kostüm der Zeit und nach dem Geschmack der seigneuralen Höfe Englands und Nordfrankreichs neu erzählt. Dem Werke Chrétiens geht sie nicht nur zeitlich unmittelbar voran, sondern führt entwicklungsgeschichtlich zu ihm hin.

In Deutschland kommt nur der ‚Eneide‘ Heinrichs von Veldeke eine entsprechende Stellung und Bedeutung zu: sie steht vor Hartmanns und Wolframs Werk. Der ‚Roman de Thèbes‘, dem chronologisch wohl die erste Stelle zukommt (nach 1150), hat keinen Deutschen als Dolmetsch gefunden, auch nicht im späten Mittelalter, das sonst vielfach nachholte, was an französischen Stoffen in der früh- und hochhöfischen Periode unbeachtet blieb. Die ‚Estoire de Troie‘ des Klerikers Benoît de Sainte-More, die jüngste Dichtung der antikisierenden Romane (um 1165), erfuhr zwar im gleichen literargeschichtlichen Gefälle wie in Frankreich durch Herbort von Fritzlar eine Bearbeitung, aber sie stand im Schatten Veldekes und fand unter der Hand des *gelarten schuler* keine dem französischen Vorbild kongeniale Darstellung. Erst spätere Generationen mit Rudolf von Ems (nicht tradiert), Konrad von Würzburg, dem Göttweiger Trojanerkrieg und den Prosaromanen und -volksbüchern schöpften voll aus, was dieser Stoff der Weltliteratur dem mittelalterlichen Publikum an Unterhaltung und Sitte zu bieten hatte.

a) Die ‚Eneide‘ des Heinrich von Veldeke

Ausgaben: L. ETTMÜLLER (Dichtungen des deutschen Mittelalters 8), Leipzig 1852; O. BEHAGHEL, Heilbronn 1882; G. SCHIEB und TH. FRINGS, I. Einleitung. Text, G. SCHIEB, II. Untersuchungen (DTMA 58/59), Berlin 1964/65; J. SALVERDA DE GRAVE, Eneas. Texte critique (Bibliotheca Normannica 4), Halle 1891.
Literatur: J. VAN DAM: Zur Vorgeschichte des höfischen Epos. Lamprecht, Eilhart, Veldeke (Rheinische Beitr. und Hilfsbücher 8), Bonn-Leipzig 1923; TH. FRINGS und G. SCHIEB, Heinrich von Veldeke zwischen Schelde und Rhein, PBB 71 (1949) S. 1—224; Dies., Drei Veldekestudien (Abhandlungen der Deut-

schen Akad. d. Wissensch. zu Berlin, Philos.-hist. Kl. 1947, 6), Berlin 1949;
G. Schieb, Heinrich von Veldeke, GRM 33 (1951/52), S. 161—172 [knappe Zusammenfassung der Ergebnisse von Frings-Schieb]; J. van Mierlo, De oplossing van het Veldeke-Probleem (Koninklijke Vlaamse Academie voor Taal- en Letterkunde, Verslagen en Mededelingen Sept. 1952); J. Quint, Der ‚Roman d’Eneas‘ und Veldekes ‚Eneit‘ als frühhöfische Umgestaltungen der ‚Aeneis‘ in der ‚Renaissance‘ des 12. Jahrhunderts, ZfdPh 73 (1954), S. 241—267; W. Schröder, Dido und Lavinia ZfdA 88 (1957/58), S. 161—195; C. Minis, Textkritische Studien über den Roman d’Eneas und die Eneide von Henric van Veldeke (Studia literaria Rheno-Traiectina 5), Groningen 1959; M.-L. Dittrich, *gote* und *got* in Heinrichs von Veldeke Eneide, ZfdA 90 (1960/61), S. 85—122, 198—240, 274—302; G. Schieb, Heinrich von Veldeke (Sammlung Metzler), Stuttgart 1965; M.-L. Dittrich, Die ‚Eneide‘ Heinrichs von Veldeke, I. Teil: Quellenkritischer Vergleich mit dem Roman d’Eneas und Vergils Aeneis, Wiesbaden 1966. — Umfassende Bibliographie in der Ausgabe von Schieb-Frings, in Schiebs Metzler-Bändchen und Dittrichs großangelegtem Werk.

1. Wenn wir heute das Werk Veldekes als Schwelle zwischen früh- und hochhöfischer Zeit, als Beginn der Erfüllung mittelalterlicher deutscher Epik bezeichnen, so geschieht das bekanntlich in Übereinstimmung mit dem Bewußtsein und mit dem Urteil der unmittelbaren Nachfahren seiner Dichtung: nach Gottfried *inpfete* Veldeke *daz erste ris / in tiutischer zungen* (4738 f.), eine Feststellung, die der Lobsprecher bestimmt auf die Formkunst bezogen haben wollte; dem Eschenbacher galt Veldeke als Experte in Fragen der Minne (Parz. 292,18 ff.).
Die Werkgeschichte der ‚Eneide‘, wie sie uns der Epilog V. 13429 ff. (an dessen Echtheit, nicht aber an dessen Wahrheitsgehalt gezweifelt werden kann) schildert, ist die Geschichte einer verlorenen und wiedergefundenen Handschrift: Heinrich hatte das Werk aus dem Französischen (*ut den welsche*) übertragen bis zur Stelle, wo Eneas den Brief der Lavinia liest, d. h. bis zu V. 10932. Hierauf habe er das unvollendete Buch der Gräfin von Cleve zum Lesen gegeben, es sei jedoch wegen der Unachtsamkeit einer Kammerfrau am Tage der Hochzeit mit dem *langtraven* (Ludwig III. von Thüringen) vom Grafen Heinrich (Ludwigs Bruder) entwendet worden, *de et nam / ende’t danne sande / te Doringen heim te lande.* Neun Jahre später habe ihm Pfalzgraf Hermann (der zweite Bruder Ludwigs, seit 1190 Landgraf) das Buch wieder mit der Bitte zur Verfügung gestellt, es zu vollenden.
Es muß dahingestellt bleiben, ob die Gräfin Margarete von Cleve Auftraggeberin war oder nicht; um 1174, dem Jahr der Hochzeit und des Buchraubes, dürfte sie jedenfalls Veldekes Gönnerin gewesen sein. Der

Neueinsatz fällt in das Jahr 1183. Daß das Werk spätestens 1190 abge-
schlossen war, ergibt sich aus der Erwähnung Hermanns, der Pfalzgraf,
noch nicht Landgraf genannt wird. Wir stellen also zwei Schaffensperio-
den fest: vor 1174 und nach 1183. Anzunehmen, daß der T o r s o der
‚Eneide‘ bekannt, d. h. abgeschrieben und verbreitet wurde, haben wir
keinen Grund: alle erhaltenen Textzeugen gehen auf eine vollständige
Handschrift des Thüringer Hofes zurück.
Den Beginn des Werkes setzen wir am besten um 1170 nach dem nach 1165
entstandenen ‚Sente Servas‘ an. Dürfen wir die unfreiwillige Schaffens-
pause zwischen 1174 und 1183 für den gereiften Minnesänger in Anspruch nehmen? Das wechselseitige Verhältnis zu Friedrich von Hausen
spräche dafür. Um 1190 ist Veldeke verstummt. Aber erst Wolfram (Parz.
[VIII] 404, 29 ff.), um 1205, bezeugt ihn als Toten.

An die Existenz einer verlorenen Dichtung über ‚Salomon und die Minne‘ glaube
ich nicht. Der Dichter des ‚Moriz von Craûn‘ bezeugt sie uns nur scheinbar
(1158 ff.). Wenige Verse vorher steht das Stichwort ‚Dido‘ (im Rahmen der Bett-
beschreibung), und so liegt die Annahme auf der Hand, daß der Novellendichter
hier — bewußt oder unbewußt — die Beschreibung von Eneas’ Bett, das Dido
dem Helden zurüsten ließ (1264 ff.), mit dem Salomon-Spruch Veldekes (MF 66,
16 ff.) kombiniert hat. Auch muß angesichts der uneingeschränkten Hochschät-
zung, die Veldeke genoß, sowie der attraktiven Thematik bedenklich stimmen,
daß diese Salomon-Dichtung weder überliefert noch anderswo bezeugt ist.

2. Ein gewichtiges Faktum für die Veldeke-Philologie ist der Überliefe-
rungsbefund: die Lyrik ist uns allein in den bekannten Minnesänger-Sam-
melhandschriften A, B, C überliefert, also in oberdeutscher Sprache; die
‚Eneide‘ in einem Dutzend Handschriften, davon sieben vollständigen, geht
auf einen thüringischen Archetypus zurück; der ‚Sente Servas‘ liegt uns in
einer niederländischen (brabantischen) Handschrift des 15. und in Fragmenten einer limburgischen des beginnnenden 13. Jahrhunderts vor. Abgesehen vom Frühwerk, das einem limburgischen Heiligen gilt, ist also die
Veldeke-Überlieferung hochdeutsch.
Limburgische Heimat, aber hochdeutsche Überlieferung des Hauptwerks
und des Autors Wirken nach Deutschland hinein: dieser Tatbestand führte zu einem der umstrittensten Probleme der älteren Literaturgeschichte:
Hat der Limburger Veldeke im Blick auf sein Publikum hochdeutsch gedichtet oder in seiner Heimatsprache? Diese Frage nach der Sprache,
dem Kernstück des sogenannten Veldeke-Problems, ist zugleich eine bedeutsame literatur- und geistesgeschichtliche, für manche sogar (JAN VAN
MIERLO) eine nationale Frage.

Die Meinung der älteren Forschung ging dahin, daß Veldeke nicht in der Sprache seiner heimischen Mundart gedichtet, Mundartliches überhaupt streng gemieden und Rücksicht auf ein hochdeutsches Publikum genommen habe. So CARL VON KRAUS in ‚Heinrich von Veldeke und die mhd. Dichtersprache‘, Halle 1899. Aber schon WILHELM BRAUNE hatte in ZfdPh 4 (1873), S. 249—304 die Vermutung ausgesprochen, daß Veldekes heimatliches Idiom auch die Sprache seiner Dichtungen sein müsse, und diese Vorstellung erhielt später durch die Entdeckung der limburgischen ‚Sente Servas‘-Fragmente eine feste Stütze. Von diesen ausgehend, haben THEODOR FRINGS und GABRIELE SCHIEB seit 1945 das Veldeke-Problem neu aufgeworfen und einer Lösung entgegenzuführen unternommen (zusammenfassend in GRM 33, 1951/52, S. 162—172). Der methodische Ansatz, von der Sprache her den sichern Boden für die literargeschichtlichen Fragen zu gewinnen, ist überzeugend. Er führte zu einem gesicherten ersten Resultat: die Sprache jener Fragmente ist das Altlimburgische, und dieses hat Bindungen sowohl zum Westen als auch zum Osten. Doch verleitete die Überbewertung des östlichen Sprachkonnexes zur bedenklichen Feststellung „Veldeke ist kein Niederländer" (S. 162), der die Antithese seitens des JAN VAN MIERLO auf dem Fuße folgte: „Hij behoort ons toe. Hij was een Nederlander". Das ist ein wissenschaftlich müßiger Streit. Fest steht nur, daß der ‚Sente Servas‘ im limburgischen Idiom geschrieben wurde. Die Servatius-Legende preist einen Heiligen der engeren Heimat, wurde für limburgische Auftraggeber und Interessenten verfaßt; die limburgische Sprache kann daher nicht überraschen. Für die Lyrik und noch mehr für die ‚Eneide‘, die sich an ein viel weiteres und an ein höfisches Publikum wandten, ist hingegen der Gebrauch des Limburgischen durchaus keine Selbstverständlichkeit.

Die Vorstellung der ‚mhd. Dichtersprache‘ (in den 70er-Jahren des 12. Jahrhunderts!) und die Annahme, Veldeke habe sich auf ein hochdeutsches Publikum ausgerichtet, sind freilich nicht wieder aufzunehmen; maßgebend kann aber auch nicht die enge Heimat des Dichters sein: denn die literarischen Traditionen, denen sich ein Autor verpflichtet weiß, das Publikum, für das er dichtet, sind wesentliche Faktoren gerade einer ‚Dichtersprache‘. Wir wissen, daß die Sprache eines Hartmann oder Walther keine Heimatbestimmung zuläßt. Bei Veldeke dürfte es sich nicht viel anders verhalten. Mag nun die Ur-Eneide — die Lyrik dürfen wir hier beiseite lassen — am gräflichen Hof von Looz oder am limburgischen Herzogshof oder in Cleve, oder zunächst im Limburgischen und hierauf am Niederrhein entstanden sein: sie ist in einer Sprachform zu denken, die die Limburgismen mied und auf den niederlothringischen Sprachraum zwischen Rhein, Mosel und Schelde ausgerichtet war. Der genannte Sprachraum ist aber in dieser Zeit auch eine literarische Provinz, und zwar die fortschrittlichste. Hier entstanden der Straßburger ‚Alexander‘ und Eilharts ‚Tristrant‘:

Können wir die sprachliche Form der ‚Eneide‘ wieder zurückgewinnen? FRINGS-SCHIEB bezeichneten es als „kühnen Versuch", als sie auf Grund von 350 Versen altlimburgisch einen „kritischen", d. h. altlimburgischen Text der ‚Sente Servas‘-Legende mit über 6200 Versen konstituierten (Halle 1956). Er durfte als textkritisches Experiment gewagt werden, weil neben den Fragmenten immerhin noch ein benachbarter brabantischer Text zur Verfügung stand. Hingegen muß die Umschrift der ‚Eneide‘ aus mittel- und oberdeutscher (wie der Minnelieder aus alemannischer) Tradierung ins Limburgische der ‚Sente Servas‘-Fragmente als Überforderung der textkritischen Möglichkeiten bezeichnet werden. Trotzdem haben SCHIEB-FRINGS diesen Versuch in der Ausgabe v. J. 1964 gewagt, und mit entschieden größerer Zuversicht des Gelingens als bei der Redactio der Legende. Diese Zuversicht erwuchs den Herausgebern aus der Sicherheit, die sie im Umgang mit dem Altlimburgischen und durch dessen grammatikalische Fixierung gewonnen hatten, weniger aus der ‚Eneide‘-Überlieferung selbst, die nicht kritisch (wenigstens im bisher üblichen Sinne) behandelt wird. So verfahren sie nicht nach dem ausdrücklich gutgeheißenen Stemma BEHAGHELS, sondern „nach der größeren Nähe oder Ferne einer Lesart zum Altlimburgischen" (I, S. XI). Von daher gesehen, erklärt sich ihr Verzicht auf die Herstellung eines (thüringischen) Archetypus, den die Forschung als erstes, in Fortsetzung der textkritischen Bemühungen ETTMÜLLERS, gefordert hatte. SCHIEB-FRINGS gehen aber noch weiter, indem sie erklären, daß es eine „ ‚thüringische Stammhandschrift‘ im Sinne der älteren Forschung" nicht gegeben hat (ebd. S. LXXIX). Ich verstehe dies so, daß die Herausgeber eine mehr oder weniger systematische Umschrift ins Thüringische, von der aus die ganze weitere Verbreitung des Werkes ausgegangen sei, bestreiten; vielmehr habe die limburgische ‚Eneide‘ (von Thüringen aus) auf dem Wege der Tradierung durch mitteldeutsche und, vor allem und am frühesten, durch oberdeutsche Schreiber ihre originale Sprachform abgestreift, m. a. W. der Thüringer Hof (und vorgängig Veldeke selbst) habe sich mit einer limburgischen ‚Eneide‘ zufrieden gegeben. Damit handelt es sich nicht mehr „um ein Bearbeitungsproblem, sondern allein um ein Schreiberproblem" (ebd. S. LXXVIII). Diese Hypothese, der ich positiv gegenüberstehe, hätte nun gerade durch die Zurückgewinnung des Archetypus gestützt werden müssen. Erst diese Arbeit wird es gestatten, die neue Ausgabe auf ihren kritisch-historischen Wert hin zu überprüfen. Vorläufig bleibt sie ein imponierendes Experiment.

Kritisch mit der Ausgabe SCHIEB-FRINGS setzen sich auseinander: W. SCHRÖDER, Nd. Jb. 88 (1966), S. 185—189, und M.-L. DITTRICH im oben erwähnten Veldeke-Buch, S. 598—609 und passim.

Der literarische Ort der ‚Eneide‘, der auch ihren Rang, wenn nicht mit einschließt, so doch berührt, wird entscheidend durch ihr Verhältnis zum Straßburger Alexander und zum ‚Tristrant‘ Eilharts von Oberge bestimmt. Unbestritten sind direkte Beziehungen zwischen Veldekes Werk und der jüngsten ‚Alexander'-Fassung (auch wenn längst nicht alle von JAN VAN DAM und andern aufgezeigten Parallelen beweiskräftig sind). Bis vor kurzem galt die Priorität des Straßburger Alexander bei wenigen Gegenstimmen (VAN MIERLO, JUNGBLUTH) als gesichert; C. MINIS und FR. MAURER haben sie indes ernsthaft erschüttert und für die ‚Eneide' votiert (siehe oben S. 37). Bevor der ganze Fragenkomplex umfassend überprüft ist, geziemt sich Resignation.

Was das Verhältnis der ‚Eneide' zum ‚Tristrant' betrifft, so standen sich schon immer die Meinungen schroff und auf breiter Front gegenüber. Wer Veldeke von Eilhart abhängig macht, gewinnt mit 1174, d. h. mit dem Eneide-Torso, der bereits den Lavinia-Liebesmonolog, das Kernstück zur Beurteilung des Abhängigkeitsverhältnisses, in sich schließt, den terminus ad quem für den ‚Tristrant'. Dieser darf unter solcher Voraussetzung um 1170 angesetzt werden. Für das umgekehrte Verhältnis aber ist 1174 terminus a quo. Man kann aber auch, ja mir scheint: man muß, solange keine Abschriften des unvollendeten Torsos wahrscheinlich gemacht werden können, die Endfassung Veldekes als Ausgangspunkt der Datierung nehmen: dann rückt der ‚Tristrant' in die Nähe von 1190. Ein Unterschied von zwei Jahrzehnten!

Im ersten Fall steht Eilhart mit seiner Dichtung am Anfang des höfischen Romans in Deutschland, im zweiten, als Nachfolger Veldekes und Zeitgenosse Hartmanns, erscheint er als Außenseiter der hochhöfischen Epik, rückständig in der künstlerischen Technik, rückständig auch in der Minneauffassung, ein Verspäteter. Diese Auffassung läßt sich nun schwer vereinigen mit der Entstehung des ‚Tristrant' im Limburgischen, einem fortschrittlichen Literaturzentrum; wir müßten dann (mit CORDES) Eilhart nach Thüringen verweisen.
Für den Westen sprechen aber gewichtige Argumente: die Sprache der alten Fragmente, die Namenbelege *Tristrant, Isalde, Walwân* im niederlothringischen Raum (Isalda von Heinsberg, die Tochter Heinrichs III. von Limburg) und in — Niederbayern, d. h. aus dem Umkreis der Agnes von Looz (die Veldekes ‚Sente Servas' angeregt hat), seit 1169/70 Gemahlin Ottos V. von Scheyern, Kelheim bei Regensburg. Aus Regensburg stammt auch das ‚Tristrant'-Fragment R. Aus alledem ist wahrscheinlich zu machen, daß der ‚Tristrant' unter dem Patronat des Herzogs von Limburg oder der Grafen von Looz entstanden ist. Läßt man diese Wahrscheinlichkeit gelten, dann verbietet sich die ‚Rückständigkeit' Eilharts und mit ihr die Spätdatierung seines Werks.

Der Textvergleich, wie ihn VAN DAM zwischen dem ‚Tristrant' und der ‚Eneide' durchgeführt hat, ergibt kein sicheres Resultat. Da die Vorlage des ‚Tristrant', die ‚Estoire', nicht zu fassen ist, fehlt das entscheidende Kriterium für den Nachweis einer Abhängigkeit von der ‚Eneide': Eilhart kann seiner Vorlage folgen, der Zusammenhang mit Veldeke ein zufälliger sein. Zudem dürften Isold-Monolog in der ‚Estoire‘ und Lavinia-Selbstgespräch im ‚Roman d'Eneas‘ nicht unabhängig voneinander sein. Die Frage, die schon BEHAGHEL (Einführung zu seiner Ausgabe, S. CLXXXVIII ff.) aufgeworfen hatte, scheint nach wie vor berechtigt und wäre erneut zu prüfen: Besteht überhaupt ein Abhängigkeitsverhältnis zwischen Veldeke und Eilhart? Verneint man sie, so entfällt der chronologische Zwang, den ‚Tristrant‘ entweder um 1170 oder dann erst um 1190 anzusetzen.

3. Im Epilog, V. 13506 ff., gibt Heinrich den Wahrheitsbeweis seiner Dichtung, indem er versichert, er hätte sie *ane den welschen buken* gelesen, d. i. im ‚Roman d'Eneas‘, und dieser sei *ut latin gedichtet . . . al na der warheide. / di buc heiten Eneide / di Virgilius dar ave schreif.*

Das Verhältnis von Vergils ‚Aeneis‘ zum ‚Roman d'Eneas‘ und Veldekes ‚Eneide‘ ist eindeutig: die ‚Aeneis‘ ist unmittelbare Quelle des französischen Romans — also ohne Zwischenstufe einer spätlateinischen Prosafassung, wie sie für den Thebenroman anzunehmen ist — und dieser Quelle von Veldekes Dichtung. Der ‚Roman d'Eneas‘ ist zwischen 1155 und 1160 im Umkreis des englischen Hofes in der Frühzeit Heinrichs II. entstanden; die Identität des Autors mit Benoït de Sainte-More, dem Verfasser des Troja-Romans, wurde gelegentlich erwogen, ist aber nicht bis zur diskussionsfähigen These gediehen.

Daß Veldeke auf Vergil zurückgegriffen hat, kann nach C. MINIS' textkritischen Argumenten und zumal nach M.-L. DITTRICHS weitausgreifenden quellenkritischen Untersuchungen nicht mehr bezweifelt werden. Ja es scheinen nicht zuletzt das Vergil-Verständnis und die Vergil-Umformung zu sein, durch welche die ‚Eneide‘ einen besonderen Rang im Prozeß der Vergil-Rezeption des 12. Jahrhunderts gewinnt. Freilich ist es nicht so, daß Veldeke die französische Vorlage ständig und souverän am antiken Epos gemessen hätte — ein Eindruck, der sich dem Leser von DITTRICHS Buch in geradezu verführerischer Weise aufdrängt.

Der ‚Roman d'Eneas‘ umfaßt 10156, die ‚Eneide‘ 13528 Verse. Abgesehen von der Schlußpartie mit der ausführlichen Schilderung der Vermählung zwischen Eneas und Lavinia (die der französische Autor in wenigen Zeilen abtut), dem Exkurs über das Mainzer Pfingstfest, der Vorführung von Eneas' Nachkommen (worüber sich im ‚Roman d'Eneas‘ nur dürftige Andeutungen finden) und dem Epilog — alles in allem ein Komplex von etwa 1000 Versen —, hat Veldeke stofflich kaum etwas aus Eigenem hinzugefügt. Damit geht ein Plus von ungefähr 2400 Versen auf Kosten von Anschwellungen beschreibender Partien und einer wenig auf Knappheit bedachten Diktion. Veldeke neigt dazu, das Dekorative, d. h. Schilderungen von Personen, Kleidern, Waffen, Pferden, Zelten usw., auszukosten, Reden und Selbstgespräche im Fluß zu halten. Der ‚Roman d'Eneas' wirkt vielenorts dramatischer, konturhafter im Ablauf der Handlung, präziser in den Schilderungen. Die Jagdvorbereitung in Karthago ist im französischen Roman ein knappes, aber ungemein anschauliches Bild vom Aufbruch zur Jagd. Jäger lärmen, Hunde bellen, Waffen klirren, Menschen und Tiere sind in lebhafter Bewegung. Eine Freitreppe ist das Szenarium für die Protagonisten. Eneas steht wartend unten und ist dann überwältigt vom Glanz der oben erscheinenden Dido, einer zweiten Diana. Nichts davon bei Veldeke, der das Bild in Beschreibung auflöst, angefangen von der Toilette der Königin (Hemd, Pelzwerk, Mantel, Hut), über die Sporen und den Jagdhund bis zum kostbaren Leitseil, an dem sie ihn führt. Weiter ist im Vergleich zwischen der französischen und der deutschen Dichtung zu beobachten, daß Veldeke (wie später Hartmann!) in der Einhaltung höfischer Gepflogenheiten entschieden strenger verfährt als der Franzose. Peinlich genau beachtet er die feine Lebensart und den guten Ton bei Botschaften, Begrüßungen, Empfängen und anderen Aufzügen, er tilgt die Schimpfwörter, die der Franzose in die Hohnreden des Turnus einzustreuen sich nicht scheute, er dämpft das Drastische in Ausbrüchen des Affekts. Noch nicht anders steht Hartmann Chrétien gegenüber. Die Deutschen sind, wo es um höfisches Verhalten geht, grundsätzlicher, rigoroser, sie wollen auch nicht nur erzählen und schildern, sondern zugleich kommentieren. Das wiederum hängt mit dem Umstand zusammen, daß die französischen Dichter ein höfisches Publikum bereits voraussetzen konnten, während die Deutschen es sich heranzubilden hatten. Erst Wolfram hat die volle Souveränität seinem Gegenstande und seinen Vorbildern gegenüber zu wahren verstanden.

Damit möchte ich auch zu verstehen geben, daß mir der Gegensatz zwischen der lebhaften, anschaulich-plastischen Erzählweise des ‚Roman d'Eneas'-Autors und Chrétiens und der eher breiten, flächig wirkenden und lehrhaften Art Veldekes — und auch noch, Einschränkungen zugegeben, Hartmanns — nicht in einem nationalen Wesensunterschied, sondern in der Verschiedenheit der kulturellen und gesellschaftlichen Voraussetzungen begründet erscheint.

Andererseits ist nicht zu übersehen, daß das Bemühen des deutschen Dichters, *zuht* und *mâze* nicht zu verletzen, zu wirklicher Verfeinerung geführt hat. QUINT hat sie feinsinnig herausgestellt (S. 255 ff.). Besonders eindrucksvoll ist die Dämpfung in der Darstellung der minnekranken Dido: sie richtet sich im Bette, das ihr keinen Schlaf gewährt, auf und sinnt, sie küßt Eneas' Ring, sie kleidet sich morgens allein an, ohne die Mägde herbeizurufen (1317 ff.). Nach dem schicksalhaften Jagdtag nennt sie Veldeke, sehr im Unterschied zum Franzosen, der sie freudig erregt darstellt, *beide rouwech ende vro* (1876): traurig ob dem Verlust der Ehre und Scham, froh in der Minne.

4. Bei der Frage nach dem Verhältnis zu Vergils ,Aeneis' dürfen wir den ,Roman d'Eneas' und Veldekes ,Eneide' fast immer zusammennehmen, wo es sich um den Erzählstoff im Großen handelt, um dessen Straffungen und Erweiterungen, um die Einfärbung in mittelalterliche Gesittung und Kostüm.

Instruktiv ist eine Konkordanz der stofflichen Gliederung. Das 3. Buch der ,Aeneis' mit den Seefahrten und -abenteuern von Troja bis Karthago in der Erzählung des Aeneas fehlt dem ritterlichen Roman gänzlich, das 5. Buch bleibt bis auf das Gespräch mit dem Geiste des Anchises unberücksichtigt. Es fehlt auch, aus dem Bereich des 2. Buches, die eigentliche Schlacht um Troja. Damit hat der 1. Teil der ,Aeneis', die Bücher 1 bis 6, entscheidend an Gewicht verloren. Veldeke ist bis zur Landung in Latium bei V. 3740 angelangt, Vergil bei V. 4755, d. h. dieser hat bis auf knapp 200 Verse die Mitte der Dichtung erreicht, während Veldeke erst ein gutes Viertel der Wegstrecke hinter sich gelegt hat. Das Schwergewicht liegt bei Veldeke ganz auf der Dido-Handlung; einen zweiten Schwerpunkt bildet die Unterweltschilderung. Alles andere ist nur Rahmenwerk. Vom 7. Buch an haben alle entsprechenden Partien Veldekes ein Plus an Versen mit Ausnahme von Buch 10: in diesem fallen die Götterversammlung und die Intervention der Juno für Turnus weg. Die Knappheit der Plusverse von Buch 8 ist durch den Ausfall der geschichtlichen Berichte des Evander und des Rittes nach Etrurien, mithin religiös-nationalen Erzählstücken, bedingt. An der Breite der deutschen Dichtung im Bereich des 11. Buches hat die Bestattung der Camilla entscheidenden Anteil, während es beim Erzählstoff des 7. Buches die Ausweitung der Begrüßungsreden und Beschreibungen verschiedenster Art ist, die diese Partien so mächtig anschwellen ließ. Was Vergil in den Büchern 7—11 in 4189 Versen erzählt, dafür beansprucht Veldeke nun beinahe 6000. Am auffallendsten ist jedoch das Verhältnis zum 12. Buch der ,Aeneis'. Den 952 Versen Vergils stehen 3953 Veldekes gegenüber: das Plus fällt auf die Lavinia-Minne.

Wenigstens äußerlich, d. h. eindrucksmäßig, stellt sich so die ,Eneide' im Unterschied zur ,Aeneis', die sich in zwei gleichmäßige Teile gliedert, als ein dreigeteiltes Werk dar: 1. Vorspiel bis V. 3740, d. h. bis zur Erreichung der latinischen Küste, 2. die Kämpfe um Latium mit Pallas, Turnus und der Camilla als Hauptpersonen neben Eneas, 3. die Lavinia-Minne, neben der selbst der Entscheidungskampf zwischen Turnus und Aeneas zurückzutreten hat. Damit soll nicht behauptet werden, daß der mittelalterliche Darsteller bewußt eine Dreigliederung angestrebt hätte. Sie dürfte vielmehr von selbst durch die drastischen Streichungen im Bereich der Bücher 1—5 und durch den Einschub eines Minneromans am Schluß der Dichtung entstanden sein. Den Intentionen des ‚Roman d'Eneas‘ und mit ihm Veldekes dürfte eher die Zweiteiligkeit mit Schwergewicht auf dem 2. Teil entsprechen: dem kleinen, vorspielhaften und vorbereitenden 1. Teil folgte ein breit angelegter Hauptteil. Jedenfalls würde dieses Verhältnis der Grundstruktur der Chrétienschen Romane mit ihrem kleinen und großen Zyklus entsprechen.

Diesen summarischen Feststellungen auf Grund der Bücherkonkordanz seien einige Einzelbeobachtungen hinzugefügt, die erkennen lassen, in welcher Weise der mittelalterliche Dichter seine antike Quelle umgeformt hat.

Vergil setzt mit dem auf Junos Anstiftung von Aeolus erregten Seesturm ein, der Aeneas und die Seinen nach Karthago verschlägt. Der Dichter der ‚Eneide‘ hingegen schildert zunächst die Flucht des Eneas aus dem eroberten Troja (1—168), also den Schluß des 2. Buches, der somit aus der Erzählung des Helden herausgenommen wird. Es ist dies die einzige Umstellung von Belang, d. h. ein Eingriff in das kompositorische Gefüge der antiken Dichtung. Wir erkennen darin das Befremden des mittelalterlichen Künstlers angesichts des homerisch-vergilischen Kunstprinzips, in medias res zu springen, um nachher durch Erzählung des Protagonisten das zeitlich Vorausgegangene nachzuholen. Er setzt dort mit der Handlung ein, wo sie nach chronologischer Ordnung beginnt, und erstrebt ihren einsträngigen Verlauf. Damit hängt das offensichtliche Bestreben zusammen, die lange Erzählung des Aeneas, Buch 2 und 3 bei Vergil, auf ein Mindestmaß zu beschränken. 332 Verse (899—1230) bleiben von 1522 Vergil-Versen bei Veldeke übrig, und diese berichten eine einzige Episode, die vom trojanischen Pferd, der List des Odysseus, die zur Eroberung der Feste führte. Dabei wird die Laokoon-Szene übersprungen: sie dürfte als Parteinahme des Schicksals gegen den Warner und damit gegen Troja, dem die Sympathien des Mittelalters galten, befremdet haben.

Neben der Dido-Handlung ist es die ‚Höllenfahrt‘ des Eneas, die das besondere Interesse des mittelalterlichen Autors erregen mußte. Obschon die antike Unterwelt *enfer* bzw. *helle* genannt wird, ist sich der Bearbeiter bewußt, daß diese sich nicht durchaus mit der christlichen Hölle deckt. Er sondert daher eine *rechte helle* (3384) ab, die Eneas jedoch nicht betreten darf; aber Sibille, die Begleiterin, weiß ausführlich von diesem Ort der Qualen und Strafen zu berichten. Elemente des Volksglaubens werden laufend für antike Vorstellungen substituiert, wobei Veldeke entschieden weiter geht als der ,Roman d'Eneas'-Dichter: Charon wird zum mittelalterlichen Teufel (3012,3049 ff.), die Opfergabe für Proserpina ist — märchenhaft — zum Wegweiser bestimmt (3560 ff.), der Tartarus erscheint, im Einklang mit den Visionenbüchern, als Abgrund (3417). Als Gesamteindruck entsteht ein buntes Gemisch von antikem und christlichmittelalterlichem Jenseitsbild. Eine wirkliche Synthese wird erst eineinhalbhundert Jahre später Dante Alighieri gelingen. Auch ein religiöses Engagement ist nicht zu erkennen. Die *helle* interessiert vorwiegend stofflich als Ort der Qualen und der Angst: das gilt für Eneas, dessen Wanderung die Erzählperspektive bestimmt, und für den Dichter, der sich moralischer Betrachtungen, etwa über Schuld und Strafe, enthält.

Die Bücher 7—11 mit ihren wechselvollen Kämpfen, Verteidigungsmaßnahmen, Erstürmungen, Späherunternehmungen, Beratungsszenen, diplomatischen Verhandlungen und Totenklagen waren ganz nach dem Geschmack des Bearbeiters. Er hat hier nichts Entscheidendes — abgesehen von den Eingriffen der Götter in die Handlung — weggelassen, hingegen manches an beschreibenden Elementen hinzugefügt. Das befestigte Lager der Trojaner war ihm eine fremde Vorstellung. So läßt er die Eroberer (in wunderbarer Schnelle) eine Burg, Montalbane, bauen, und nun können Turnus und die Seinen eine Burg bestürmen und die Trojaner sie verteidigen. Neu gegenüber Vergil sind prächtig-feierliche Bestattungsszenen und Grabmalschilderungen, denen GABRIELE SCHIEB eine schöne Studie gewidmet hat (PBB [Halle] 87, 1965, S. 201—243). Sie ehren Pallas und Camilla, auf denen der hellste ritterliche Glanz liegt.

Den wirkungsvollen Schluß des Vergilischen Epos bildet der Zweikampf zwischen Aeneas und Turnus. In der mittelalterlichen ,Eneide' kommt er nicht zu gleicher Geltung, da er in die Lavinia-Minne eingelagert ist, deren glückliches Ende dem Hörer wichtiger sein mußte als der Waffenruhm des Eneas. Daß es nicht nur um ein *konincrike* und die *ere*, sondern um ein *wif* geht (12406 f.), gibt dem Waffengang den spezifisch mittelalterlichen Aspekt und prägt eine typische Szene des Artusromans vor: die Gewinnung der schönen Dame durch den Sieg über den Gegner und Rivalen. Entscheidend ist dabei: Lavinia steht im Fenster, ihr Anblick verleiht Eneas *hoen mut* (12432) und führt den Sieg herbei. In gleicher Weise, im Blick auf die Geliebte, werden Erec über Iders und Mabonagrin und Lancelot über Meljaganz triumphieren. Charakteristisch auch der Abschluß durch ein *hogetide*, das vom deutschen Dichter festlich-prächtig in Szene gesetzt wird. Das ist nicht nur Happy-End: festlicher Glanz hat autonomen Wert, in ihm manifestieren sich Dauer und endgültiger Bestand des Errungenen.

5. Im Epos des Vergil ist, rein thematisch gesehen, die Dido-Liebe Episode; bedeutsam für das Ganze ist sie vor allem durch die geschichtlich-nationale Sinngebung, indem sich in Aeneas und Dido schicksalhaft Rom und Karthago begegnen. Beim mittelalterlichen Nacherzähler verschieben sich die Akzente: die Minne steht im Vordergrund, genauer das Phänomen der Minne, ihre Macht, ihre Formen, ihr Wirken in einem weiblichen Bewußtsein. Unangetastet freilich, nur weithin entmythologisiert, bleibt das M i n n e g e s c h e h e n im Rahmen der Berufung des Helden zur Herrschaft in Italien: Eneas muß Dido verlassen. Gerade aus diesem Grunde wiederum konnte die Dido-Minne nicht als eine exemplarische verstanden werden. Die Untreue des Eneas, die das Bewußtsein jener Zeit nicht übersehen konnte — symptomatisch ist dafür Hartmann, Erec 7556 ff. —, so sehr sich Veldeke um Rechtfertigung seines Helden bemüht und den Begriff *ungetrouwe* nur im Munde der Gegner gestattet (4179, 4432, 9769), aber auch der tragisch-dunkle Tod der Verlassenen und Verzweifelten, nur leicht gedämpft durch Verzeihung statt Vergilschem Fluch, widersprachen dem Ideal der modernen Minneauffassung. Wollte der mittelalterliche Dichter Minne vorbildlich darstellen, so mußte er eine zweite Liebeshandlung einführen. Er tat es, einen knappen Ansatz Vergils aufgreifend, in der Lavinia-Minne.

Die Handlung ist dürftig — jedenfalls weit entfernt von der dichterischen Substanz der Dido-Fabel —, umso reicher die Minnetheorie, die sich in den Belehrungen der Mutter und in Lavinias Selbstgesprächen niederschlägt.

Minne ist allgewaltig seit Beginn der Welt bis zum Jüngsten Tag, niemand vermag ihr zu widerstehen. So die Mutter, und Lavinia muß im Selbstgespräch zugeben, daß sie *unmatelike* liebt. Minne wirkt sich aus wie eine Krankheit. Amor hat ja seinen goldenen Pfeil ins Herz des Minnenden geschossen: die Wunde brennt, und der Liebeskranke fiebert. Er wird rot und blaß, ihm wird heiß und kalt, er zittert, Schweiß bricht aus, er kann nicht essen und noch weniger schlafen. Das sind die Minnesymptome. Die Königin gibt sie in der Theorie, und Lavinia und Eneas (wie früher schon Dido) erfahren sie aufs eindrucksvollste. Damit ist die Qual der Minne aufgezeigt. Lavinia (noch ungetroffen) folgert aus den Belehrungen der Mutter ganz richtig, daß Minne *ungemac* sei. Hierauf die Königin: Ja und nein, diese *ungemac is sute*, eine süße Qual, und *michel lif komet van leide . . . dat is eine trostlike sake . . . van rouwen komet wunne . . . der angest maket stade gut* (9872 ff.). Allegorisch ausgedrückt: die Minne hat auch Salben, mit denen sie die Wunden zu heilen vermag.

Wie Minne erwacht, bewußt und bewußter wird, schildert der Dichter in Lavinias erstem Selbstgespräch. Ihm entspricht ein Monolog des Eneas, der den Kampf von Minne und männlichem Selbstbewußtsein auszutragen unternimmt.

Die Minnelehre und Minneanalyse, wie sie die französische und deutsche ‚Eneide‘ — beide mit ihren besonderen Akzenten — vortragen, verraten in fast jedem Punkte den Einfluß des Ovid. Die Minnesymptome, das allegorische Beiwerk (Amors Liebespfeile und heilende Salben), die Kasuistik: das alles bot der römische Lehrmeister der Liebe. Wie weit Ovids Einfluß in der Troubadourkunst und im Minnesang reicht, ist umstritten: in der Epik der frühhöfischen Zeit ist er fraglos dominierend, ja er bestimmt geradezu den Charakter frühhöfischer Minne. Das heißt zugleich, daß die hochhöfische Zeit über Ovid hinausschritt, ja ihn halbwegs vergaß. Chrétien (wenn wir vom ‚Cligés‘ absehen) und seine deutschen Nachfolger kennen keine Minnekasuistik ovidscher Prägung mehr. Minne bleibt auch nicht mehr magische Venusminne, der man sich nicht entziehen kann und die einen der Sinne beraubt: sie erhält vielmehr soziale Funktion, ist alles andere als eine private Angelegenheit, so sehr das einzelne Individuum davon betroffen und beglückt ist.

Gerade diese Wendung ist nun aber in der Lavinia-Minne unübersehbar vorbereitet. Ovid beherrscht zwar Beginn und Wesensart der Minne, aber im epischen Geschehen ist Minne ein Politikum. Der Stammvater eines königlichen Geschlechts, das die Welt- (und mittelbar die Heils-) geschichte bestimmt, kann nur dort lieben, wo sich die Minne zur Herrschaft gesellt und dem Götterwillen entspricht. Weil dies nicht zutrifft, scheitert die Dido-Minne — Veldeke bewahrt Eneas sogar vor Cupidos Liebeskuß —, während ihm Lavinia, und mit ihr das *rike, beschert was / ere si wurde geboren* (4006 f.). Von allem Anfang an, d. h. mit der Landung an der Tibermündung, sind Minne und Reich verbunden: *mine dochter wille ich heme geven / te minnen ende te wive / ende na minen live / min lant ende min rike* (3954 ff.). So König Latin beim Empfang der Botschaft des Eneas. Die Erringung des Weibes fällt nun, wie für den Widersacher Turnus, zusammen mit dem Gewinn von Herrschaft und Krone. So bewirkt Minne nicht nur persönliches Glück, sondern geschichtlich-politisches Heil. Die Gemeinschaft ist mitbetroffen, wenn auch nur in abstracto. Thematisch wird die auf die Gemeinschaft wirkende, mit ihr konforme Minne erst bei Chrétien.

Von einer religiösen Vertiefung des Minneproblems als Eigenleistung Veldekes läßt der Text allenfalls Spuren erkennen, wie sie sich bei einem christlichen Dichter von selbst verstehen. Ich distanziere mich damit von M.-L. DITTRICH (*gote* und *got*, ZfdA 90, bes. S. 199 ff. und 233 ff.), weniger in der Meinung, daß Veldeke, sogar als einzigem Dichter des 12. Jahrhunderts, „die sinnvolle Einordnung der antiken Liebesgötter in die mittelalterliche Minneideologie" gelungen sei (S. 279), als in der geradezu peinlich wirkenden theologisch-moralischen Wertung der Dido- und Lavinia-Minne, die (unausgesprochen, aber faktisch) dem Dichter jegliche künstlerische Objektivität und schlichte Menschlichkeit seinen Gestalten gegenüber abspricht. Dido wird nicht nur der *unmâze* (intemperantia) und Begehrlichkeit (concupiscentia), sondern der impietas, ja diabolischer Verirrung bezichtigt, wobei die fast durchwegs verwendete lateinische Begrifflichkeit in besonderem Maße die finstere Anklage zu verstärken in der Lage ist, freilich auch verrät, daß der Text für solche Inkulpation nichts hergibt. Während dem Venussohn, der Dido immerhin begehrt hat und *here dede dat he wolde* (1834 ff.), ‚Frömmigkeit' auch in der Abschiedsszene attestiert wird, macht sich, nach DITTRICH, Dido im sittlichen und metaphysischen Sinne schuldig. Selbst der rührende Wunsch *hedde ich doch ein kindekin / ane uch gewunnen. / hedde mich des got geunnen, / du ich miner eren so vergat, / mich ware vele des di bat* (2192 ff.), wird als eine „Gott unzumutbare Forderung" bezeichnet, „denn wie könnte der Gott der reinen vollkommenen Liebe einen Ersatz für Ehrverlust gewähren, wie vermöchte er einen Sinnenrausch mit dem höchsten Gut, das er zu verschenken hat, einem neuen Leben, gnadenvoll vergeltend zu belohnen?" (S. 210) Ich meine, daß solcher in der Sprache neuzeitlicher Theologie einherschreitender Eifer, aus der unglücklichen eine schuldige und verworfene Dido zu machen, eine Versündigung gegen den Geist des Dichters bedeutet. Man sollte endlich in unserer Wissenschaft darauf verzichten, mit harter und finsterer Sündendogmatik, die noch nicht einmal aus der Theologie des 12. Jahrhunderts gewonnen ist, dichterisch konzipierte und verstandene Gestalten zu beurteilen. Die konsequente Theologisierung der großen mittelalterlichen Dichtung ist nicht minder mittelalterfremd als die rein ästhetische Wertung. Wie wäre das, was wir nicht ganz zu Unrecht höfische Humanität nennen, möglich geworden, wenn die Zeugen dieser Humanität, die Dichter, sich des moralistischen Maßstabes bedient hätten, den heutzutage die Wissenschaft so hurtig bei der Hand hat!

Dido ist unglücklich, Lavinia glücklich in ihrer Liebe. Das liegt nicht an ihnen selbst, sondern an ihrem Geschick. Die Minne selbst empfinden sie in der selben Weise. Es geht nicht an, *rechte* und *unrechte* Minne, *mâze* und *unmâze* gegenbildlich auf Lavinia und Dido zu verteilen.

Diesen Kontrast betonen FR. MAURER (Rechte Minne bei Heinrich von Veldeke, Archiv f. d. Studium der neueren Sprachen 187, 1950, S. 1—9) und DE BOOR (Lit.Gesch. II, S. 46). W. SCHRÖDER ist (Dido und Lavinia, ZfdA 88, 1957/58, S. 161—195) dieser Ansicht entgegengetreten: mit vollem Recht.

Ich minnede uch te unmaten (2365), gesteht Dido dem geliebten Gast. Nicht anders Lavinia: *want den man den si* (die Mutter) *mich verbot, / den minne ich te unmaten* (10148 f.). *Unmate* mag man nennen, daß Dido ihre Minne bekennt und den Fremdling zu erobern sich anschickt. Dann ist es aber auch *unmate*, wenn Lavinia sich Eneas in ihrem Briefe eröffnet. Dido gibt sich dem Geliebten hin, und das bedeutet ohne Zweifel Ehrverlust. Aber auch Lavinia ersehnt, wenn sie Ring und Gürtel in des Eneas Hand wissen will, unmißverständlich Liebesvereinigung. Die verlassene Dido gibt sich selbst den Tod; Lavinia ist entschlossen, sich vom Turme hinunterzustürzen, wenn Eneas im Kampf gegen Turnus unterliegen sollte. Das alles sind Gemeinsamkeiten, die nicht zu übersehen sind. Die Verhaltensweise der von der Minne ergriffenen Frauen unterscheidet sich in keiner Weise. Wohl aber ändern sich Haltung und Lage des männlichen Partners. Sie sind es, die Dido in Unehre und Tod, Lavinia in ihrer Minne *te liven ende* (13130 f.) führen.

6. Die Dido-Episode und das Ausweichen in eine andere Minnethematik zeigen exemplarisch, wie schwer sich ein so fest gebautes dichterisches Gefüge wie das Epos des Vergil dem umformenden Zugriff des mittelalterlichen Neugestalters fügte. Aber auch die geistige Grundkonzeption der ,Aeneis' erwies sich als so innig mit dem Stoff verbunden und durch diesen geprägt, daß sie nicht einfach abzulösen und durch eine andere, mittelaltergemäße zu ersetzen war.

Nach dem Vergilischen Epos ist Aeneas der auserwählte und gläubige Vollstrecker des Fatums aus dem Munde Apolls: deshalb *pius Aeneas.* Das trojanische Erbe, einstmals aus Italien an den Hellespont verpflanzt, wiederum nach Italien zurückzutragen, die Gründung Roms und des Weltreichs einzuleiten, ist seine Mission. Aus diesem Grund ist das, was man den Götterapparat zu nennen pflegt, keineswegs — wie etwa später in der Thebaïs des Statius — ein Mechanismus, der die Handlung, bzw. ihre Träger in Bewegung setzt, sondern ein religiöses Movens. Es fragt sich nun, ob und in welcher Weise sich der mittelalterliche Bearbeiter mit diesen ideologischen Elementen auseinandersetzte.

Er hat entmythologisiert, indem er die unmittelbaren Eingriffe antiker Gottheiten in das Geschehen vermied. Veldeke ging dabei, wie M.-L. DITT-

RICH überzeugend nachgewiesen hat, bewußter und konsequenter vor als sein französischer Vorgänger. Er löst den Götterwillen vom anthropomorphen Einzelgott ab und spricht schlechthin von *goten* im Sinne eines (positiv gewerteten) Fatum. Nur die Liebesgötter, Venus voran, beläßt er in ihren Funktionen: sie waren bereits durch reichen Gebrauch aus der Sphäre des Religiösen in den Bereich des Symbols und der Metapher übergeführt worden. Dieser Verlust mythologischer Realität bedeutet nicht selten Verlust tieferer Motivierung.

So wird, wie QUINT (ZfdPh 73, S. 249 f.) beispielhaft gezeigt hat, aus Junos, durch den Ratschluß Jupiters ermöglichter Intervention zur Errettung des Turnus (10. Buch) eine bloß noch interessante und durch Zufall bedingte Kriegsepisode (7627 ff.). In entsprechender Weise bedeutet hinsichtlich der Untreue des Eneas gegenüber Dido der Verzicht auf eine Episierung des Götterwillens Verlust an innerer Nötigung: die Selbstrechtfertigung des Helden wirkt wenig glaubwürdig, so daß der Hörer und Leser später nicht ganz ungeneigt ist, der Schelte der italischen Königin und des Turnus auf den *ungetrouwen Troian* beizupflichten.
Die Entmythologisierung kann aber auch Gewinn bringen. Didos Minnebrand, den Vergil mittels des Gestaltwandels Ascanius-Cupido entfachte, bewirkt beim mittelalterlichen Dichter der dem schönen und liebenswerten Jüngling aufgedrückte Dido-Kuß allein: Ascanius i s t — ohne Zauber und Betrug — Liebeserreger, Cupido. Hier gestattete die dem Minnebegriff und dem Minnedenken innewohnende mythologische Symbolkraft bruchlos die Ablösung des mythologischen Wunders.

Im Blick auf das Ganze der mittelalterlichen Aeneas-Dichtung bedeutet jedoch die Entfremdung vom antiken Mythos Substanzverlust, und dieser war auch durch den Prozeß der Verritterlichung und den Ersatz religiösnationaler Antriebe durch Ehre und Minne nicht wettzumachen. Dies gilt fast ohne Einschränkung für den ,Roman d'Eneas'. Dem deutschen Dichter hingegen blieb der politisch-geschichtliche Weg seines Helden ein wesentliches Anliegen. Veldeke übernimmt nicht nur die genealogischen Voraussagen des Anchises (Aeneis VI, 760 ff.; Roman d'Eneas 2933 ff.), sondern nimmt am Schluß der Dichtung das Thema der Geschlechterfolge noch einmal umfassend auf (13307 ff.), um die *kunne* des Eneas und der Lavinia über Augustus in die christliche Heilsgeschichte einmünden zu lassen:

> in den tiden wart des godes son
> geboren te Bethlehem,
> de gemartelet wart te Jerusalem
> uns allen te troste,

want he uns erloste
ut der vreisliker not,
want he den ewegen dot
bit sinen dode erstervede,
den Adam ane uns geervede.   (13412—20)

Daß diese weltheilsgeschichtliche Konzeption nicht nur epiloghafter Ausblick, sondern die „ideologische Grundstruktur“ und im Werkganzen verwirklichte Grundstruktur der ‚Eneide‘ sei, hat M.-L. DITTRICH in ihrem Veldeke-Buch mit bewundernswerter Text- und Quellenkenntnis und einem geradezu verführerischen Engagement darzutun versucht. Aber der unbefangene Rückgriff auf den Text ernüchtert. Die von M.-L. DITTRICH ausgewerteten Stellen ergeben zwar, aus dem Ganzen der Erzählung herausgenommen und allseitig verknüpft, dem zielstrebigen Interpreten die Umrisse einer eindrucksvollen Weltsicht, aber diese Weltsicht hätte sich als bewußte Konzeption in ganz anderer, viel durchschlagenderer Weise in der Dichtung manifestieren müssen. Daß ein christlicher Dichter am Werke ist, davon vermag die ‚Eneide‘ zu zeugen; daß er konsequent aus einem vertieften Vergilverständnis heraus eine interpretatio christiana der ‚Aeneis‘ geleistet hätte, ist, um mit Schiller zu sprechen, „eine große und wahrhaft heldenmäßige Idee“ der Autorin, aber nicht aus der Realität des Kunstwerks abzuleiten. Die moderne Vergil-Forschung und die Theologie des 20. Jahrhunderts lassen Veldeke in einem Lichte erscheinen, das die Möglichkeiten des Dichters überblendet. Wenn man die ideologischen Ansätze der ‚Eneide‘ zu deuten und zu werten unternimmt, müßten als Korrektiv das Vergilverständnis und die (auch in der volkssprachlichen Predigt faßbare) Theologie des 12. Jahrhunderts herangezogen werden. Dazu bietet freilich die Forschungslage erst beschränkte Möglichkeiten.

Ungeachtet der ideologischen Ausrichtungen des (keiner *warheide* der Vorlage mehr verpflichteten) ‚Eneide‘-Ausklangs, ungeachtet auch der Reflexe des christlichen Dichters in der Erzählung selbst, ist — immer noch! — die Feststellung gestattet, daß die ‚Aeneis‘, der große Stoff eines großen Dichters, geprägt vom Geiste römischen Geschichts- und Staatsbewußtseins und römischer religio, sich einer wirklichen Umformung in die Atmosphäre und in die Denkformen, zumal in die religiösen Denkformen, des Mittelalters widersetzt hat. Vergils Epos erhielt auch in der Folge keine Neugestaltung mehr, während der locker gefügte und ideell-religiös unbelastete Trojaroman ein Lieblingsbuch des Mittelalters blieb. In noch höherem Maß aber gilt dies für die Märchenwelt der Matière de Bretagne: bei diesen nicht raum- und nicht zeitgebundenen, religiös unverbindlichen Stoffen war es möglich, den Sinngehalt, die Idealität des eigenen Zeitalters, Aventiure und Minne, ungebrochen und ungetrübt zum Ausdruck zu bringen. Chrétien hat dies erkannt. Und sein Griff in diese gefügige, frei-schwebende Stoffwelt erwies sich als ein Gewinn ohnegleichen.

So blieb der antikisierende Roman (obwohl er als Unterhaltungsstoff durch das ganze Spätmittelalter weiterlebt) Stufe — die letzte vor der Erfüllung des mittelalterlichen Romans in der Artusepik. E i n ideelles Moment ging indes nicht verloren: Man war sich seit der Rezeption der antiken Epik bewußt, daß das Rittertum bei den Griechen, insbesondere bei den Grie-chen vor Troja, begann und über die Römer und Franken, die beide ihre Herkunft von den Trojanern ableiteten, zur höchsten Blüte in der gegen-wärtigen Zeit geführt hat. So steht es im ‚Cligés'-Prolog Chrétiens V. 28 ff., und der Prolog des ‚Moriz von Craûn' führt diesen Gedanken in 262 Ver-sen durch, indem er die Geschichte der Ritterschaft von ihrem Ursprung an er-zählt. Gerade die aus der Rezeption der Antike gewonnene Einsicht, daß sich im Raume und an Gestalten der alten Welt Ritterschaft und Minne nicht idealiter entfalten ließen, mochte zur Vorstellung von der Über-legenheit des mittelalterlichen Ideals über das antike geführt haben. Das Mittelalter auf seiner Höhe blickte — wenigstens im Bannkreis volks-sprachlicher Dichtung und des laikalen Denkens — auf die Antike wie die Ecclesia auf die Synagoge. König Artus ist von höherer ritterlicher Ideali-tät als die griechischen und trojanischen Helden, als Aeneas und Alexander; Isold, Enite, Laudine, Kondwiramur überstrahlen Helena, Polyxena und Dido, und sie empfangen lauterern Dienst als diese: *wan man lônet in dâ / baz danne iender anderswâ.* (Moriz von Craûn 261 f.)

b) Nachklang der Antike-Rezeption in Thüringen
Trojaroman. Metamorphosen

Der mittelalterliche Aeneasroman geht auf Vergil zurück, nicht aber der Trojaroman auf Homer. Hauptgewährsmann war vielmehr Dares Phry-gius, der sich als Troer und Mitkämpfer mystifiziert; man las diesen ‚Augenzeugen' in der Cornelius Nepos zugeschriebenen lateinischen ‚Hi-storia de excidio Trojae'. Dieser Quelle trat die gleichfalls nur in lateini-scher Übertragung erhaltene ‚Ephemeris belli Trojani' zur Seite, deren an-geblicher Autor, Dictys Cretensis, ein Waffengefährte der Kreter Ido-meus und Meriones zu sein vorgibt; jedoch kommt diesem griechischen Berichterstatter in mittelalterlicher, durch die trojanisch-römische Stammes-sage bedingter Sicht geringere Autorität zu als dem Troer Dares. End-lich schöpfte das Mittelalter seine Troja-Geschichten aus dem spätantiken, erst 1944 edierten ‚Excidium Troiae'.

Am Anfang der volkssprachlichen Trojaromane steht die ,Estoire de Troie' des Klerikers Benoït de Sainte-More (um 1165). Auftraggeberin war keine Geringere als Eleonore von Poitou, seit 1152 Königin von England. Von der Trias der antikisierenden Romane ist dieses Werk das am entschiedensten feudalisierte — und erfolgreichste.

Wir glauben aus dem Vorauer-Alexander (1329 ff.) zu wissen, daß der Trojaroman schon um 1150 in Deutschland bekannt war. Um 1190 — ich meine mich für die frühe Datierung entscheiden zu müssen — hat ihn der Hesse H e r b o r t v o n F r i t z l a r im Auftrage des Landgrafen Hermann von Thüringen, der augenscheinlich eine Vorgeschichte zur ,Eneide' wünschte und auch die Vorlage verschaffte (92 ff.), nach Benoïts Roman in deutsche Verse umgeformt.

A u s g a b e n : Benoït de Sainte-Maure, Roman de Troie, éd. par Léopolt Con-
stàns (Société des anciens textes français, vol. 88, 89, 96, 97, 100, 103), Paris 1904—1912; Herborts von Fritslar *Liet von Troye*, hrsg. von G. K. Frommann (Bibl. d. ges. dt. Nat.-Lit. 5), Quedlinburg-Leipzig 1837.
L i t e r a t u r : H. Menhardt, Herbortstudien, ZfdA 65 (1928), S. 225—254; 66 (1929), S. 173—200; 77 (1940), S. 256—265; F. J. Worstbrock, Zur Tradition des Troiastoffes und seiner Gestaltung bei Herbort von Fritzlar, ZfdA 92 (1963), S. 248—274.
Knapper Überblick über die mittelalterlichen Trojaromane: VL. I, Sp. 319 bis 328 und V, Sp. 113—115.

Herbort vermag, wie sein Prolog 47 ff. verrät, über den literarischen Erbgang der Trojaromane präzise Auskunft zu geben: Dares weiß über *den Sturm von troygen* den besten Bescheid, *wen er da mit was gewesen;* Cornelius hat diesen Bericht *inz latin gekart;* er aber vertraut sich dem *welschen buch* als *rechter geleite* an. Dabei möchte er sein *rede kurz, enge und smal* (6694) halten, und in der Tat gelingt es ihm, die 30316 Verse des Franzosen auf 18458 zusammenzudrängen, freilich mehr durch Streichungen als durch knappere stilistische Formung.

Die Selbständigkeit des deutschen Autors, der sich im Epilog *gelarter schulere* (18451) nennt, erweist sich in gelehrten Zutaten und Berichtigungen seiner Vorlage — was Menhardt dazu bewogen hat, eine zweite Quelle anzunehmen —, in häufigen Umstellungen der Komposition und geänderter Darstellungsform (Verwandlung der direkten in indirekte Rede und umgekehrt; Aufgliederung oder Zusammenziehung von Gesprächen; Abenteuer des Odysseus als Ich-Erzählung 17544 ff.), aber auch — wie Worstbrock erstmals gezeigt hat — in der Konzeption. Das schönste Beispiel dafür ist die Darstellung und Wertung Achills. Dares und Benoït hatten ihn des homerischen Glanzes beraubt, dem Troer Hektor hintangestellt; Herbort läßt ihm neue Größe, Heldenruhm und Menschlichkeit zuteil werden: er ist der Held der 8. Schlacht um Troja, er preist den erschlagenen Hektor, der *durch truwe und durch ere* gefallen sei (10411 ff.), er gerät durch seine Leidenschaft zu Polyxena in tödlichen Konflikt zwischen Minne und *manheit* und damit Kriegerehre. Und es ist die Minne, die Achill in den Tod führt: *wenne er hette sin blut und sin leben / um ir minne gegeben* (13769 f.).

Daß es Herbort in der Darstellung einer das Tragische berührenden Minne mehr um ein vertieftes Achillesbild als um die Minne geht, beweist die Darstellung der Briseida-Minne des Diomedes: sie ist, der französischen Vorlage entsprechend, nur galant; der werbende Liebhaber bezeichnet sich selbst als *frowen ritter* (9512), und er ist es in perfekter Weise, wenn er den Ärmel seiner Dame am Lanzenschaft in die Schlacht führt. Selbständiger gegenüber der Quelle erzählt Herbort das Minneverhältnis von Jason und Medea der Vorgeschichte, aber, wie es scheint, auf Grund gelehrter Ovid-Kenntnisse. Jason folgt den Lehren der ‚Ars amandi‘, wenn er bei der Verführung der schönen Kolcherin die tastende Hand ‚sprechen‘ läßt (701 ff.).

Die Trojanersage in der Tradition des Dares und Dictys stellte dem mittelalterlichen Bearbeiter keine Probleme. Sie war Unterhaltungsstoff, der sich ohne Mühe in zeitgemäßes Kolorit umfärben ließ. Auch die Mythologie dieses Versatz-Homers ist Stoff, nicht Religion und konnte aus diesem Grunde unbeschadet, d. h. ohne Gehalt und Motivierung zu gefährden, abgelöst, bzw. in finsteres oder komisches Teufelswerk umgedeutet werden. Sofern die Götterwelt und der Götterkult berührt werden, beleuchtet sie Herbort grundsätzlich negativ (Medeas Zauberkünste 837 ff., das Orakel von Delphi als Trugbild Satans 3497 ff.). Auf der andern Seite verwendet er in größter Unbekümmertheit zu unzähligen Malen den christlichen Gottesbegriff, besonders im Anruf und in Bitte, Wunsch und Bekräftigung, also formelhaft, aber auch in Wendungen, die über den Gemeinplatz hinausgehen (*so si ich vurwazzen / Vor gotes ougen* 1068 f., *got gebe dir immer gut* 8094, *got der muzze dich bewaren* 10411). Doch wird man diese Stellen, so zahlreich sie sind, nicht als bewußte Angleichung an ein christliches Weltbild deuten dürfen, sondern als Zeugnisse dafür, daß Herbort die antiken Heroen und Heroinnen als Gestalten seiner Zeit agieren und reden läßt. Ebenso wenig kann der zweimalige Hinweis, daß Cassandra, die als ‚Sybilla‘ verstanden wird, von der Geburt Christi gewußt hätte (1697 ff.; 3271 ff.), als religiöses Element in

Anspruch genommen werden: hier griff der Autor in seinen Gelehrten-Schulsack.

In der Darstellung höfischen Lebens und höfischer Sitte, von Frauendienst und Frauenlohn, von ritterlicher Kampfesart und Zucht steht Herbort hinter Benoïts Werk, aber auch Veldekes ‚Eneide‘ zurück. Mutmaßlich nicht deshalb, weil ihm als gelehrtem Manne oder als Kleriker höfische Gesittung und Lebensart unverständlich oder unerfahren blieb, sondern weil er sich davon distanzierte. In der naturalistischen Schilderung von Schlachten, die in greuliches Gemetzel ausarten können, in der Ungeschminktheit der Darstellung von Gewalttaten, Entführungen und Verführungen, im ironisch gefärbten Urteil über die Frau — ‚querelle des femmes‘! — hat er Teil an einer realistischen Strömung, die sich frühzeitig dem als Ideal- und Wunschwelt konzipierten höfischen Roman entgegensetzte. In Frankreich ist dieser Typus am reinsten in Gautiers von Arras ‚Eracles‘ ausgeformt. In Deutschland darf man ihm neben Herborts Werk Ulrichs von Zatzikhoven ‚Lanzelet‘ zuordnen. Ihm aber wird die Zukunft gehören: Herborts Trojanerkrieg nimmt nicht eine „rückläufige Stellung“ ein (EHRISMANN), sondern weist, indem er, entwicklungsgeschichtlich gesehen, die Höhe und Mitte höfisch-ritterlicher Idealität, die soeben mit Veldeke begonnen hat, überspringt, nach vorn.

Als Ersatz für einen hochhöfischen Trojaroman (ein ‚*Trojaer buoch*‘ aus der Feder Rudolfs von Ems, von ihm selbst in der ‚Weltchronik‘ bezeugt, ist nicht überliefert) kann K o n r a d s   v o n   W ü r z b u r g virtuos geschriebenes Alterswerk, der ‚Trojanerkrieg‘ (um 1280 bis 1287; ed. A. VON KELLER, StLV 44, Stuttgart 1877, Anmerkungen von K. BARTSCH, StLV 133, Stuttgart 1877), gelten. Herbort kürzte, Konrad weitet aus in Reden, Beschreibungen, lehrhaften Einlagen, durch wortreiche Diktion: er schreibt 40425 Verse und war noch immer nicht zu Ende (ein Fortsetzer erreichte beinahe das halbe Hunderttausend). Konrad legt das Schwergewicht auf Minneszenen und höfische Lebensformen, die sich in sensualistischem Glanz entfalten, während bei der Darstellung der Kampfhandlungen kein Engagement zu erkennen ist. Noch mehr als Benoïts ‚Estoire de Troie‘ ist Konrads Werk ganz in die Atmosphäre seiner Zeit eingetaucht. Was bei der Aeneassage wegen der Durchformung und Verdichtung durch einen großen Künstler nur annähernd gelingen konnte, das gestattete der geistig und formal unverbindliche antike Trojaroman in allen seinen Fassungen ohne Mühe: die Transformation des Antiken in die eigene geistig-leibliche Welt. Nicht zuletzt aus diesem Grunde lief der Trojaroman im Mittelalter dem Theben- und Aeneasroman den Rang ab.

In zeitlicher Nähe, aber weiter innerer Distanz von Konrads Werk steht der G ö t t w e i g e r   T r o j a n e r k r i e g eines unbekannten Autors aus der Nordostschweiz (ed. A. KOPPITZ, DTMA 29, Berlin 1926). Höfische Sitte und höfische

Prachtentfaltung sind ihm gleichgültig, Minne vermag ihn nicht zu erwärmen, gewandte-glatte Form erstrebt er nicht. Ebenso kühn wie naiv ist sein Versuch, den Stoff der Trojanersage in einen Aventiure-Roman à la mode umzuwandeln. Dies geschieht, indem er die Matière de Bretagne in die antike Sage, man möchte sagen, hineinmontiert, und zwar nach dem Modell des ‚Wigalois'. Paris und Hektor werden so zu irrenden Rittern, die Konturen der alten Welt verschwimmen im Märchendickicht. Diese Kontamination verrät uns noch einmal, wie gefügig sich der Trojastoff selbst gewalttätigen Umformungen gegenüber erwies.

Der Trojaroman machte in der Folge die Wandlung zum ‚V o l k s b u c h' durch, und zwar in mehreren voneinander unabhängigen (z. T. noch ungedruckten) Redaktionen. In der *hübschen histori von der kuniglichen stadt troy, wie sie zerstoeret ward* des Nördlinger Ratsherrn H a n s M a i r (Ende 14. Jh., erneuert von R. BENZ, Berlin 1938) werden die längst bekannten Geschichten von Jason und Medea, Paris und Helena, Achilleus und Hektor, von Gewalttat, Raub und Untergang in kräftig-eindrucksvoller Holzschnittmanier erzählt, als ‚Spiegel' für alle Stände, aber nicht vorbildlicher Lebensart, sondern als warnendes Exempel von *Hochfart und Übermůt.* In oft erbarmungsloser Nüchternheit werden die Triebkräfte der Menschen, zumal der Frauen, die *allweg vnstått sind mit ihrem Sinne,* bloßgelegt. Und wir möchten meinen, daß der zeitgenössische Leser in der Lasterwelt einer dahinsinkenden Zeit seine eigene Welt besser einschätzen lernte als hundert Jahre früher der Adelige die seine aus dem höfischen Glanz, den Konrad über die Geschichten von Troja gelegt hat. Das Volksbuch von Hans Mair ist von der Art, daß es den Leser vom Buche weg in die Kirche zu treiben vermochte.

A l b r e c h t s v o n H a l b e r s t a d t Bearbeitung der M e t a m o r p h o - s e n des Ovid gehört nur bedingt in eine Geschichte der höfischen Epik. Es war, ohne Abschätzung gesagt, „ein abseitiges Unternehmen" (FR. NEUMANN), antike Mythologie einer Bildungswelt zu vermitteln, die diese soeben in der Rezeption der ‚Aeneis' und des Trojanerkrieges abgestreift oder als Teufels- und Zauberwerk verurteilt hatte. „Abseitig" war auch der Gedanke, Wundergeschichten alter Zeiten (siehe Prolog) als Unterhaltungsstoff einem Publikum zu bieten, das sie nicht, wie die Leser des Ovid, als reine Erzählkunst, in der Spannkraft der Handlungsführung, den Stimmungselementen der Schilderungen, dem Raffinement der Psychologie, zu nehmen verstand, abgesehen davon, daß Albrecht über eine solche Kunst nicht verfügte. Es gab in hochhöfischer Zeit, in die wir mit dem ersten deutschen Ovid-Bearbeiter eingetreten sind, nur einen Künstler, der eine solche Aufgabe hätte leisten können: Gottfried von Straßburg.

Die originalen Metamorphosen Albrechts sind für uns einzig in den Fragmenten
der Oldenburger Hs. (ca. 420 Verse) faßbar. Die Bearbeitung, die Jörg Wickram
i. J. 1545 herausgegeben hat, ist eine Umformung in Stil und Geschmack des
16. Jahrhunderts und verbietet jede Möglichkeit, das Werk des frühen 13. Jahrhunderts zurückzugewinnen. Das demonstrieren der Textvergleich, wie ihn
musterhaft FRIEDRICH NEUMANN durchgeführt hat, und KARL BARTSCHS auch
als Experiment verunglückter Wiederherstellungsversuch.
Bruchstücke der Oldenburger Hs. in ZfdA 11 (1859), S. 358—374, und Germ. 10
(1865), S. 237—245, und bei BOLTE 8, S. 93—105, 7, S. 277—283; Georg Wick-
rams Werke, hrsg. von J. BOLTE, StLV 237 und 241, Stuttgart 1905/06.
Grundlegende Abhandlung: FR. NEUMANN, Meister Albrechts und Jörg Wick-
rams Ovid auf deutsch, PBB 76 (1954), S. 321—389; ergänzend: K. STACKMANN,
Ovid im deutschen Mittelalter, Arcadia 1 (1966), S. 231—254, bes. 238 ff.

Der Kleriker Albrecht schrieb seinen deutschen Ovid in der Probstei
Jechaburg bei Sondershausen und nennt (im Prolog, den Wickram unverändert übernommen zu haben vorgibt) Hermann von Thüringen *vo-*
get von Düringelant. Daß dieser auch Auftraggeber war, kann vermutet,
nicht nachgewiesen werden. Allenfalls war er, nach dem unklaren
Wortlaut Wickram 94 f., Empfänger des Werkes. Die umstrittene Frage
der Chronologie — was bedeutet die Angabe *zwelff hundert jor und*
zehene bevorn (Wickram 85 f.)? — fällt mit größerer Wahrscheinlichkeit
zugunsten der späten Datierung: nach 1210.
In der Geschichte der Rezeption der antiken Literatur im deutschen Mittelalter kommt Albrecht eine ausgezeichnete, weil singuläre Stelle zu,
wird doch hier der Versuch gemacht, ein Werk des klassischen Altertums
ohne die Zwischenstufe einer französischen Bearbeitung oder auch einer
nachantiken lateinischen Prosafassung in deutsche Verse umzusetzen. Insofern gehört der Chorherr zu Jechaburg einer humanistischen Unter-
strömung an, die durch das ganze Mittelalter hindurch zu beobachten ist.
Von einer ‚Übersetzung‘ dürfte indes nicht gesprochen werden. Albrecht
steht Ovid kaum anders, wenigstens im Grundsätzlichen, gegenüber als
ein Veldeke, Herbort oder Hartmann ihren französischen Quellen. Er
erzählt die Metamorphosen nicht nur in der Sprache und in der Versgestalt seiner Zeit, sondern läßt über die in Sprache und Form bereits voll-
zogene Umformung hinaus die Bildungswelt seiner Zeit miteinfließen. In
dem Maße als diese h ö f i s c h e Elemente aufweist, ordnet sich Albrechts
Werk in die Geschichte der mhd. höfischen Epik ein. Solche sind schon
in den kurzen Textstücken der alten Überlieferung deutlich genug zu fassen, zumal in Fragment B, das uns ein Stück der Geschichte von Progne
und Philomela (Met. VI, 440—482) erzählt.

Die *innata libido* des Tereus (458), die zügellose Gier (465), die ihn beim Anblick der herrlichen Philomela ergreift, erscheint bei Albrecht, entsprechend dem Minneverständnis seiner Zeit, als *unsinnige* Minne (*er begunde... / râzen von unsinnen* Fragm. B 89 f.): der Betroffene verliert die gesunde Vernunft und handelt *tobelîche* (106). Aufzug und Erscheinung der Philomela, bei Ovid nur in suggestiver Aufblendung festgehalten, erhält durch Albrecht eine ausführliche, aparte Schilderung (43 bis 81), die verweilt und als Schmuckstück genommen sein will. Die Umformung der Auftrittsszene und ihrer libido-erregenden Wirkung auf den Gast in ein eigenständiges Bild erweist sich in der Feststellung, daß das golddurchwirkte Kleid der Philomela selbst der Kaiserin von Rom *tiure* gewesen sei (46 ff.), und noch mehr im weit ausschwingenden Vergleich des aufgehenden Morgensterns, der alle anderen Sterne erlöschen läßt: so verblaßte der Glanz der Edelsteine vor der Schönheit ihrer Trägerin. Das ist objektiver höfischer Schönheitspreis, nicht, im Ovidischen Sinne, gluterregendes Faszinosum von Frauenschönheit.

Mit Albrechts Werk, für uns als Versuch reizvoll, für seine Zeitgenossen, wie gesagt, eher „abseitig" — es gibt kein Zeugnis seiner Wirkung —, klingt die in Thüringen beheimatete Antike-Rezeption der Frühzeit aus. Die Literaturgeschichte (G. EHRISMANN, J. SCHWIETERING, H. SCHNEIDER, H. DE BOOR) ordnet dem Thüringerkreis auch noch Ottes ‚Eraclius' und die anonyme, nur in Fragmenten überlieferte ‚Athis und Prophilias'-Erzählung zu. Ich meine zu Unrecht. Mit Antike-Rezeption im Sinne des Aeneas- und Trojaromans haben beide Werke nichts zu tun, eine Beziehung zum Thüringer Hof fehlt, zeitlich gehören beide ohne Zweifel bereits dem 13. Jahrhundert an. Das sind die äußeren Fakten, die den ‚Eraclius' wie ‚Athis und Prophilias' von Veldeke und Herbort abrücken. Andererseits hat Ottes Werk am Realismus Herborts von Fritzlar teil. Trotzdem ist es ratsam, auch ihm einen andern Platz anzuweisen.

VIII. Der Artusroman

Im Artusroman, in dem sich der mittelalterliche Roman erfüllt, begegnet uns eine dichterische Welt, die nicht ihresgleichen hat. Sie bestrickte die Hörer- und Leserschaft vieler Generationen, und ihr Zauber war so stark, daß sie vielfach auf das Leben zurückzuwirken vermochte: Könige und Fürsten ließen sich in Hofhaltung und Gesittung vom Artusideal bestimmen, manche Formen der adeligen Gesellschaft, zumal in Frankreich und England, sind halb spielerische, halb ernst gemeinte Nachbildungen von Sitte und *costumes* der Artusgeschichten.

Die Wirkungsgeschichte des Artusromans ist noch zu schreiben. Sie hätte u. a. folgendes zu erfassen: die Einrichtung der *emprise et pas* (Festnahme und Durchgang) an Kreuzwegen; die Artusbrüderschaften gesellschaftlich-politischer ‚Tafelrunden‘, wie sie, nach OTTO HÖFLERS überzeugender Deutung, Ulrich von Lichtenstein i. J. 1240 auf seiner Tournierfahrt als König Artus zu gründen unternahm; Leben und Unternehmungen König Johanns von Böhmen, den sein französischer Hofdichter und Vertrauter in bewußtem Bezug auf *li buen rois Artus* den ‚guten‘ nannte; Züge und Episoden, die uns die Chronisten von Philipp dem Guten und Karl dem Kühnen berichten; Schaufeste, Maskeraden, Possen.

Literatur: J. HUIZINGA, Herbst des Mittelalters, IV., V. Kap.; O. HÖFLER, Ulrichs von Lichtenstein Venusfahrt und Artusfahrt, Panzer-Festschrift, Heidelberg 1950, S. 131—152; E. FICKEN, Johann von Böhmen. Eine Studie zum romantischen Rittertum des 14. Jahrhunderts, Diss., Göttingen 1932; LOOMIS, Arthurian Lit., Chap. 41: Arthurian Influence on Sport and Spectacle, S. 553 bis 559.

Artuswelt ist Phantasie- und Wunschwelt, indem sie die Träume vom Leben realisiert. Es waren Träume der adeligen Gesellschaft, und insofern, als Ausdruck einer höchst spezifischen und exklusiven Standeskultur, hat die Artusepik trotz mannigfaltigen Neugestaltungen kein unmittelbares Nachleben in der Neuzeit. Das kann jedoch nicht heißen, daß sie keinen Anhalt mehr in unserem seelischen Bewußtsein zu finden vermag: Aventiure und Minne sind in veränderten Gestalten noch immer Triebkräfte der Seele, und der moderne Roman lebt von ihnen wie in den Tagen des Rittertums.

Ich wüßte kein Werk, das geeigneter wäre, die Bewußtseinsschichten aufzu-
decken, derer es zum Verständnis des Artusromans bedarf, als Alain-Fourniers
‚Le Grand Meaulnes'. Dieses Werk teilt mit dem Artusroman die Einheit und
Spannung von Tatendrang und Liebe, sowie das unmerkliche Gleiten zwischen
Wirklichkeit und Traum-, bzw. Märchenwelt.

Wenn wir — im Anschluß an Dantes *Arturi regis ambages pulcerrime*
(De vulg. eloqu. I x 2) — von Phantasiewelt sprechen, bleiben wir uns
bewußt, daß sie im Gegensatz zum romantischen Phantasiebegriff in fest
geprägten Formen erscheint. Fest nach Motiven, Personenkreis und Hand-
lungsverlauf. Im Mittelpunkt, selbst ruhend, aber Bewegung und Tat
stiftend, König Artus mit seiner Tafelrunde, den erlesensten Rittern der
Welt. Die Handlung kommt in Gang, indem ein Tafelrunder, durch Provokation, Aufforderung oder allein von Begierde nach Ritterruhm ge-
trieben, den Hof verläßt und Aventiure sucht. Sie wird ihm in einer
märchenhaften, auf die Aventiure sozusagen zugeschnittenen Welt in reichem
Maße zuteil, er besteht die auf ihn zukommenden oder von ihm geforder-
ten Proben der Tapferkeit und des Mutes, erringt zugleich eine schöne
Dame und kann nun als miles electus an den Artushof zurückkehren, der
ihn in einer großartigen *hôchzît* feiert. Alles scheint erreicht: Ritterruhm und Minneglück. Aber das täuscht. Es kommt zur Krisis: ein Wort
der Dame, ein unerfülltes Versprechen, ein Versäumnis, eine Herausforderung kann sie auslösen und den Ritter der *êre* berauben. Damit ist
er vom Artushof ausgeschlossen und überantwortet sich ein zweites Mal,
nunmehr weniger keck und unter schwereren Voraussetzungen, der
Aventiure. Jetzt geht es nicht nur um die Bewährung der persönlichen
Rittertüchtigkeit, sondern um Dienst an andern, Hilf- und Schutzlosen,
es geht zudem darum, verscherzte Minne neu zu erwerben. Dies alles geschieht in einer Kette von Proben des Mutes, des Edelsinnes, der Zuver-
lässigkeit, der Treue. Die Aventiure-Fahrt, nach ihren äußeren Aspekten
ein spannend-anregender, ja phantastischer Tatenbericht, wird zu einer
hohen Schule des Leidens. Allseitig bewährt, gefestigt, geprüft kann der
Held an den Artushof zurückkehren; er ist seiner wieder würdig, mehr:
er gehört zu seinen Besten und mehrt den Ruhm der erlauchten Gesellschaft. Aber auch des Minneglücks hat er sich erneut würdig gezeigt.
Nunmehr sind ihm *sælde und êre* gewiß.

Dieses Aufbaumodell wird durchgeführt unter Verwendung typischer
Szenarien (Wald, Heide, *plân,* Furt, Burg, Wundergarten), typischer
Verpflichtungen (*costume*-Erfüllungen, Hilfeversprechen), typischer Be-
gegnungen (Ritter, Riesen, Räuber, Zwerge, klagende Frauen und Jung-

frauen), typischer Leistungen (Begehen gefährlicher Wege und Brücken, Befreiungs- und Gerichtskämpfe, Entzauberungen).

In dieser Form hat Chrétien von Troyes den Artusroman geschaffen. Er ist das Produkt hohen Kunstverstandes, nicht primitiver Märchen- und Sagentypik. Freilich hat Chrétien die Artuswelt nicht ‚erfunden‘, er hat sie aber geformt: aus pseudohistorischem und unterliterarischem Rohstoff.

a) König Artus in chronikaler Überlieferung

Literatur: Ph. A. Becker, Der gepaarte Achtsilber in der französischen Dichtung (Abhandlung d. Sächs. Ak. d. Wiss., Phil.-hist. Kl. 43, 1), Leipzig 1934; W. F. Schirmer, Die frühen Darstellungen des Arthurstoffes (Arbeitsgemeinschaft für Forschung des Landes Nordrhein-Westfalen. Geisteswissenschaften, Heft 73), Köln-Opladen 1958; J. J. Parry and R. A. Caldwell, Geoffrey of Monmouth, in: Loomis, Arthurian Lit. S. 72—93; Ch. Foulon, Wace, ebd. S. 94—103; K. O. Brogsitter, Artusepik (Sammlung Metzler), Stuttgart 1965, S. 20 ff. [mit reichen Literaturangaben].

Die Ortsnamen, die als Artus' Hofburgen genannt werden, Carduel, Caradigan, Carlion, Nantes usw., lassen dessen Herrschaft als ein Reich erkennen, das Britannien und die Bretagne umfaßt. Artus ist König der ‚Bretons‘.

Die Geschichtlichkeit ist seit Beginn der Überlieferung von der Sage überformt. Die ältesten britannischen Chronisten, Gildas in der 1. Hälfte des 6. Jahrhunderts und Beda in der ‚Historia ecclesiastica‘, 731 vollendet, kennen und nennen keinen König Artus (brit. Arthur). Erst die Nennius zugeschriebene ‚Historia Britonum‘ des 9. Jahrhunderts berichtet von Arthur als *dux bellorum*, der um das Jahr 500 zwölf siegreiche Schlachten gegen die Sachsen geschlagen haben soll. Zweifellos ist die Darstellung der ‚Historia Britonum‘ das Produkt fortgeschrittener Sagenbildung. Darauf weisen die typische Zwölfzahl der Schlachten (die zum größten Teil namentlich aufgeführt werden, deren Identifizierung mit bestimmten Lokalitäten jedoch auf beträchtliche Schwierigkeiten stößt) und noch mehr das aus der St. Oswald-Legende bekannte Motiv, nach dem Arthur in der 8. Schlacht bei Guinnion auf seiner Schulter das Bild der Jungfrau Maria getragen habe: es verrät die Tendenz des Autors, Arthur zu einem christlichen Glaubenshelden umzugestalten.

In der Mitte des 10. Jahrhunderts berichten die ‚Annales Cambriae‘, daß Arthur und Medraut in der Schlacht bei Camlann im Jahre 537 den Tod gefunden hätten. Wilhelm von Malmesbury, in den ‚Gesta regum Anglorum‘ (1125), hält die Geschichten, welche die Bretonen von König Arthur erzählen, zumal dessen Entrückung nach Avalon, von wo er einstmals wiederkehren werde (Kyffhäuser-Motiv!), für wenig glaubwürdig. Er nennt auch Arthurs Neffen Walwen (Gauvain, Gawein, Gawan), dessen Grab vierzehn Fuß lang sein soll.

Die erwähnten Quellen, die sich noch um einige Hinweise aus walisischen Heiligenlegenden und altkymrischen Dichtungen ergänzen ließen, bezeugen eine lokal beschränkte Sagentradition von Arthur als britannischem Kriegshelden der Sachsenzeit. Zum Symbol nationaler Größe und nationaler Hoffnungen unter wahrhaft weltgeschichtlichen Aspekten erhebt ihn Geoffrey von Monmouth in seiner ‚Historia regum Britanniae‘ (um 1130/1138). Es ist dies eine durch die Form chronikaler Geschichtsschreibung getarnte phantastische Erzählung des britischen Reiches, das mit den Irrfahrten des Brutus, des sagenhaften Begründers des Britenreiches, beginnt und mit Arthur in den Büchern 8—10 seinen Höhepunkt erreicht.

Schon Herkunft und Geburt des großen Königs verraten romanhafte Erfindung. König Uther entbrennt in heißer Leidenschaft zur schönen Ingerne, der Frau des Gorlois von Cornwall. Mit Hilfe der Zauberkunst Merlins, der Uther in die Gestalt des Gatten verwandelt (Amphitryon-Motiv!), gelingt es dem König, Ingerne beizuwohnen. Ihr beider Sohn ist Arthur; doch versichert uns der Autor, daß er erst nach der Eheschließung mit Ingerne — sie erfolgte nach dem Tode Gorlois' auf dem Schlachtfeld — erzeugt worden ist. Legitimität muß sein! Arthur ist schon mit fünfzehn Jahren, als er nach Uthers Tod den Thron besteigt, ein perfekter Held und Herrscher. Er schlägt nicht nur, das auf Avalon geschmiedete Schwert Caliburn in der Hand, die heidnischen Sachsen in blutigen Schlachten, sondern im selben Zuge Pikten, Skoten und Iren. Die Heirat mit Guenhumara (Guenievre, Ginover) aus hohem römischen Geschlecht ist Auftakt zu einer zwölfjährigen Friedenszeit. Danach folgen Kriegszüge nach Norwegen, wo Arthur seinen Schwager Lot, den Vater Walwans, als Regenten einsetzt, und der Gewinn Galliens durch Besiegung des riesenhaften römischen Statthalters Flollo im Zweikampf auf einer Seine-Insel von Paris. Das Pfingstfest zu Caerlion, mit spektakulärem Aufwand gefeiert, wird durch die provozierende Botschaft römischer Gesandter unterbrochen, die Tribut und Rechenschaft fordern. Arthur antwortet mit Kriegserklärung, zieht, nachdem er das heimatliche Königreich und die Gemahlin seinem Neffen Mordret (wohl identisch mit Medraut der ‚Annales Cambriae‘) anvertraut hat, mit einem gewaltigen Heer gegen die Römer aufs Festland, besiegt diese im Tale Siesia und bricht zum Marsch nach Rom auf. Da erfährt er, daß sich Mordret in verräterischer Weise der Krone wie der Gemahlin bemächtigt hat. So wird aus einer Triumphfahrt nach Rom die Heimkehr eines Betrogenen. Zwar wird der arge Neffe, der sich mit angeworbenen Hilfstruppen zu wehren weiß, beim Flusse

Kamblan besiegt und erschlagen, aber es fällt auch die Blüte britannischer Ritterschaft. Arthur selbst wird tödlich verwundet auf die Feeninsel Avalon entrückt. Guenhumara hatte sich schon vorher in ein Kloster geflüchtet. Solches geschah im Jahre 542.

Was hat Geoffrey zu diesem Phantasiegebilde auf Grund nur dürftiger Überlieferung geführt? Ein politisches Engagement, aber nicht (wie SCHIRMER überzeugend nachgewiesen hat) im Dienste walisischer Nationalinteressen — das verbietet schon die Biographie dieses nicht unbedeutenden Mannes —, sondern des englischen Königshauses, das mit dem Tode Heinrichs I. im Jahre 1135 von schweren Wirren heimgesucht wurde. Die ,Historia regum Britanniae' mit dem Glanz und Untergang des arthurischen Reiches soll den für den Staat Verantwortlichen Vorbild und Warnung sein.

200 Handschriften zeugen vom durchschlagenden Erfolg der Geschichtskonstruktion Geoffreys. König Arthur rückt an die Seite der Großen dieser Welt: als Kriegsheld und Eroberer, aber er geht an schwarzem Verrat zugrunde. Das ist ein Grundschema der Heldensage. Die Arthursage war so auf dem Wege, den die Dietrich-, die Nibelungen-, die Karlssage genommen haben. Sie brauchte nur noch in die Volkssprache einzutreten.

Dies geschah in der Tat um das Jahr 1155 durch die ,Geste des Bretons' oder den ,Roman de Brut' des Maistre Wace. Ein Werk, das eigentümlich zwischen den Gattungen Reimchronik, Chansons de geste und Roman liegt. Reimchronik ist der ,Brut' als britische Königsgeschichte, Geste in der Thematik des Hauptteils, der Arthur-Epopöe, (höfischer) Roman nach Stil und Form. Dieses letzte, die durchgehende höfische Einfärbung der heroischen Materie, ist der für die Entwicklung der Artusepik entscheidende Faktor.

Wace ist — vor Benoît de Sainte-More, Thomas und der Marie de France — der erste am englischen Königshofe Heinrichs II. und der Eleonore von Poitou wirkende französische Dichter. Ist der Auftrag zur anglonormannischen Bearbeitung allem Anschein nach vom König ausgegangen, so verrät die Durchführung die Ausrichtung des Autors auf esprit und Geschmack der Eleonore. Der Kriegsheld Arthur wird zum *bons reis* ritterlicher Gesittung, Walwein (Gauvain) zum Musterritter *de mult grant mesure,* die Frauen sind *dames,* die am Hofe einen *amis* haben. Breite, differenzierte Schilderungen von Schlachten, Belagerungen, Seestürmen, Einschiffungen und Landungen mit ihren Schauplätzen, von Waffen, Verproviantierungen, von Abschieden und Begrüßungen, von Siegesfeiern und

Hoffesten (von besonderer Kunst zeugt die Darstellung des Pfingstfestes in
Karlion 10337—588), aber auch schon von Frauenschönheit und -bil-
dung durchdringen, ja neutralisieren das heroische Geschehen. Dazu tritt
der glatte Fluß des paargereimten Achtsilbers, des neuen, eigentlich höfischen Erzählverses. So stellt sich der ‚Brut' stilistisch-formal neben den
alten Tristanroman und die antikisierenden Romane.

Wace ist auch stofflich verschiedentlich, doch nur in Einzelzügen, über
Geoffrey hinaus gegangen. So berichtet er als erster von der Runden Tafel. Arthur ließ sie für seine vornehmen Barone erstellen, damit keiner
sich rühmen konnte, mehr zu bedeuten als die anderen (9747 ff.).

Diesen Zug hat der Dichter bestimmt nicht frei erfunden oder kombiniert. Er
beruft sich auf die Bretonen, „die darüber manche Geschichte zu erzählen wissen" (*dunt Bretun dient mainte fable* 9752), also auf mündliche Überlieferung,
die bereits die völlig unverdächtigen ‚Annales Cambriae' bezeugen. Es besteht
kein ernstzunehmender Grund, diese Angabe zu bezweifeln oder mit St. Hofer
als spätere Interpolation zu entwerten (Zs. f. rom. Phil. 62, 1942, S. 87 bis
91). Auch der Gedanke, Wace hätte die Runde Tafel in Analogie zu den Jüngern Jesu oder den Paladinen Karls erfunden, ist abwegig. Einzig die Zwölfzahl, von der bei Wace jedoch noch nicht die Rede ist, weist in diese Richtung.
Grotesk ist vollends die Vorstellung einer „Parallelbildung zur Abendmahls-
runde" (Brogsitter S. 33) — als ob sich das Mittelalter Christi letztes Mahl je
als eine ‚Runde' vorgestellt hätte!

Daß der ‚Brut' zu Chrétien hinführt und daß dieser ihn gekannt hat,
darüber kann kein Zweifel sein. Was aber in die Augen springt, ist die
völlige Änderung der Grundkonzeption:
— Dem Heerkönig und Eroberer Arthur steht ein Friedensfürst gegenüber, dem Helden ein bloßer Inspirator zu heldischer Tat.
— Das heroische, im Geschichtlich-Nationalen wurzelnde Element ist
zugunsten einer kunstvollen Märchentypik aufgegeben.
— Der Reichs- und Königsgedanke wird ersetzt durch die Vorstellung
und das Bild einer idealen Gesellschaft: der Tafelrunde (die mehr und etwas durchaus anderes ist als Waces runde Speisetafel).
— An Stelle gewaltiger Heereskämpfe treten Aventiuren einzelner Ritter. Sie kämpfen nicht für König und Vaterland, Haus und Sippe, sondern
um *êre, durch ein wîp* oder aufgefordert durch eine *costume*.
Dieses letzte ist von besonderer Bedeutung. Artus tritt völlig aus der
Geschichte heraus, und *geste* wird zur *aventiure* einsam reitender Tafelrunder. Wer aber sind diese Artusritter? Gauvain, Keu, Yvain, Erec,
Lancelot, Perceval und viele andere. Davon gehören nur die beiden Erst-

genannten in die oben skizzierte pseudogeschichtliche Tradition; alle anderen erscheinen erstmals bei Chrétien[1]. Hat er sie und mit ihnen ihre Aventiuren frei erfunden?

b) Chrétien und die Quellen seiner Artusromane

Zu Chrétien und seinem Werk:

Mit Herkunftsnamen nennt sich der Dichter selbst im ,Erec': *Chrestiiens de Trojes* (9); die Sprache mit ihren champagnischen Elementen bestätigt diese Angabe. Als *clerc*, d. i. als Mann mit der Grundausbildung eines Geistlichen, weist ihn seine Bildung aus (gründliche Lateinschulung: Ovidübersetzer, Quadrivium-Darstellung auf Erecs Krönungsmantel 6736 ff., Kenntnisse der klassischen Literatur), aber auch sein Lobpreis der *clergie* (Cligés-Prolog 28 ff.), die er wie das Rittertum als ein Erbe der Griechen betrachtet und mit der *chevalerie* aufs engste verknüpft, ferner Wolframs *von Troys meister* (= *clerc*) *Cristjân* (Parz. 827, 1).

Chrétiens Werk ist, so viel wir sehen, an zwei Höfen entstanden: in Troyes, am Hofe der Marie von Champagne, der Tochter Ludwigs VII. und der Eleonore von Poitou, seit 1164 mit dem Grafen Heinrich von Champagne vermählt, und am Hofe Philipps von Flandern, der als Vormund des jungen Königs Philipp August und durch die Vermählung seiner Nichte Elisabeth von Hainaut mit diesem (1180) zum einflußreichsten Vasall der französischen Krone geworden war, und seiner Gemahlin Elisabeth (von Vermadois), berühmt durch ihren Liebesgerichtshof.

Terminus a quo für Chrétiens Dichtungen ist das Jahr 1164 — Vermählung der Marie de Champagne mit dem Grafen Heinrich —, terminus ad quem 1188, die Kreuznahme Philipps, die von Chrétien in der laudatio des ,Perceval'-Prologs nicht erwähnt wird. In der Lebensluft des Hofes von Troyes entstanden den ,Erec' (um 1165/70), der ,Cligés' (um 1170/76), der ,Chevalier de la Charrete' (,Lancelot') und der ,Yvain' (beide um 1177—81); der ,Conte du Graal' (,Perceval') ist Philipp von Flandern gewidmet (um 1181—88).

Literatur: J. FRAPPIER, Chrétien de Troyes. L'homme et l'œuvre (Connaissance des Lettres 50), Paris 1957 [hervorragende Gesamtdarstellung in gedrängter Form]; ST. HOFER, Chrétien de Troyes. Leben und Werk, Graz-Köln 1954 [in den Fakten reichhaltig und zuverlässig, im Urteil und in der Diskussion von bemühender Einseitigkeit]; LOOMIS, Arth. Tradition [führt die Themen und Motive Chrétiens fast ausnahmslos auf schriftliche (Prosa-) Quellen zurück;

---

[1] Um genau zu sein: Auch Yvain findet sich bei Geoffrey und Wace: als *Iwenus filius Uriani* bzw. *Ewein li fiz Urien*. Er gehört zu den Baronen, die am Pfingstfest von Karlion teilhaben (Brut 10251 f.), und erhält nach dem Mordret-Krieg Schottland zum Erbe (Brut 13189—13200). Mit Chrétiens Yvain hat jener nur den Namen gemeinsam.

denkt gering von Chrétiens Originalität]; KÖHLER, Ideal und Wirklichkeit [Grundlegende geistesgeschichtlich-soziologische Interpretation]. Spezialliteratur in den angeführten Werken und bei K. O. BROGSITTER, Artusepik (Sammlung Metzler), Stuttgart 1965, S. 40 ff.

Die sich durch die ganze Chrétien-Forschung hinziehende Streit-frage: Ist Chrétien der eigentliche Erfinder des Artusromans, d. h. hat er einzig aus der pseudogeschichtlichen Tradition (Geoffrey-Wace) ge-schöpft und im übrigen in den Motivschatz der Weltliteratur hineinge-griffen (These 1), oder konnte er auf eine andere, im wesentlichen münd-liche Tradition keltischer Geschichten, die in irgendeiner, wenn auch roher Form von König Artus und den Tafelrundern berichteten (These 2), zu-rückgreifen? hat noch immer nicht zu einem consensus geführt, auch wenn sich die Waagschale der Argumente keineswegs mehr in der Schwebe hält.

These 1 vertreten u. a. W. FOERSTER, der Herausgeber von Chrétiens Gesamt-werk, und, in nun wirklich blinder Einseitigkeit, ST. HOFER (siehe oben), These 2 in verschiedenen Modifikationen, teils in gemäßigter, teils radikaler Form J. D. BRUCE (The Evolution of Arthurian Romance from the Beginnings down to the Year 1300, Hesperia, Ergänzungsreihe 8/9, Göttingen-Baltimore 1923/24, 2New York 1958), J. FRAPPIER (siehe oben), R. S. LOOMIS (siehe oben), J. MARX (Nouvelles recherches sur la littérature Arthurienne, Paris 1965), um nur we-nige repräsentative Namen zu nennen. Einen instruktiven Spiegel der Dis-kussion vermitteln: Les romans du Graal dans la littérature aux XIIe et XIIIe siècles (Colloques internationaux III), Paris 1956, und das von LOOMIS heraus-gegebene Sammelwerk: Arthurian Literature in the Middle Ages, Oxford 1959. — Umfassende Bibliographie im Bulletin bibliographique de la Société Inter-nationale Arthurienne, Paris 1949 ff.

Gegen These 1 sprechen eine Reihe gewichtiger Gründe, die — zusammen-genommen — Stringenz für sich in Anspruch nehmen dürfen:
1. Mündliche Erzählungen der Bretonen über Artus bezeugt Wilhelm von Malmesbury: *Artus de quo Britonum nugae hodieque delirant.* Diesem Zeugnis kommt besonderer Wert durch den Umstand zu, daß es Geoff-reys ‚Historia‘ zeitlich vorangeht. Weiter beruft sich Wace (siehe oben S. 96) auf „mancherlei Geschichten" der Bretonen über die Runde Tafel.
2. Das Zeugnis Chrétiens im ‚Erec‘-Prolog: *D'Erec, le fil Lac, est li con-tes, / Que devant rois et devant contes / depecier et corronpre suelent / Cil qui de conter vivre vuelent* (19 ff.). „Von Erec, dem Sohne des Lac, handelt die Erzählung, die vor Königen und Grafen diejenigen zu ver-stückeln und zu verunstalten pflegen, die vom Erzählen leben wollen", also von berufsmäßigen ‚conteurs‘. Er, der Dichter, so geht weiter aus dem Prolog hervor, will es besser, kunstvoller machen als jene und vor allem

die Geschichte als geschlossenes Ganzes vortragen (*une mout bele con-jointure* 14). — Man kann ‚Erec'-Geschichten im Munde von ‚conteurs' nicht klarer bezeugen, als es hier geschieht.

Die Vorstellung, man habe es mit fingierten Quellenangaben zu tun, hat sich in der Forschung katastrophal ausgewirkt. Es gibt zwar das vorgetäuschte *buoch*, aber zweckbedingt und gattungsgebunden (Legende); doch besteht heute die fatale Neigung, alle Quellenangaben der Dichter dort, wo die Vorlage nicht nachzuweisen ist, als gezielte oder scherzhafte Schwindelei zu beurteilen, auch wenn nicht der geringste Anlaß zum Zweifel gegeben ist. Siehe H. KOLB, Mun-salvæsche, München 1963, Kap. VI, bes. S. 188 ff.

3. Im Katalog der Artusritter des ‚Erec' 1691—1740 (er hat einen Vor-läufer in Geoffreys ‚Historia' c. 156 und im ‚Brut' 10249 ff. und ist in Hartmanns Nachdichtung übernommen und ergänzt worden: 1617 bis 1697) wird an erster Stelle *Gauvain* genannt, sodann der Titelheld *Erec*, als dritter *Lancelot del Lac*. Es folgen *Gornemanz de Gohort* (der Er-zieher Percevals und Blancheflurs Oheim), an späterer Stelle *Yvain li fiz Uriien* (der Löwenritter), *Sagremors li Desreez, Keu le seneschal* und einige Dutzend weiterer Namen der Artus-Prominenz; in früherem Zu-sammenhang (1526) erscheint *Percevaus li Galois* in Begleitung von Gau-vain und Keu. Nur zwei dieser Namen, Gauvain und Keu, die ständige Repräsentanz des Artushofes, finden sich bei Geoffrey und Wace, da-zu, völlig beiläufig, Yvain (siehe oben, S. 97, Fn.); die andern, z. T. Titel-helden späterer Romane, z. T. bedeutende Nebenpersonen: hat sie Chrétien schlankweg erfunden? Wußte er, als er den ‚Erec' ausarbeitete, daß er zehn bzw. fünfzehn Jahre später einen ‚Lancelot del Lac' (die ‚Charrete'), einen ‚Yvain', einen ‚Perceval' schreiben wird? Man kann vernünftiger-weise nur schließen: Chrétien entnahm sie einer anderen Tradition — sonst hätte nichts näher gelegen, als die bereits bekannte Liste im ‚Brut' auszuschöpfen —, und an die Namen (wenn auch nicht an alle, da die Liste eine große Schar vorzustellen hatte) knüpften sich auch Geschichten, Ereignisse, Taten.

4. Im ‚Conte du Graal' beruft sich Chrétien am Schluß des Prologs sogar auf ein Buch als Quelle: *Ce est li contes del Graal, / Don li cuens li bailla le livre* (66 f.), „Das ist die Erzählung vom Gral, zu der der Graf ihm (dem Dichter) das Buch gab". Dieses ‚Buch' ist jedenfalls nicht Roberts von Boron ‚L'estoire dou Graal' (‚Joseph d'Arimathie'), da dieser Legen-denroman über den Ursprung des Grals, wie die unzweifelhaft joachiti-schen Elemente der Konzeption beweisen, nicht vor dem letzten Jahrzehnt des 12. Jahrhunderts (‚Erscheinungs'jahr von Joachims von Floris ‚Con-

cordantia Novi et Veteris Testamenti' um 1190) entstanden sein kann, mithin auf Chrétiens Werk folgte. Ein anderes ‚Buch', das als Quelle des ‚Conte du Graal' in Frage kommen könnte, kennen wir nicht, und daher vermögen wir auch nicht zu sagen, was es enthielt. Nach dem Wortlaut der zitierten Stelle kann es jedoch nur eine Gral-Erzählung gewesen sein. 5. Der ‚Tristrant' Eilharts von Oberge überliefert uns die Artusepisode von der Sensenfalle (5099—5487). Daß Eilhart sie erfunden hat, ist ausgeschlossen; sie gehört somit seiner Quelle, der Urfassung des französischen ‚Tristan', der sog. ‚Estoire', an. Fest steht auch, daß die ‚Estoire' Chrétiens ‚Erec' vorangeht: dieser nimmt wiederholt auf den ‚Tristan' Bezug. Nun führt uns die Sensenfalle-Szene Gauvain und Keu in den stereotypen Rollen vor, die uns aus Chrétiens Werk (und n u r aus diesem, nicht aus der Geoffrey-Tradition!) bekannt sind: Gauvain als Freund und Berater des Titelhelden, Keu eifrig, draufgängerisch, in Worten kühn, in Taten feige; er erhält von Gauvain oder dem Titelhelden eine Lektion und muß den Spott der Gesellschaft tragen. Es verbietet sich die Annahme, daß der Tristandichter in einer Episode von untergeordneter Bedeutung die zwei repräsentativsten Personen des Artuskreises geschaffen habe. Man kann nur folgern: er griff eine zu seiner Zeit (um 1150) bekannte Tradition auf und baute sie in sein Tristan-Epos ein. Die Szene mit der Sensenfalle gestattet somit einen zwingenden Rückschluß auf die Existenz von Artus-Erzählungen neben der ‚chronikalen' Tradition. Wir betrachten es als erwiesen, daß Chrétien über andere Quellen als Geoffrey und Wace verfügt hat. Wie sie ausgesehen haben, ist eine Frage, die sich bei jedem Artusroman anders stellt, und verschieden sicher oder ergiebig sind die jeweiligen Antworten.

Chrétiens ‚Erec', der die Reihe der Artusromane eröffnet, bedeutet in der Geschichte der höfischen Epik des Abendlandes eine entscheidende Wende. Sie ist zunächst dadurch bedingt, daß sein Schöpfer ein neues Stoffgebiet erschlossen hat, dem ein durchschlagender Erfolg beschieden sein sollte. Aber wie erklärt sich dieser Erfolg? Wie konnte der ‚Erec' — schon für weitere Werke des Dichters — zum Modell werden? Man vergegenwärtige sich die literarische Situation um 1165! Man hatte die antike Welt entdeckt, zunächst den hellenistischen Alexanderroman, dann die griechischen Vorzeitgeschichten, die Schlachten um Troja und Theben und die Fahrten des Aeneas mit Dido-Minne und bewegten Kämpfen um den Besitz eines Reiches, das zum römischen Weltreich werden wird. Man hatte alle diese Erzählungen in französische Verse gegossen und dabei die antike Welt nach Möglichkeit feudalisiert und ‚höfisiert'.

Allein diese Möglichkeit blieb beschränkt. Wir zeigten dies exemplarisch am Aeneas-Roman: das römische National-Epos erwies sich als zu fest geprägt, als daß es hätte gelingen können, seinen Stoff und sein Ethos in einen Aventiure- und Minneroman umzuformen. Die Dido-Minne mit tragischem Ausgang war nicht exemplarisch; man konnte sie zwar im Gesamtplan durch Erfindung der Lavinia-Minne neutralisieren, aber nicht beseitigen. Ebenso wenig ließen sich die Kämpfe um Latium ins Aventiurenhafte umgestalten oder, wenn wir vom Schlußkampf zwischen Eneas und Turnus absehen, unter das Zeichen der Minne bringen. So blieb die Umformung dieser Materie ins spezifisch Mittelalterliche, d. h. in Geist, Gesittung und Kostüm der eigenen Zeit, auf halbem Wege stecken. Es bedurfte, um höfisches Rittertum, wie es das neue Geschlecht nach 1150 erlebte, darzustellen, um die Traumwelt von Aventiure und Minne zu verwirklichen, eines freieren, gefügigeren, ideell und religiös unbelasteten Stoffes. Chrétien fand ihn — nach eigenen Versuchen in der Antike-Rezeption (Ovidiana!) — in der Matière de Bretagne. Dabei durfte er gerade nicht zum Artus-Bild des Pseudohistorikers Geoffrey oder des ‚Brut‘ greifen, da dieses in eine nationale und politische Konzeption eingespannt war, sondern zu der weder raum- noch zeitgebundenen Materie, die ‚conteurs‘ in ihren Geschichten von den Tafelrundern vermittelten — sogar „vor Königen und Grafen“, wenn Chrétien im ‚Erec‘-Prolog nicht grober Lüge bezichtigt werden soll. Hier bot sich ein (künstlerisch noch kaum geformter) Stoff, bei dem es möglich war, die Idealität, die Sitten, die Träume des Zeitalters ungebrochen und ungetrübt zum Ausdruck zu bringen. Freilich m ö g l i c h nur dem Genie! Wir glauben den Rang Chrétiens nicht um ein Jota zu schmälern, wenn wir ihn nicht auch noch zum Erfinder all seiner Geschichten machen. Wie stünde es sonst mit dem Rang Hartmanns oder Gottfrieds? Stoff braucht der Große am allerwenigsten zu erfinden: „Stoff liegt auf der Straße“. Chrétien fand ihn auf der Straße: „verstückelt und verunstaltet“ (Erec 21). D a ß er ihn fand, den andere vielleicht verachteten, macht nicht zuletzt seine Größe aus.

IX. Hartmann von Aue

a) Grundsätzliches und Kritisches zum Hartmannbild

HENDRICUS SPARNAAY, dem wir die maßgebende Hartmannbiographie der 1. Hälfte unseres Jahrhunderts und eine Fülle von Einzelstudien über den *Ouwære* verdanken, stellte über seinen letzten, posthum erschienenen Beitrag (DVjS 39, 1965, S. 639—49) den Titel: „Brauchen wir ein neues Hartmannbild?" Wir brauchen es nach SPARNAAY nicht, und man wird dem niederländischen Gelehrten insofern schwer widersprechen können, als für die von ihm aufgegriffenen Probleme der Biographie, der Datierung, der Quellen überzeugende Gegenpositionen noch nicht gefunden wurden. Wie verhält es sich aber mit der Werkinterpretation? Sie steht bei SPARNAAY nicht mehr zur Debatte; ein weiteres Referat, das allem Anschein nach nicht mehr ausgearbeitet werden konnte, hätte jedoch ihr gegolten. SPARNAAY läßt immerhin durchblicken, daß es auch im Hinblick auf interpretatorische Bemühungen mit einem neuen Hartmannbild „noch Zeit" hat. Ich denke, im Gegenteil, es muß jetzt — und immer — versucht werden, und es liegen auch ermutigende Anstöße zu einem „neuen" (und, wie ich meine, werkgerechteren) Verständnis vor. Diese Ansätze sind auch auf die Gefahr hin weiterzuführen, die Kritik von Altmeistern herauszufordern. Die Wissenschaft lebt von dieser Herausforderung und dieser Kritik.

In den Literaturangaben beschränke ich mich auf Publikationen, denen ich mich in Zustimmung und Gegensatz verpflichtet fühle. Die günstige Situation der Hartmann-Bibliographie (siehe unten) gestattet diese Auslese. Sachgebiete, die unsere Darstellung nicht berührt, bleiben gänzlich unberücksichtigt; auch bei den Ausgaben begnüge ich mich mit der Nennung der kritisch maßgebenden.

Gesamtdarstellungen: A. E. SCHÖNBACH, Über Hartmann von Aue. Drei Bücher Untersuchungen, Graz 1894 [„Versuch eines Sachenkommentars" zu Religion und Sittlichkeit, Bildung, Kunst und Charakter]; H. SPARNAAY, Hartmann von Aue. Studien zu einer Biographie, 2 Bde., Halle 1933/38; P. WAPNEWSKI, Hartmann von Aue (Sammlung Metzler), Stuttgart 1962.

Skizzen eines Gesamtbildes: MAURER, Leid, S. 39—69; HUGO KUHN, Hartmann von Aue als Dichter, Der Deutschunterricht 1952, Heft 2, S. 11—27; L. WOLFF, Hartmann von Aue, Wirk. Wort 9 (1959), S. 12—24.

Zum Verständnis des Artusromans: H. EMMEL, Formprobleme des Artusromans und der Gralsdichtung. Die Bedeutung des Artuskreises für das Gefüge des Romans im 12. und 13. Jahrhundert in Frankreich, Deutschland und den Niederlanden, Bern 1951; KÖHLER, Ideal und Wirklichkeit; H. EGGERS, Symmetrie und Proportion epischen Erzählens. Studien zur Kunstform Hartmanns von Aue, Stuttgart 1956 [zahlenkompositorische Studie]. Bibliographie: SPARNAAY II, S. 108—145; WAPNEWSKI: nach jedem Kapitel.

Eine Entwicklungsgeschichte der höfischen Epik darf die Hartmann-Biographie mit ihren bekannten Cruces füglich ausklammern, desgleichen die Frage der Werkfolge. Die traditionelle Reihenfolge ‚Büchlein‘, ‚Erec‘, ‚Gregorius‘, ‚Armer Heinrich‘, ‚Iwein‘ ist nicht ernsthaft zu erschüttern, und ob wir den ‚Erec‘, je nach Entscheid der Kreuzzugfrage, um einige Jahre früher oder später ansetzen, mithin die beiden Artusromane näher zusammenrücken oder ihren Abstand vergrößern, bleibt für ihr Verständnis gleichgültig. Ebenso können wir des Leitfadens einer innern Biographie mit der ‚Krisis‘ der Mitte (Tod des Dienstherrn, Kreuznahme) entraten. Er hat zwar so etwas wie ein Dichterbildnis vermittelt, aber auch die Werkinterpretation des ‚Gregorius‘ und ‚Armen Heinrich‘ mit biographischen Voraussetzungen belastet, die zu fragwürdigen Akzentuierungen führten. Selbst das Verständnis der beiden Artusepen, die wir allein zu berücksichtigen haben, geriet in den Schatten dieses Hartmann-Bildes. Es stempelte den ‚Iwein‘ entweder zum Werk des Ausgleichs oder der „betonten Unbeteiligtheit“: weder das eine noch das andere findet einen Anhalt in der Dichtung selbst.

Als Werk des Ausgleichs: L. WOLFF S. 17: Hartmann kehrt im ‚Iwein‘ „zur weltlichen Erzählung zurück“, nachdem er „nach langem Irren den Einklang von Irdischem und Göttlichem“ gefunden hat. Das fehlende persönliche Engagement betonen DE BOOR, Lit.Gesch. II, S. 80 und WAPNEWSKI S. 17. Die Berufung auf die Prologverse 23 ff. (*swenner sîne stunde / niht baz bewenden kunde, / daz er ouch tihtennes pflac*) scheint mir unstatthaft zu sein: ein Ritter dürfte sein ‚dilettantisches‘ *tihten* grundsätzlich Mußestunden zugewiesen haben; über seinen Einsatz ist damit nichts ausgesagt.

Der Verzicht auf die Verwendung biographischer Fakten und des darauf beruhenden Persönlichkeitsbildes macht den Blick frei für die im Rahmen einer Gattungsgeschichte relevanten dichtungsgeschichtlichen Voraussetzungen. Diese sind der ‚Erec‘ und der ‚Yvain‘ Chrétiens. Hartmann hat sie ‚übertragen‘. Wie kam es dazu? An welchem Ort und in wessen Auftrag? In welcher Weise erfolgte die Bearbeitung, unmittelbar auf Grund von Chrétien-Handschriften oder durch Vermittlung eines Dritten? Was für ein Publikum hat Hartmann angesprochen?

1. Ein episches Werk, wie es Hartmann hinterlassen hat, setzt Mäzenatentum voraus. Als sicher darf angenommen werden, daß die von der Forschung ins Auge gefaßten möglichen Dienstherren des Dichters, die Freiherrn von Tengen, die Herren irgendeines alemannischen *Ouwe* oder der Abt der Reichenau, als Gönner und Auftraggeber ernsthaft nicht in Frage kommen. Nur ein großer Herr konnte die Entstehung des ‚Erec‘ und ‚Iwein‘ veranlaßt haben. Wir brauchen nicht einmal an die, wie wir schon längst wissen, nicht unerheblichen Kosten für die Beschaffung der Quellen und des Pergaments zu denken. In unserm Falle, wo es um die Rezeption französischer Literatur geht, waren Beziehungen über die Grenzen hinweg nötig, und vor allem sind für den möglichen Gönner Kulturbewußtsein und Kulturanspruch vorauszusetzen. Bedenkt man dies, so kommen im deutschen Südwestraum, dem Hartmann angehört, nur wenige Herren in Frage: die Staufer und die Zähringer.

Es war ein guter Griff, als G. Jungbluth (Das 3. Kreuzlied Hartmanns, Euphorion 49, 1955, S. 145—162) den Kreuzzugdichter mit dem Stauferhof in Verbindung brachte. Auch der Minnesänger Hartmann hätte dort einen guten Platz: der Kaiserhof pflegte bekanntlich die Liedkunst, ja die Übernahme und Einformung der provenzalischen und französischen Troubadourkunst ist, kulturell gesehen, recht eigentlich Leistung der Staufer. Es genügt an Friedrich von Hausen zu erinnern, dem Hartmann als Lyriker am meisten verdankt. Andererseits läßt sich kein Interesse des Kaiserhofes für epische Dichtung nachweisen, so daß eine These, der ‚Erec‘ oder der ‚Iwein‘ oder beide zusammen seien am Stauferhof geschrieben worden, von vornherein keine Wahrscheinlichkeit für sich in Anspruch nehmen kann.

Die Zähringer standen zu Hartmanns Zeiten auf der Höhe ihrer Macht. Beziehungen zu Frankreich waren naturgemäß durch reichen Besitz und Hoheitsrechte im ostjurassischen, französisch sprechenden Burgund gegeben: seit Barbarossas Anfängen führten die Zähringer den stolzen Titel ‚dux et rector Burgundiae‘. Auch eheliche Verbindungen nach Frankreich bestehen: Berthold IV. (1152—86) hatte eine französische Grafentochter, Clementia von Namur, zur Mutter, Berthold V. (1186—1218) vermählte sich zweimal mit Töchtern aus französischen Grafengeschlechtern: Ida von Boulogne und Clementia von Auxonne. Es sind die beiden genannten Zähringerherzöge, die als Mäzene Hartmanns in Frage kommen, vor allem, aus chronologischen Gründen, Berthold V. Die Dienstherrenfrage bleibt davon unberührt: Dienstherr und Gönner brauchen nicht die gleiche Person zu sein. Während wir von literarischen Neigungen Bertholds IV. nichts wissen, ist Berthold V., nach dem unverdächtigen Zeugnis Rudolfs von Ems, der Auftraggeber des (verloren gegangenen) Alexander-Epos Bertholds von Herbolzheim, und für dessen zweite Gattin, Clementia, wurde die sogenannte Wallersteiner Margareten-Legende geschrieben. Gerne wüßten wir mehr und vor allem: Gab es Chrétien-Handschriften in zähringischem Besitz?

Literatur: W. Fechter, Handschriften im Besitz mittelalterlicher Zähringer, Zs. f. d. Gesch. d. Oberrheins, N. F. 50 (1937), S. 705—710.

Auch hier, wie bei fast allen Hartmann-Problemen, müssen wir uns mit Hinweisen an Stelle von Beweisen begnügen. Sie sind indes nicht wertlos. Es ist zumal für das Verständnis der beiden Artusromane wichtig, einen Hof ins Auge zu fassen, an dem sie, soziologisch-kulturell gesehen, überhaupt entstehen und zur Wirkung gelangen konnten.

2. Die Rezeption der Werke Chrétiens setzt gute Kenntnisse des Französischen voraus. Sind sie Hartmann persönlich zuzuschreiben, oder bediente er sich eines Dolmetschers? Dolmetscher sind bezeugt: Wirnt von Gravenberc ließ sich die *âventiure* von Wigalois von einem Knappen mündlich übersetzen (11686 ff.), und die dichtenden Straßburger Goldschmiede Wisse und Colin engagierten den Juden Sampson Pine als Übersetzer der ‚Conte del Graal‘-Fortsetzungen (36821—31 = S. 854,26—36). Man hat bis vor kurzem nie ernsthaft daran gezweifelt, daß Hartmann seine Vorlagen selbst zu lesen verstand. Sogar einen Frankreich-Aufenthalt glaubte man ihm nachweisen zu können: *ich brâhte in* (den Kräuterzauber) *von Kärlingen* (Büchlein 1280). Aber von biographischer Aussagekraft dieses Verses kann keine Rede sein. Die Französisch-Kenntnisse Hartmanns lassen sich nur aus seinem Chrétien-Verständnis bündig erschließen.

Man vergleiche den ‚Iwein‘- und ‚Yvain‘-Prolog! Hartmann entfaltet seinen Eingang aus den ersten drei Zeilen Chrétiens heraus:

> *Artus, li buens rois de Bretaingne,*
> *La cui proesce nos ansaingne*
> *Que nos soiiens preu et cortois …*

(Artus, der gute König von Britannien, dessen Rittertüchtigkeit uns lehrt, tapfer und höfisch zu sein …) *Artus li buens rois* wird nicht nur ‚übersetzt‘ in *künec Artûs der guote* (5), sondern evozierte den programmatischen einleitenden Merkvers von der *rehten güete;* das *nos ansaingne* spiegelt sich in *gewisse lêre* (4), die Artus gibt, wie im *schône leben* (9); *proesce* und die Tugenden *preu* und *cortois* sind in *rîters muot* (6) zusammengefaßt. Andere Elemente des Prologs holt Hartmann aus ‚Yvain‘ 33 ff.: das *lop* (7,15) nach *Del roi, qui fu de tel tes-*

moing (35) und die Zustimmung zur Überlieferung der Bretonen: *si m'acort de tant a Bretons, / que toz jorz mes vivra ses nons* (37 f.): *des habent die wârheit / sîne lantliute: / sî jehent er lebe noch hiute: / er hât den lop erworben, / ist im der lîp erstorben, / sô lebt doch iemer sîn name* (12 ff.). Hier präzisiert Hartmann mit dialektischer Wendung: die Bestätigung, daß Artus' Name weiterlebt (*lebt doch iemer sîn name*), ist leis ironische Gegenposition zum Glauben der Bretonen, *er lebe noch hiute,* was als Realität bezweifelt wird (*ist im der lîp erstorben*).

Eigentliches Thema von Chrétiens ‚Yvain'-Prolog sind Einst und Jetzt als laudatio temporis acti. Hartmann unterdrückt es im Prolog, weil er auf das Vorbildliche, nicht das Zeitkritische hinzielt, läßt aber den Gedanken auch nicht einfach fallen, sondern baut ihn mehr beiläufig in das *wunschleben* des Hofes ein (48 ff.).

Ein solches Textverständnis, das im Bestreben, nichts Wesentliches der Vorlage unausgesprochen zu lassen, differenziert, die Akzente verlagert, auswählt und umbaut, setzt einen so innigen Umgang mit ihr voraus, wie er nur dem Kenner der originalen Textgestalt zuzutrauen ist.

P. Tilvis (Über die unmittelbaren Vorlagen von Hartmanns ‚Erec' und ‚Iwein', Ulrichs ‚Lanzelet' und Wolframs ‚Parzival', Neuphil. Mitteilungen 60, 1959, S. 29—65, 129—144) glaubt Hartmann auf Grund allgemeiner Überlegungen — Französisch war selbst höchsten Gesellschaftskreisen nicht geläufig — keine ausreichenden Kenntnisse der Nachbarsprache zubilligen zu dürfen. Er gibt ihm aber auch keinen Dolmetsch zu Seite, sondern läßt ihn überhaupt nicht an französischen Handschriften arbeiten. Die Eigennamen scheinen ihm niederländische Vorlagen zu erweisen, jedoch keine Chrétien-Übertragungen, sondern „Zwischenstufen", die auf dieselben Fassungen zurückgehen, die Chrétien als Quellen dienten (S. 136). — Wer je Chrétiens und Hartmanns ‚Iwein' vergleichend gelesen hat, wird eine solche These zurückweisen. Das Verhältnis zu ‚Erec et Enide' ist hingegen sehr viel lockerer, jedenfalls so frei, daß Nebenquellen ernsthaft erwogen werden müssen. So setzte auch S. Gutenbrunner (Über die Quellen der Erexsaga, Arch. f. d. Studium der neueren Sprachen 190, 1954, S. 1 bis 20) um 1170 einen ‚rheinischen Erec' an, der nicht nur eine Brücke zu den Saga-Fassungen bildet, sondern auch Hartmann, neben Chrétiens Text, bekannt war.

So entschieden wir die Ansicht Tilvis' von nur niederländischen vorchrétienschen Quellen Hartmanns ablehnen, das Problem einer niederrheinischen Artusliteratur ist trotz des Protestes einer ganzen Forschergeneration nicht aus der Welt geschafft. An der Literaturfähigkeit dieses Gebietes, dem wir den größten Teil unserer aus dem Französischen übernommenen frühhöfischen Literatur verdanken, ist nicht zu zweifeln; wir dürfen aber auch den westlich von Limburg liegenden Raum trotz seines Schweigens im 12. Jahrhundert mit einschließen; mitten durch das Herzogtum Niederlothringen konnte keine Literaturgrenze führen. Da ist, um nur an die sichersten Zeugnisse zu erinnern, die Sensenfallenszene in Eilharts ‚Tristrant' mit Artus, Walwan und Keie, deren Existenz als b e - k a n n t vorausgesetzt wird, und da ist Hartmanns *Keiî der quâtspreche* (Erec 4664). Das erlaubt zwar nicht einen niederrheinischen ‚Erec' oder einen andern Artusroman der Chrétienschen oder vorchrétienschen Tradition zu postulieren, erfordert jedoch die Annahme, daß Hartmann Kenntnisse arthurianischer Literatur aus diesem Raume hatte. Sie mögen dürftig gewesen sein, vielleicht aus einmaligem Vortrag von episodischen Erzählungen bezogen — schlechterdings leugnen lassen sie sich nicht. Die Forschung hat hier erneut einzusetzen, wobei auch TILVIS' Materialien, zumal zu den Eigennamen, sorgfältig zu beachten sind. Die Fährte war richtig, nur das Ziel zu weit gesteckt.

Zur Frage einer niederrheinischen Artusdichtung: K. LACHMANN, Iwein, Anmerkung zu V. 925; E. STEINMEYER, Über einige Epitheta der mhd. Poesie, Prorektoratsrede, Erlangen 1889, bes. S. 7 ff.; S. SINGER, Die mhd. Schriftsprache (Mitteilungen der Ges. f. dt. Sprache in Zürich, Heft 5), Zürich 1900, Anm. 37; K. ZWIERZINA, Mhd. Studien 13, ZfdA 45 (1901), S. 324; SPARNAAY I, S. 122 ff.

Läßt sich eine niederrheinische vorhartmannische Artusdichtung erschließen, so kann sie doch nicht — oder noch nicht — für das d i c h t u n g s g e - s c h i c h t l i c h e Verständnis von Hartmanns höfischer Epik fruchtbar gemacht werden. Genau so verhält es sich mit den künstlerischen Vorbildern. Wir können zwar nicht daran zweifeln, daß Hartmann sich an deutschen Vorgängern geschult hat, aber nicht e i n e Beziehung ist zweifelsfrei, nicht einmal die zu Veldeke. Im bezeichnenden Unterschied zu Wolfram und Gottfried nennt der *Ouwære* weder Namen von Vorläufern und Zeitgenossen, noch spielt er auf solche an. Das alles besagt methodisch, daß wir Hartmanns höfische Epik nur an und mit Chrétien messen dürfen. Dessen ‚Erec' und ‚Yvain' sind nicht nur Stoffquellen gewesen, sondern Vorbilder.

3. In welcher Weise Vorbilder? Daß Hartmann interpretiert, ist oft genug und mit immer größerer Entschiedenheit betont worden. Das aber heißt, daß er seine Vorlage werkgetreu nacherzählen will, nicht als ‚Vorwurf' einer Umformung verwendet. Diese Zielsetzung ist nicht minderen Ranges, schon gar nicht von Hartmann aus gesehen; bis zu Wolfram und Gottfried ist sie die schlechthinnige Regel. Daß es Hartmann vielfach anders macht

als Chrétien, sei mit dieser Feststellung nicht bestritten, aber dieses ‚anders machen' ist d e r A b s i c h t n a c h Interpretation. Diese vollzieht sich im (schöpferischen) Verdeutlichen und Entfalten, in Umstellungen und Ergänzungen, aber auch in expliziten Formen: in der Herausstellung des Gehalts durch Raisonnement, Sentenzen, Lehre. Man ist nun bei der Interpretation der Epen Hartmanns vorzüglich von solchen kommentierenden Stellen ausgegangen, ja man hat dieses Vorgehen zur Methode erhoben (W. Dittmann, *Dune hâst niht wâr, Hartman!*, Festgabe für Ulrich Pretzel, Berlin 1963 [S. 150—161], S. 157). Ich meine, zu Unrecht. Denn es ist nicht zu übersehen, daß Hartmanns kommentierende Didaxe dem Sinngehalt der Erzählung nicht immer adäquat ist, diesen sogar in der Regel simplifiziert. Wenn z.B. Hartmann-Gawein (Iwein 2798) Erecs Schuld mit *der minnet et ze sêre* fixiert, so kann sich aus dieser Formel nicht im entferntesten ein Verständnis von Erecs als schuldhaft verstandenem *verligen* anbahnen. Man denke doch nicht daran, der deutsche Dichter erstrebe mit seinem Raisonnement und seinen handlichen Formeln eine die ganze *wârheit* der Erzählung treffende Interpretation, geschweige denn eine „höhere Wahrheit". Es handelt sich offensichtlich um spezielle Aspekte, die dem Verständnis der Hörerschaft dienen.

Diese konnte sich in Kennerschaft und literarischem Urteil nicht mit dem Publikum messen, das Chrétien vor Augen hatte. Die Hörer mußten erzogen werden, zumal im Verständnis eines nach *matiere* und *san* neuen Erzähltypus. So bediente sie Hartmann mit Verständniskrücken: mit einfachen und eindeutigen Formeln, mit Erklärungen ad usum delphini. Wir dürfen sogar voraussetzen, daß damit nicht immer die ganze, sondern nur ein bestimmter Teil der Hörerschaft, und nicht immer derselbe angesprochen wurde. Hartmann tut es oft mit ironischer Heiterkeit, so wenn er glaubt, Laudines Wankelmut rechtfertigen zu müssen (1863 ff.). Bezeichnenderweise spricht er hier von den *wîben* schlechthin und (ab 1877) in munterem Spiel rührender Reime — damit jedermann gut aufmerke. Das führt aus der Erzählung heraus; Hartmann aber wußte wohl, daß Laudine, so wie die Geschichte erzählt ist, einer solchen Rechtfertigung nicht bedarf. Damit ist der Stellenwert der explicatio bezeichnet: das ad-auditores-Sprechen ist den Vortragsbedingungen, fast möchte man sagen: der Vortragspraxis des Hartmannschen Werkes zuzuordnen, über den *san* der Erzählung ist damit nichts Wesentliches ausgesagt.

Nicht wesentlich anders verhält es sich bei Hartmanns L e g e n d e n. Dort tritt uns die explizite Deutung als theologische Interpretation entgegen. Die Inzesterzählung ‚G r e g o r i u s', *seltsæniu mære* genannt (175), erzählt von einer

Schuld, die *vil starc ze hœrenne ist* (53). Diese Geschichte ist in sich selbst völlig einstimmig — wie anders hätte sie Hartmann der Nacherzählung würdig befunden! Er weiß aber auch, daß des Gregorius Schuld — gegen die Geschichte! — nach geltendem kanonischen Recht und kirchlicher Dogmatik seiner Zeit gar keine ist, und konstruiert eine neue: Gregorius entzieht sich trotz Ermahnung des Abtes der stellvertretenden Bußeleistung für die Eltern in einem geistlichen Leben. Damit genügt Hartmann — vielleicht! — dem theologisch anspruchsvollen Hörer, aber die Geschichte bleibt von dieser Umdeutung unberührt: Gregor büßt nach ihr für seinen Inzest, und die unerhörte Buße auf dem Stein kann nur der Inzestsünde, nicht der Sünde ungeleisteter stellvertretender Buße entsprechen. So verstand es der Hörer Hartmanns, so versteht es noch der (unverdorbene!) Leser von heute — und so der Dichter selbst. Große Sünde — große Buße — große Gnade: das ist der immanente theologische ,Sinn' der Geschichte, wie sie Hartmann nicht nur vorfand, sondern selbst erzählt hat. Die Gnade, die Erhöhung des Schlusses steht dabei als Zielpunkt voran, ihr kann keine Buße, freiwillig und ohne Abwägen des Schuldmaßes geleistet, zu groß sein. In diesem Bezug von Gnade und Buße, Erhöhung und Erniedrigung schwebt die sinngebende Achse des ,Gregorius', nicht in der Diskussion der Anrechenbarkeit oder Unanrechenbarkeit einer rätselhaften Schuld. Wenn die meisten der heutigen Interpreten schon fast bis zur Unerträglichkeit das Schuldproblem erörtern und aus zeitgenössischer Theologie begründen, so können sie sich gewiß auf Hartmann berufen, aber nur auf den nebenaus oder nebenbei interpretierenden Hartmann, nicht auf den Dichter, der uns die Geschichte vom *guoten sundære* erzählt.

Am weitesten geht die theologische Implikation Hartmanns im ,A r m e n H e i n r i c h', dem zugleich populärsten und am wenigsten verstandenen Werke des Dichters. Die primäre Schwierigkeit des Verständnisses liegt darin, daß der Dichter augenscheinlich das Mirakel vom Opferwillen eines Mädchens und einer wunderbaren Heilung einer Sippengeschichte — mit ,Mißheirat' zwischen Edelfreiem und Freibäuerin — zuordnet. Die Erzählung vom Pächterstöchterlein, das bereit ist, sein Blut für die Gesundung seines Herrn zu vergießen, legt der Dichter implizit aus, indem er die legendären Formen entfaltet: Bildwelt der Hagiographie in den Reden des Mädchens, drastisch-grausige Anschaulichkeit in der Opferszene. Er legt damit aus, was in den Motiven angelegt ist. Eine interpretatio theologica konnte hier keinen Anhalt finden. Sie bot sich nur im Blick auf den kranken und geheilten Ritter an. Dessen Schicksal war durch den Bezug auf die (für uns nicht mehr hinreichend durchsichtige) Sippentradition zur selbständigen Geschichte geworden. Ihren Sinn aber erhält sie erst, wenn sie als Wandlung, als Heilsfindung verstanden wurde. Deren explizite Form gibt Hartmann in der Verkleidung des Vollzugs des Buß-Beicht-Sakraments. — Die Forschung hat Hartmanns Erzählung einseitig als Geschichte des Ritters Heinrich verstanden, indem sie Hartmanns explizitem theologischen Leitfaden folgte. Dadurch wurde das Opfer des Mädchens völlig fragwürdig, das Mädchen selbst zur Mißgeleiteten oder gar zur Hysterica und die Annahme des Opfers durch Heinrich zu dessen Schuld. Das geht entschieden wider den Geist der Geschichte: wider ihren Geist, der an das Opfer des Mädchens ‚glaubt'. Die methodische Aufgabe bestünde darin, die dem Mädchen zugehörige Opferlegende und die Heilsgeschichte des Armen Heinrich auseinanderzuhalten, um sie einander wieder zuzuordnen.

Dazu nur wenige Hinweise. Die Opferlegende setzt die Krankheit Heinrichs voraus und Prüfung durch die Krankheit (figürlich zu verstehendes Hiobbild), die Heilsgeschichte jedoch Sündenschuld und Sündenstrafe (figürlich verstandenes Absolonbild). Entsprechend bringt die Opfertat reiner caritas Heilung, Sündenstrafe aber verlangt Genugtuung, die ihrerseits gnadenhaftes Heil ermöglicht. Die Zuordnung beider Themen hat ihren gedanklichen Nexus im Zeichenhaften: Krankheit (Aussatz) als spiritualis lepra — ein dem christlichen Mittelalter, auch der zeitgenössischen volkssprachlichen Predigt, ungemein vertrauter Gedanke — und Heilung als Heil, eine Grundvorstellung des Neuen Testaments. Der Einklang der Themen selbst ist schwerer zu fassen, er ist vielleicht auch nicht erreicht oder war überhaupt nicht möglich, es sei denn dort, wo die Sinnesänderung Heinrichs (*niuwer muot* 1235), sakramental ausgedrückt, dessen Genugtuungsleistung, das Opfer des Mädchens überflüssig macht.

Die explizite theologische Deutung im ‚Armen Heinrich' reicht tiefer als im ‚Gregorius'. Sie ist keine Zutat nebenbei, sondern sie war notwendig, um die Legende des Mädchens zu einer Heilsgeschichte des Armen Heinrich umzudeuten. Sie bindet Krankheit und Schuld, Heilung und Wandlung; sie macht den passiv Empfangenden zum Selbsttätigen in Verzicht und Dankbarkeit.

Der Blick auf die Legenden war notwendig wegen Stand und Tendenzen der Forschung. Es gilt, Erzählung — Artusroman u n d Legende —, die man als „niedere Wahrheit des tatsächlichen Geschehens", als eine für Hartmann „subalterne, nichtssagende, sozusagen stumme Wahrheit" (DITTMANN S. 158) mißverstanden hat, gerade als Erzählung ernst zu nehmen und dabei den Stellenwert der Didaxe und Theologie zu bestimmen. Beide, Didaxe und Theologie, sprechen — ich lasse den Sonderfall des ‚Armen Heinrich' nunmehr unberücksichtigt — keineswegs die „höhere Wahrheit" der vom Dichter erzählten Geschichte aus. Diese entfaltet vielmehr ihren Sinn immanent, und nebenbei laufen die ad-auditores-Interpretationen — so wie man zum Schul- und Hausgebrauch an beliebige Geschichten moralisch oder religiöse Wahrheiten anhängen kann, die zutreffen mögen, um deretwillen die Geschichte jedoch keineswegs erzählt worden ist.

Die damit ausgesprochene Möglichkeit einer Mehrdeutigkeit braucht uns nicht zu beunruhigen. Vergleichshalber (aber nur vergleichshalber!) sei an den mehrfachen Schriftsinn erinnert, den sensus litteralis neben dem geistlichen Sinn (sensus moralis, allegoricus, anagogicus). Wenn wir im

Bereiche des Epischen dem ‚Wortsinn' höhere Verbindlichkeit zuschreiben als der interpretatio theologica oder moralis, so tun wir es im Wissen um die immanenten Gesetzmäßigkeiten — zumal kompositioneller Natur —, die der klassischen Erzählkunst des Hochmittelalters eigen sind und die dem Künstler immer die Hauptsache bleiben mußten. Wir finden diese denn auch nie durch lehrhafte Erwägungen gestört oder in Frage gestellt, während wir umgekehrt auf alle explizite Didaxe verzichten können, ohne uns des Sinnzusammenhangs beraubt zu sehen.

Zu überwinden gilt es auch die psychologisch orientierte Forschung (jüngstes Beispiel: TH. C. VAN STOCKUM, Hartman von Ouwes (!) ‚Iwein'. Sein Problem und seine Probleme, Mededelingen der koninkl. Nederl. Akad. v. Wetenschappen, Afd. Letterkunde NR 26, Nr. 3, Amsterdam 1963). Chrétien und Hartmann fragen nicht oder doch nur gelegentlich und beiläufig nach Beweggründen, sondern nach dem Wozu. Handlung ist nicht kausal, sondern final bedingt, Situationen stellen sich nach ‚Bedarf' der Handelnden ein, Personen bleiben rollengebunden. Was freilich zu solcher Märchentypik (die nicht oder nur in ungeläuterter Form aus den Quellen stammt, sondern gerade zu den großen Leistungen Chrétiens gehört) hinzutritt, ist das Element der Vermenschlichung. Von den Hauptgestalten bleibt einzig Laudine grundsätzlich (und selbst gegen Hartmann!) in der Rolle gefangen, was, wie wir noch sehen werden, seine besonderen Gründe hat. Die unleugbare Individualität der Personen berührt jedoch nicht ihre festgelegte Bahn in der Funktionalität der Geschichte. Keiî und Gawein sind Musterfälle dafür. M. a. W.: Das in der Individualisierung der Personen eingeschlossene realistisch-psychologische Moment greift nicht in die Handlungsführung ein. Gerade die entscheidenden ‚Wendungen' der Erzählung bleiben ohne kausal-psychologische Motivierung. Warum sprengt Erec verspätet und gar nicht weidgemäß ausgerüstet der königlichen Jagdgesellschaft nach? Warum nimmt er Enite mit auf die Aventiurefahrt? Warum beurlaubt Laudine den soeben erst und nicht zuletzt zur Verteidigung der Quelle gewonnenen Iwein? Das sind keine Überbleibsel der vorliterarischen Quellen, sondern struktureigene Züge des Artusromans. Jene Warum-Fragen waren eben keine Fragen von Belang. Der Hörer stand in Erwartung des Wozu. Uns als Interpreten aber steht es an, so zu fragen, wie der Dichter, dem Geiste der Erzählung folgend, gefragt haben muß.

Die vornehmlich finale Ausrichtung mittelalterlicher Erzählweise läßt sich bis in die syntaktischen Funktionen der Sprache hinein beobachten. Siehe dazu H. MIÆDER, Versuch über den Zusammenhang von Sprachgeschichte und Geistesgeschichte (Zürcher Beiträge zur Sprach- und Stilgeschichte 1), Zürich 1945.

b) ,Erec‘

Der ,Erec‘ ist der erste Artusroman Chrétiens; in Deutschland eröffnet Hartmanns Nachschöpfung zwei Jahrzehnte später das neue Genus. Der gemeinsame Auftakt ist ein schönes Zusammentreffen, das sich mit der Folge ,Iwein‘ — ,Parzival‘ fortsetzt; doch fehlt in der deutschen Entwicklung Chrétiens ,Charrete‘ (Lancelot) und damit ein wichtiges Glied der Kontinuität.

Der ,Erec‘ als Ausgangspunkt der Artusepik in Frankreich und in Deutschland sichert ihm eine Schlüsselstellung. Er ist Modell, und dies nicht nur durch seine dichtungsgeschichtliche Stellung, sondern durch Gehalt und Form: „der Sinn liegt kristallklar in [der] Komposition . . . eingeschlossen" (KUHN).

Ausgaben: M. HAUPT, Leipzig 1839, ²1871; A. LEITZMANN (ATB 39), Halle 1939, ³1963, besorgt von L. WOLFF. Chrétiens Erec und Enide: W. FOERSTER, Kristian von Troyes: Sämtl. erhaltene Werke, Bd. 3, Halle 1890; ders. Rom. Bibl. 13, Halle ³1934, M. ROQUES, Les Romans de Chrétien de Troyes I, Paris 1953. — Geraint: J. LOTH, Les Mabinogion II, Paris ²1913, S. 121—185; G. JONES and TH. JONES, The Mabinogion (Everyman's Library Nr. 97), London-New York 1963, S. 229—273.

Literatur: E. SCHEUNEMANN, Artushof und Abenteuer. Zeichnung des höfischen Daseins in Hartmanns Erec (Deutschkundliche Arbeiten, Allgem. Reihe Bd. 8), Breslau 1937; HUGO KUHN, Erec, Festschrift P. Kluckhohn und H. Schneider, Tübingen 1948, S. 122—147 (= Dichtung und Welt im Mittelalter, Stuttgart 1959, S. 133—151); H. B. WILLSON, Sin and Redemption in Hartmann's Erec, The Germanic Review 33 (1958), S. 5—14; A. HRUBÝ, Die Problemstellung in Chrétiens und Hartmanns ,Erec‘, DVjS 38 (1964), S. 337—360. — Zu Chrétiens Erec: W. A. NITZE, The Romance of Erec, Son of Lac, Modern Philology 10 (1914), S. 445—489; E. HOEPFFNER, ,Matière et sens‘ dans le roman d'Erec et Enide, Archiv. Roman. 18 (1934), S. 433—450; A. ADLER, Sovereignty as the Principle of Unity in Chrétien's Erec, PMLA 60 (1945), S. 917—936; R. BEZZOLA, Le sens de l'aventure et de l'amour, Paris [1947]; (gekürzte) deutsche Ausgabe: Liebe und Abenteuer im höfischen Roman (Rowohlts Deutsche Enzyklopädie 117/118), Hamburg 1961.

Die Handlung ist durch das Prinzip einer kunstvollen Doppelung bestimmt. Sie vollzieht sich in zwei sozusagen konzentrischen Kreisen, wobei der erste bedeutend schneller durchlaufen wird. Mitte ist der Artushof, bzw. Karnant, der Hof des Titelhelden, der jedoch der Funktion nach mit dem Artushof zusammenfällt. Der erste Handlungszyklus führt Erec aus dem Artushof hinaus und, nach dem Gewinn von Ritterehre und Minne, wieder zu ihm zurück. Der zweite setzt mit dem Eheglück des jungen Paares in Karnant ein, und abermals kommt es zum Aufbruch, diesmal in Begleitung der Enite, worauf der Weg der Aventiure über viele Stationen endgültig zum Artushof führt.

Den Sinn dieser Doppelung verrät die Thematik. Die Selbstverwirklichung des höfischen Ritters auf bestimmter Bahn hat einen zweifachen Bezug: auf sich selbst und auf die Gesellschaft. Im ersten Handlungskreis entfaltet der Held seine Individualität: mit Waffenruhm und Frauenminne erwirbt er sein persönliches Glück; im zweiten geht es um die Einordnung dieser höchsten Güter in die Gemeinschaft: Artus spricht es aus: *wan dû hâst wol gemêret / unsers hoves wünne* (9947 f.).

Im ersten Handlungszyklus*

werden vier Motive entfaltet, und zwar so — wie es Hugo Kuhn zuerst gesehen hat —, daß die Exposition des einen immer zu derjenigen des nächsten Motivs hinleitet bis zum vierten und innersten; die Durchführung hält sich an die gleiche Ordnung in umgekehrter Reihung. Also:

$$1\,E \to 2\,E \to 3\,E \to 4\,E/4\,D \to 3\,D \to 2\,D \to 1\,D$$

Das erste Motiv ist die Jagd auf den weißen Hirsch mit Schönheitspreis; das zweite die Zwergenbeleidigung, die Erec aus dem Artuskreis verbannt; das dritte der Sperberkampf mit Schönheitspreis (Motivdoppelung!); das vierte die ‚Arme Herberge', verbunden mit dem Minnemotiv (Enite). Im Expositionsteil (bis 474: Erecs Werbung um Enite) ist das Erzähltempo sehr schnell, im Durchführungsteil verlangsamt es sich von Station zu Station. Das gilt für Hartmann und für Chrétien.

Chrétien, der das Handlungsschema mit überlegener Hand entwarf, erlaubte sich einige Abweichungen, namentlich wenn er dadurch bessere künstlerische Wirkungen zu erzielen vermochte. So hat er die Exposition des Sperberkampfmotivs (Hartmann 181—221) in das Motiv der Armen Herberge hereingenommen. Hartmann, der das Kompositionsprinzip Chrétiens erkannt haben muß, stellt das (oben angegebene) reine Schema her, obschon die Vorwegnahme der Umstände des Sperberkampfes eine schöne Spannung aufhebt und nur der Information des Hörers dienen konnte (*nû enweste Erec niht / umbe dise geschiht* 218 f.); zudem sah sich der Dichter später zu Rückverweis und Wiederholung veranlaßt (*als ich iu gesaget hân* 453, *als ich iu ê habe geseit* 461). Das ist charakteristisch für den Deutschen: er führt Intentionen des Vorgängers konsequenter durch, selbst wenn die Konsequenz des Schemas wie hier nur Verlust bedeutet.

* Siehe Einführung S. 16 f. und 21.

Der Auszug des jungen Erec erfolgt durch harten Zwang und zu höherem Zweck. Die *costume* der Jagd auf den weißen Hirsch ist stimulans actionis, aber nicht für Erec (dem, da er noch ohne Bewährung ist, die Voraussetzungen zum Gewinn des Jagdpreises fehlen; zudem hat er keine Freundin!), oder besser: in anderer Weise, als der Hörer es erwartet. Die königliche Jagd in der *forest avantureuse*, die Gawein als gefährlich hingestellt hat, verläuft völlig uninteressant, indem Artus selbst, und zwar ohne besonderen Einsatz und ohne aventiurenhafte Umstände, den Hirsch erlegt, aber sie löst durch das (vom Dichter nicht begründete!) Desinteresse Erecs ein anderes Unternehmen von höchster Wichtigkeit aus: Erecs Abenteuerfahrt. Sie wird veranlaßt durch den Peitschenschlag des Zwergs vor den Augen der Königin. Solche Ehrverletzung schließt vom Artushof aus und verlangt Rehabilitierung (*erholn* 127). Die Chance aber geht über die bloße Genugtuung hinaus, indem der Ritter, einmal auf dem Weg der Aventiure, zur Wesenssuche aufgerufen ist.

Zunächst führt der Weg noch tiefer. Der Waffenlose findet keine Herberge in Tulmein, wo der Beleidiger soeben Einzug gehalten hat, er ist *habelôs* (238), *unerkant* (245), *wiselôs* (250). Das sind bedeutsame Akzentuierungen der Chrétien-Interpretation. *habelôs* ist Erec ohne Waffen, Ausrüstung, Begleitung, und dies im krassen Gegensatz zum Gegner; *unerkant* bezog Chrétien nur auf die Burgbewohner (367), Hartmann erweitert es zum Merkmal der Verlassenheit (*daz im niemen zuo sprach / noch ze guote ane sach* 246 f.) im Gegensatz zum lauten Betrieb in Gassen und Häusern; *wiselôs* ist Erec, indem er keine Herberge findet: der Zug fehlt bei Chrétien, aber Hartmann hat ihn aus einer späteren Bemerkung (*Por ce sont li ostel plain* 562) heraus entwickelt.

Dem ‚Armen‘ öffnet sich endlich, nebenaus von Burg und Flecken, die Ruinenwohnung eines verarmten Edelmannes. Und hier, gänzlich unerwartet, erfolgt die Wendung. Erec erfährt die *costume* des Sperberpreises: sein Beleidiger, der Ritter Iders, will ihn für seine Dame erringen. Die Gelegenheit ist unvergleichlich. Der Edelmann ist zwar arm, aber Waffen hat er noch, und in einem ist er reich: durch seine Tochter Enite und deren märchenhaft-liebliche Schönheit. Beider bedarf Erec, der Waffen für den Kampf, der Schönheit für den Preis, und beide werden ihm zuteil. Motiv der Szene, die in der mittelalterlichen Epik nichts Vergleichbares hat: Schönheit in der Armut, in ‚Knechtsgestalt‘. Enitens Kleid ist fadenscheinig, zerrissen, das Hemd darunter schmutzig. Nur der moderne, psychologisch orientierte Leser erstaunt und denkt an Unordentlichkeit und Nachlässigkeit. Zerrissen, fadenscheinig und schmutzig sind Kleid und

Hemd, um die weiße Schönheit des Leibes durchschimmern zu lassen (*sô schein diu lîch dâ / durch wîz alsam ein swan* 329 f.; *ir lîp schein durch ir salwe wât / alsam diu lilje, dâ si stât / under swarzen dornen wîz* 336 ff.). Zur Schönheit in Niedrigkeit gehört auch der Pferdedienst (317 ff.): er weist zugleich weit nach vorwärts in den zweiten Teil der Erzählung (siehe S. 127).

Schönheit und Minne gehören nach höfischer Vorstellung zusammen. Aber von Minne ist in der ganzen Szene nicht die Rede. Erec stellt mit erstaunlicher Objektivität die Schönheit Enitens fest, er denkt an den morgigen Kampf und daß er dazu einer schönen Begleiterin bedarf, nicht an Minne. Schönheit in Niedrigkeit und Armut wird erhöht (Aschenputtel-Motiv!), nicht durch Liebe emporgehoben.

Gegenüber Chrétien hat der deutsche Dichter das Motiv der Armut und Dürftigkeit verstärkt. Er macht aus dem armen Hauswesen eine Ruinenwohnung — in (zufälliger?) Übereinstimmung mit dem Mabinogi ‚Gereint'! —, läßt den Bedienten, der in der Küche hantiert, fallen; die nicht ganz armselige Mahlzeit bei Chrétien wird ironisch vorgespiegelt — und festgestellt, daß sie nicht auf den Tisch kam (386 ff.). Bei der Schilderung der näheren Umstände des Alten (396 ff.) liegt der Akzent auf der Schmach der *armuot* (Leitwort! 399, 407, 414, 422, 425), bei Chrétien auf dem Gegenwert, des Mädchens Schönheit. Diese erfährt durch den französischen Dichter eine ausführliche Schilderung (411—441), die bei Hartmann unterbleibt: ein höfisches Element wird damit getilgt — um es später, am Artushof, umso stärker ins Licht zu setzen! Interpretieren ist hier Unterstreichung der Thematik ‚Erhöhung' durch stärkere Kontraste. Das bedeutet unbestreitbaren Gewinn.

In entsprechender Weise setzt Hartmann die Akzente beim Sperberkampf. Die Bewaffnung Erecs durch Enite (Chrét. 709 ff.) unterbleibt: Tilgung eines höfischen Motivs. Aber hier ist der Verlust nicht zu übersehen: die Bewaffnung bedeutet Weihung (Chrét. 710) und zeigt bedeutsam an, daß Erec um der Enite willen siegen wird. Bei Chrétien erregt die Schönheit des Mädchens auf dem Gang zur Burg die Bewunderung der Leute; Hartmann will sie noch verborgen wissen und läßt das Motiv fallen. Zudem lehnt Erec das Angebot des Burgherrn ab, Enite besser zu kleiden (640). Er lobt in bemerkenswertem Freimut die ungekleidete Schönheit (642 ff.) und will durch seinen Waffensieg ihr *lop* beweisen. Auch die letzte Erniedrigung der Enite, die Schmähung durch den Gegner (*ir dürftiginne* 694), gehört nur dem deutschen Dichter.

Am Ende stehen der Sieg Erecs, die Inpflichtnahme Iders', der Erecs Ruhm und die eigene Schmach dem Artushof zu rapportieren hat, und die Bestrafung des Zwerges, auf die Chrétien verzichtet hatte; denn für ihn war der Zwerg quantité negligeable, sein Herr der allein Verantwortliche.

Der Sperberkampf und -preis des ,Erec' gestattet, die Erzähltypen, die Chrétien vorlagen, etwas präziser ins Auge zu fassen.

Die Vorstellung, daß ein Waffengang über die Schönheit von Frauen entscheidet, die gegenwärtig sind und von aller Welt verglichen werden können, hat etwas Befremdliches, wenn auch mehr für uns als für den mittelalterlichen Hörer. Es ist in der Tat nicht das ursprüngliche Motiv. Dieses erscheint in verschiedenen Varianten in den bretonischen Lais der Marie de France und beinhaltet, daß ein Ritter sich der Liebe der schönsten Frau rühmt und angehalten ist, seine Behauptung mit dem Schwerte zu beweisen. Auch Andreas Capellanus kennt diese Geschichte; er erzählt sie zur Veranschaulichung einer Minneregel in ,De amore' (l. II, c. 8) und in Verbindung mit dem Sperbermotiv! Was Andreas Capellanus, dem Theoretiker der höfischen Minne am Hofe der Marie de Champagne, zugänglich war, dürfte auch Chrétien, der an diesem Hofe seinen ,Erec' schrieb, gekannt haben.

Andreas erzählt von einem britannischen Ritter, der sich an den Artushof begibt, um dort den auf einer Säule sitzenden Sperber für seine Dame zu gewinnen, die ihm ihre Liebe nur unter dieser Bedingung gewähren will. Im Walde trifft er eine Jungfrau von außerordentlicher Schönheit auf prächtigem Pferd, die ihm, augenscheinlich von vorneherein über den Zweck seiner Reise informiert, erklärt, daß er den Sperber nur erwerben werde, wenn er behaupte und es im Zweikampf beweisen könne, einer Dame Minne zu genießen, die schöner sei als alle Frauen am Artushof. Der Ritter hierauf: „Seid in Gnaden damit einverstanden, daß ich mich wirklich rühmen kann, die schönste Geliebte zu besitzen." Diese Bitte wird mit einem Kuß als Siegel der Minne erfüllt. Die Schöne schenkt ihm außerdem ihr Pferd, auf dem er davonreitet. Nach dem Bestehen vorausgesagter schwerer Abenteuer kommt er zur Hofburg König Artus' und findet diesen im Kreise der schönsten Damen und vortrefflicher Ritter. Er fordert den Sperber auf der goldenen Säule und ist bereit, seine Behauptung, sich der Liebe der schönsten Dame zu erfreuen, mit dem Schwerte zu bewähren. Nun stellt sich ein Artusritter dem Herausforderer entgegen. Der Brite besiegt ihn und gewinnt damit den Sperber. Auf dem Heimwege trifft er wiederum die schöne Dame des Waldes. Dreizehn Küsse gewährt sie ihm und verspricht ihm, sie werde, wenn es ihn nach ihr zurückverlange, immer an diesem Orte zu finden sein.

In welcher Form Chrétien die Erzählung von einer Fee, die den Schönheitspreis als Lohn für ihre Liebe verlangt, kennenlernte, ist nicht mit Bestimmtheit zu sagen, jedenfalls kaum in der Gestalt des Andreas Capellanus, der seine Quelle entsprechend den didaktischen Absichten seines Buches zurechtgestutzt haben wird. Wir werden aber den Kern der Geschichte fassen, wenn wir das heraus-

116

stellen, was Andreas Capellanus und Chrétien gemeinsam ist: 1. Ein Ritter macht sich auf, den Sperberpreis zu gewinnen. 2. Es fehlt ihm jedoch die schöne Frau, derer er hierzu bedarf. 3. Er findet sie in einer Fee und gewinnt mit deren Hilfe den Preis.

[handwritten marginal note: implizieurt die Frau!]

Die Bestimmung der Helferin als Fee ist beim Capellanus zweifelsfrei; der Feencharakter schimmert aber auch in Chrétiens ‚Erec‘ noch deutlich durch die Hülle des irdischen Mädchens. Enide betreut Erecs Pferd, obwohl ein Bedienter im Hause ist: Reflex der Weihung des Pferdes; sie bewaffnet ihren Ritter, *n'i ot fet charaie ne charme* (710): die Negation legt das ursprüngliche Motiv bloß! Es kann nicht bestimmt werden, ob Chrétien die Sperbererzählung isoliert oder in Verbindung mit andern Motiven zugeflossen ist. Kaum jedoch war sie wie bei Chrétien-Hartmann mit dem Hirschjagdmotiv verknüpft. Darüber dürfte jedoch kein Zweifel sein: Es gab eine Sperbererzählung, wobei der Sperberpreis als Schönheitspreis zu verstehen ist, und diese Erzählung hat, wie Parallelen zu Chuchulainn-Geschichten dartun, ihre Wurzeln im Keltischen. Literatur : Andreae Capellani De amore libri tres, ed. E. TROJEL, München ²1964; S. SINGER, Erec, Festgabe Gustav Ehrismann, Berlin-Leipzig 1925, S. 61 bis 65.

Erec ist mit dem Sieg über Iders Großes gelungen: er hat seine Schmach gerächt, den Ruf ungewöhnlicher Rittertüchtigkeit erworben; er kann nunmehr wieder an den Artushof zurückkehren. Begleitet wird er vom schönsten und liebenswürdigsten Mädchen unter Gottes Sonne, und der Hörer sieht voraus, daß dieses auch den Schönheitspreis am Artushof gewinnen wird.
Den Abschluß der Hirschjagd hatte Chrétien schon nach der Zwergenbeleidigung erzählt (275—341); Hartmann tut es, dem Grundschema entsprechend, erst nach dem Sperberkampf (1099—1149), und zwar in einer von Chrétien abweichenden Form. Wiederum andere Wege geht das Mabinogi ‚Gereint‘. Hier läßt sich nun die ‚Mabinogion-Frage‘ in besonders klarer Form stellen: Gehen Chrétiens ‚Erec‘, ‚Yvain‘ und ‚Perceval‘ auf die drei kymrischen Mabinogion (Erzählungen) ‚Gereint‘, ‚Owein‘, ‚Peredur‘, bzw. auf deren Vorformen zurück, oder liegen umgekehrt Chrétiens Versromane jenen keltischen Erzählungen zugrunde? Dazu tritt im Fall ‚Erec‘ die Frage, ob Hartmann eine zweite Quelle bekannt war, die dem ‚Gereint‘ nahestand. Sie drängt sich angesichts der Tatsache auf, daß in einer Reihe von Zügen Hartmanns ‚Erec‘ gegen Chrétien mit dem ‚Gereint‘ übereinstimmt. Beide Fragen lassen sich bezüglich der Hirschjagd beantworten.

Bei Hartmann besteht das Recht des glücklichen Jägers darin, eine Dame des Hofes nach freier Wahl (*swelhe er wolde* 1111) zu küssen. Nun kommt jedoch, nachdem Artus selbst den weißen Hirsch erlegt hat, die Königin und bittet, den Kuß zu verschieben, bis Erec zurückgekehrt sei. Der Einwand vieler Interpreten, Ginover könne ja nicht wissen, daß Erec ein Mädchen gewinnen wird, das für die Ehrung in Frage kommt, erübrigt sich. Der Hörer weiß es, und selbst wenn er es nicht wüßte (wie der Hörer Chrétiens), begnügte er sich mit dem Wozu. Im übrigen ist der Königskuß ein festlich-zeremonielles Ereignis; der Königin aber ist durch den Zwerg Schmach widerfahren, sie klagt in bewegten Worten, und so lange sie zu klagen hat, nämlich bis zur Rückkehr Erecs, der die Schmach in der Frist von drei Tagen zu rächen versprach (138 ff.), ist Freude am Arthushof unziemlich. Erec kehrt fristgerecht zurück, und sein Mädchen ist von so erlesener Schönheit, daß sie Artus mit Zustimmung aller mit seinem Kusse auszeichnet. Die Zustimmung aller (1750 ff.) bedeutet nicht, daß den Rittern ein Mitbestimmungsrecht zukommt; sie ist innere Zustimmung zu glücklicher Wahl. Die ‚Motivierung‘ bei Hartmann ist durchaus geschlossen.

Die Hirschjagd bei Chrétien steht unter der Prognose Gauvains, die *costume Pandragon* würde bösen Streit verursachen (39 ff.). Dazu kommt es in der Tat (285 ff.). Wie der König nach dem *soper* sein Recht wahrnehmen will, erhebt sich, ohne daß man wüßte, welche der Schönen er auserlesen hat, allgemeines Gemurmel, ein jeder will mit dem Schwerte beweisen, daß seine eigene Dame die schönste sei. Auf Gauvains Antrag läßt Artus daraufhin den Rat der Ritter tagen, der weiter diskutiert (*tant fu la parole esmeüe* 321), bis die Königin mit der Bitte kommt, die Angelegenheit bis zur Rückkehr Erecs zu verschieben. Hier ist ein Mitbestimmungsrecht der Ritter nicht zu bezweifeln. Wozu sonst der Streit? Die Wahl des Königs setzt den consensus omnium voraus. Das bestätigt sich beim Kusse selber. Artus wendet sich in längerer Ansprache an die Ritter, um schließlich zu fragen, ob nicht Erecs Mädchen die Schönste von allen sei und füglich den Kuß verdiene. Worauf alle begeistert zustimmen: *Tuit l'otroions comunemant* (1828).

Die hauptsächlichste Abweichung Hartmanns von Chrétien ist das Fehlen des Mitbestimmungsrechts der Ritter und der damit zusammenhängende Zank. Es kann, da das Mabinogi nochmals anders erzählt, keinem Zweifel unterliegen, daß Hartmann die Umformung selbst vorgenommen hat. Was störte ihn im Bericht Chrétiens? Der Zank der Ritter, das Murmeln wider den König — es sieht nach kleiner Palastrevolte aus. Hartmann zielt auf das Vorbildliche (siehe ‚Iwein‘-Prolog!), dem Chrétiens realistisches Genrebild von aufbegehrenden Artusrittern widersprach. Die Tilgung dieser Szene bedingte aber auch das Fallenlassen des Mitspracherechts der Ritterschaft als der Voraussetzung des Zankes. Hartmanns Fassung läßt sich bruchlos aus der Darstellung Chrétiens erklären. Es besteht kein Anlaß, eine zweite Quelle anzunehmen.

Das Mabinogi ‚Gereint‘ hat an Stelle des Kusses das Hirschkopfmotiv. Der Jäger hat das Recht, die Trophäe zu geben, wem er will. Das Mitspracherecht fällt hier von vornherein weg, und zwar mit Notwendigkeit. Was bedeutete es schon, nach dem Vorschlag anderer einer Dame den Hirschkopf zu überreichen? Anders ist es mit dem Kuß! Dieser ehrt und beglückt, auch wenn die Dame nicht frei gewählt ist. Trotzdem kommt es zu Streit, nachdem der König den Hirsch gejagt hat. Die Ritter ereifern sich jedoch nicht darüber, welche der Schönen den Preis erhalten soll, sondern welche ihn voraussichtlich bekommen wird. Wer steht am höchsten in des Königs Gunst? Nach der Ankunft des schönen Paares macht dann die Königin den Vorschlag, Enide mit dem Hirschkopf zu beehren. Ihr stimmen alle zu, zuerst der König. Das bedeutet nun kein Bestimmungsrecht der Königin. Der Vorschlag ist unverbindliche Meinungsäußerung. Der König als glücklicher Jäger hätte das Recht, anders zu bestimmen, aber ihre Meinung ist auch die seine und die Meinung aller. So ist auch die Darstellung des Mabinogi wohl begründet.

Ich habe auf die in sich stimmige Motivierung Wert gelegt, weil sie in der Behandlung der Mabinogionfrage eine große, ja die entscheidende Rolle spielt. Man entschied sich für die Priorität Chrétiens, weil man die Mabinogion schlecht begründet fand — und umgekehrt. Angebliche Mißverständnisse tragen die Beweislast. Solche Argumentation ist schon grundsätzlich verfehlt, da nicht einzusehen ist, warum ein Späterer seine Quelle in der Motivierung nicht zu verbessern in der Lage sein sollte. Ich stehe unter dem Eindruck, die Methode fehlerhafter Motivierung zur Bestimmung des Ursprünglichen sei in Analogie zur klassischen Textkritik ausgebildet worden. Was jedoch in der Lesartenkritik methodisch richtig ist, kann in vergleichender Motivkritik durchaus falsch sein. Dort haben wir es in der Regel mit gedankenlosen oder unsorgfältigen Abschreibern zu tun (in diesem Falle sind wir sogar am besten dran), hier mit Dichtern, von denen wir mit Fug annehmen dürfen, daß sie beim Erzählen nachgedacht haben. Wir finden aber, wenn ich richtig sehe, weder bei Chrétien noch im 'Gereint' Mißverständnisse, die man nur unter der Voraussetzung erklären könnte, der Erzähler habe seine Vorlage nicht richtig verstanden.

Diese negative Flurbereinigung erleichtert die Frage nach der ursprünglichen Fassung. Sie stellt sich nur noch im Hinblick auf Chrétien und das Mabinogi. Ist das Hirschkopfmotiv oder das Kußmotiv das ursprüngliche, die freie Wahl oder das Mitspracherecht der Ritter?

Schon die Verbreitung des Hirschkopfmotivs weist auf dessen Vorrang. Es erscheint, mit der Variante 'weißer Fuß' des Jagdtiers, in zahlreichen und voneinander unabhängigen Denkmälern, während der Kuß der Chrétien-Hartmann-Tradition (zu der auch Ulrichs v. Zatzikhoven 'Lanzelet' 6730 ff. gehört) allein zukommt. Der Kopf des Jagdtieres ist Trophäe. Noch heute pflegt man, wie bekannt, Hirsch-, Gems-, Wildschwein- und andere Köpfe auszustopfen und zur Schau zu stellen. Das Jagdzeichen seiner Dame zu übergeben, ist naheliegender Brauch, wenn es sich um eine schwierige Jagd oder um ein seltenes Tier wie den weißen

Hirsch handelt. Der Kopf ist ja das Zeichen dafür, daß das Tier tatsächlich erlegt ist, Ausweis des ‚Sieges'. So sprechen Sagen- und Volkskunde eindeutig für die Ursprünglichkeit dieses Motivs. Chrétien hat es — was sollte er mit einem weidgerechten Hirschkopf anfangen ? — durch eine höfisch-galante *costume* ersetzt. Der Kuß ist höfische Umstilisierung der Folklore.

Auch in der Frage: Freie Wahl des glücklichen Jägers oder Mitspracherecht der Artusritter? müssen wir uns für die Priorität der ‚Gereint'-Darstellung entscheiden. Ein Mitspracherecht kann sich überhaupt erst einstellen, wenn eine Sitte und Recht bestimmende Gesellschaft ins Spiel gezogen wird. Eine solche Gesellschaft ist die Artusritterschaft bei Chrétien. Ihr Verhältnis zum König ist ideale feudale Ordnung: der König ist die bestimmende Kraft, aber er hört auf die Stimme seiner Ritter. Zu bedenken ist ferner, daß der Kuß bei Chrétien *costume* ist, und diese setzt wiederum eine Gesellschaft voraus, wie sie nur der französische Dichter, nicht der ‚Gereint'-Erzähler kennt.

Priorität des ‚Gereint'-Motivs bedeutet nicht, daß das im späten 14. Jahrhundert überlieferte Mabinogi getreu eine Fassung bewahrt hätte, die Chrétien zur Verfügung stand. Aber ich meine, daß dieser den Kern der Geschichte mit Hirschkopfmotiv und freier Wahl im Schönheitspreis kennenlernte.

Es wäre vermessen, wenn ich mich anheischig machte, die Mabinogionfrage zu lösen. Zweck dieser Ausführungen ist ein methodischer: es galt wenigstens an e i n e r Stelle die Quellenfrage zu stellen und Möglichkeiten der Beurteilung und Lösung ins Auge zu fassen.

Wenn wir bei vorliegendem Motiv Hartmann mühelos aus Chrétien erklären können, so ist damit nicht gesagt, daß es sich bei andern Abweichungen von ‚Erec und Enide' bzw. bei Übereinstimmung mit dem ‚Gereint' ebenso verhält. Methodische Forderung ist jedoch, zunächst den Anschluß an die französische Quelle am Leitfaden von Hartmanns Chrétien-Interpretation zu versuchen.

Literatur: H. SPARNAAY, Zu Erec-Gereint, Zs. f. rom. Phil. 45 (1925), S. 53 bis 69, bes. 53 ff.; R. ZENKER, Erekiana, Romanische Forschungen 40 (1927), S. 458—82, bes. 469 ff.; C. MINIS, Die Bitte der Königin und das Hirschkopf- oder Kußmotiv im Erec, Neophil. 29 (1944), S. 154—158.

Nach Sieg und Gewinn steht das *hôchgezît*. Zunächst die Siegesfeier auf Tulmein, dem Ort des Sperberkampfes. Noch immer blendet Hartmann gegenüber Chrétien allen höfischen Glanz ab; so fehlen bei ihm die fest-

liche Mahlzeit mit dem Leitwort der *joie* (1300 ff.) und das eigentliche
Abschiedszeremoniell (1455 ff.). Ebenso hat er anläßlich des Rittes zum
Artushof die neuerliche Beschreibung der Schönheit Enitens (1491 ff.)
weggelassen, obschon der Zusammenhang sie geradezu herausforderte: die
einsam Dahinreitenden tauschen Liebesblicke (Hart. 1486 ff.). Aber auch
hier hält sich der deutsche Dichter zurück: zu einem Kuß — dem ersten
bei Chrétien (1488) — kommt es nicht. Er bleibt Artus vorbehalten!
Selbst die ,Einkleidung' der Enite durch Ginover entbehrt bei Hartmann
der reichen Details des Vorgängers. Dafür ist ihm an der Deutung gelegen: Frau Armut bedeckt in großer Scham ihr Haupt und überläßt der
Richeit ihre Stelle (1579 ff.). Jetzt steht der Hörer vor dem Höhepunkt,
dem Eintritt der Enite in den Saal der Tafelrunder, *qui furent li mellor*
del monde (Chrét. 1696). Aber zunächst folgt die Namenliste der Artus-
ritter. Die Spannung wird hingehalten, aber das ist nicht die eigentliche
Funktion des Namenkatalogs. Dieser ist ein acte de présentation. Bevor die
Königin Enite der glänzenden Gesellschaft präsentiert, wird diese als eine
Schar illustrer Namen vorgestellt. Erst jetzt kommt die große Szene.
Ginover führt die junge Schöne durch das Spalier der Tafelrunder zu
Artus, der ihr entgegengeht und sie an seinen Platz führt. Es kann kein
Zweifel mehr sein, wer die Schönste ist: Enite erhält Kuß und Preis.

Abschluß eines höfischen Gesellschaftspiels. Für Enite bedeutet es mehr.
Der Kuß ist Siegel ihrer Erhöhung in den Stand der ,Dame'. Als schüch-
ternes, holdseliges Mädchen war sie an den Hof gekommen, die Toilette aus königlichen Truhen hat sie äußerlich zur Dame verwandelt, und
nun wird sie es durch höchste Instanz. Wenn der höfische Rang des Ritters durch dessen Waffentaten bestimmt wird, so der der Dame durch ihre
Schönheit. Der Schönheitspreis durch Artus ist Auszeichnung ohnegleichen, der Kuß eine Art Weihe. Deshalb mußte Artus der glückliche Jäger
sein, und eben deshalb unterließ Hartmann den Liebeskuß auf der Heide!

Es ist nicht so, daß dies alles erst bei Hartmann zur eigentlichen Wirkung
käme. Nur seine Mittel sind nicht diejenigen Chrétiens. Dieser steigert
die höfischen Motive und Werte auf den Artushof hin. Schon in der Armen Herberge fehlen sie nicht, sie treten verstärkt auf bei den Festlichkeiten nach dem Sperberkampf. Die Schönheit der Enide strahlt von allem
Anfang an Minne aus, und auf der Heimreise zündet sie zum Kuß. Das
sind keine Vorwegnahmen, sondern Vorbereitungen zur Glanzszene am
Artushof. Hartmann hingegen kontrastiert *Armuot* und *Richheit*.
Er verstärkte das Armutsmotiv der Armen Herberge und unterdrückte

die höfischen Lichter, um ihren vereinigten Glanz dem Artushofe, der
großen Szene der Kußweihe, vorzubehalten.

Der Abschluß der Hirschjagd-*costume* ist von Chrétien mit der stärksten Zäsur
vermerkt worden, die sein ganzes Werk aufzuweisen hat: *ci fine li premerains*
vers 1844. Es steht für mich fest, daß *vers* nicht ‚Teil‘ bedeuten kann (so zuerst
FOERSTER, siehe Chrétien-Wörterbuch unter *vers*), schon weil *vers* immer eine
Ganzheit bezeichnet, auch nicht „die f r ü h e r e Verserzählung“, nämlich die
übernommene *conte d'avanture* V. 13 (siehe ST. HOFER, Zs. f. franz. Spr. u. Lit.
60, 1937, S. 444 ff.), und nicht ‚Eingangsstrophe‘ in Analogie zur heiteren,
frühlingshaften Eröffnungsstrophe des Liedes (BEZZOLA S. 87 ff., HOEPFFNER
S. 33 ff. weiterführend): derartige symbolistische Beziehungen sind Chrétien
fremd. Was *li premerains vers* inhaltlich umschließt, kann präzis gesagt werden:
die ganze *costume Pandragon* und was sie ausgelöst hat, Erecs Fahrt und Gewinn. *Vers* muß also eine Aventiure oder eine zusammenhängende Kette von
Aventiuren bezeichnen. Dazu paßt der zunächst so befremdlich wirkende Begriff vortrefflich, sofern man sich vergegenwärtigt, daß eine Abenteuerfolge im
Rahmen des Artusromans eine ‚Wendung‘, eine ‚Volte‘ beschreibt. Das wäre der
ursprüngliche Wortsinn. Ich finde ihn zwar im Altfranzösischen nicht belegt;
wenn aber der provenzalische Verfasser des *Leys d'amors* bei der Definition
von *vers* feststellen konnte: *vers se pot deshendre de verto, vertis, que vol dir*
‚*girar*‘ *o* ‚*virar*‘ (C. APPEL, Provenz. Chrestomathie, Leipzig ⁵1920, S. 197), so
ist diese gelehrte semasiologische Verknüpfung auch dem *clerc* Chrétien zuzu-
muten. Der singuläre Gebrauch kann ohnehin nur ein aparter sein.

Was folgt (1797 ff.) ist Fest, Feier, Repräsentation, höfisch-ritterliches
Glanzleben. Jetzt läßt Hartmann seiner Schilderungsfreude freien Lauf.
Erecs und Enites *brûtlouft* bringt gegenüber Chrétien ein Plus von 100,
das anschließende Turnier ein solches von 500 Versen. Das ist beachtlich
im Hinblick auf die Tatsache, daß bis dahin Hartmann ungefähr gleich
viele Verse wie Chrétien gebraucht hat, was bei Berücksichtigung der breiteren Gangart des Deutschen Kürzung des Erzähl- und Schilderungsstof-
fes bedeutet.

Was ist der Gewinn der ersten Ausfahrt Erecs? Ritterpreis und Frauenminne. Keines der beiden war ohne das andere möglich. Dieser Zusammenhang gehört zu den grundlegenden Konzeptionen des Artusromanes,
wie ihn Chrétien entworfen hat. Sie ist im ‚Erec‘ aber auch am vollkommensten: durch die enge thematische Verflechtung von Ritterpreis und
Minne und noch mehr durch Artus' Kuß, der Schönheit bestätigt, sowie
durch die Sanktionierung der Ehe durch das königliche Paar. In späteren
Werken wird der Zusammenhang beider Werte sich weniger zwingend
darstellen.

Der moderne Roman wäre hier am Ende angelangt. Für Chrétien-Hartmann ist das Bisherige die Phase des Beginnenden. Der auserlesene Ritter
muß den <u>Nachweis</u> erbringen, daß er das, was er zu seinem persönlichen
Glück erworben hat, auch in den <u>Dienst der Gesellschaft</u> zu stellen vermag. Das ist Programm und Thematik des

zweiten Handlungszyklus

Es war ein äußerer <u>Anlaß</u>, der Geißelhieb des Zwergs, der Erec zur
ersten Ausfahrt veranlaßt hat; die zweite Aventiure-Fahrt gründet in
einem <u>innern Konflikt</u>.

Erec ist mit seiner Gattin in sein väterliches Königreich, nach <u>Karnant,</u> zurückgekehrt. Nach wie vor steht er im Banne der Minne, ja er ist so sehr von ihr
engagiert, daß er von keinen andern Pflichten mehr weiß. *Dô kêrte er allen sînen
list / an vrouwen Ênîten minne* (2929/30). Spät erhebt sich das Paar, geht Hand
in Hand in die Burgkapelle, verweilt dort bis zum Ende der Messe, was die
größte Anstrengung des Tages bedeutet, und setzt sich zum Frühstück. Kaum
aber sind die Tische weggetragen, *mit sînem wîbe er dô vlôch / ze bette von den
liuten. / dâ huop sich aber triuten* (2949 f.). Dieses *triuten* währt bis zum Nacht-
essen. Das ist ein für die Umwelt peinlicher Flitterwochenzustand ohne Ende.
Entscheidend aber ist die <u>Vernachlässigung</u> ritterlicher und gesellschaftlicher
<u>Pflichten:</u> Turnier und Jagd, *hochgezît* und Tafelfreuden. Durch Erecs *ver-
ligen* (2971) und *gemach* (2967) wird der Hof ‚freudlos‘ und *stuont nâch schanden*
(2989 f.). Die Folgen bleiben nicht aus, die Ritter murren und <u>beklagen sich über
ihren Herrn</u>, *in schalt diu werlt* (= die Gesellschaft) *gar* (2988). Dies kommt der
Enite zu Ohren, sie ist zutiefst betroffen, wagt es jedoch nicht, Gerede und Kritik des Hofes ihrem Gatten kundzutun. Eines Tages jedoch, wie sie Erec schlafend
wähnt, bricht die Klage aus ihr heraus; Erec vernimmt sie, dringt auf den
Grund, erfährt <u>seine</u> *schande*. Er hat nur e i n Wort dafür: *der [rede] ist genuoc
getân* (3052), das übrige ist Entschluß und Tat. Er läßt sich wappnen, das Pferd
satteln und zieht aus *nâch âventiure wâne* (3111), ohne jemand anders mitzu-
nehmen — als sein Weib.

Was ist Sinn und Ziel der folgenden Abenteuerfahrt? Zunächst geht es
darum, die <u>angezweifelte Rittertüchtigkeit</u> erneut unter Beweis zu stellen. Die Kritik seiner *ritter unde knehte* ist das Urteil der Gesellschaft
(*werlt*), mithin auch des <u>Artushofes</u>, den Karnant hier vertritt. Erec hat
also seine Artuswürdigkeit verloren, ist aus der Gesellschaft der Besten
ausgeschlossen. Deshalb erlegt er sich ein einsames und hoffernes Leben
auf. Aber das ist nicht alles und nicht einmal das <u>Wichtigste</u>. Indem Erec
durch eheliche Minne untätig geworden ist, steht die Ehe zur Diskussion,

und zwar in ihrer soziologischen Funktion. Es geht darum, die Ehe nicht
nur als individuelles Glück zu betrachten, sondern sie für die Gemeinschaft fruchtbar zu machen. In der Isoliertheit des Eheglücks liegt der
Fehl, nicht in einem Zuviel, in der *unmâze* der Minne — Begriff und
Sinn verletzter *mâze* finden nicht den geringsten Anhalt im Text! —,
und ebenso wenig in der Sinnlichkeit dieser Minne, welche die höfische
Dichtung als Problem überhaupt nicht kennt.

Einziger Ausgangspunkt für die *unmâze* der Minne ist das *der minnet et ze sêre*:
Worte Gaweins zu Iwein (2798), den er zu ritterlicher Aktivität ansporten will,
Simplifizierung eines verwickelten Sachverhalts zu besonderem didaktischen
Zweck. Das kann und darf nicht Ausgangspunkt für die Interpretation des ‚Erec‘
sein, der nichts derartiges bietet. — Ebenso ist der Gedanke einer unbeherrschten
und damit tadelnswerten Sinnlichkeit in der Ehe eine dem Text und dem ganzen
Mittelalter aufgepfropfte Vorstellung, die ihre Wurzeln im modernen Gegensatz von sinnlicher und sittlich-geistiger Liebe hat. Minne ist für das Mittelalter körperlicher Vollzug, sogar, wie HUGO KUHN richtig gesehen hat (Zur
innern Form des Minnesangs, in: H. FROMM, Der deutsche Minnesang [Wege der
Forschung 15, Darmstadt 1961], S. 172 f.), im Minnesang, nur in der Negation:
das ‚Versagen‘ ist keineswegs Läuterung vom Niedrig-Sinnlichen! Eheliche Minne
kann nun schon gar nicht voluptas sein oder sich in voluptas verkehren — die
eine der sieben Todsünden ist! Aber es genügt auf den Text zu verweisen, der
einzig die fatale Wirkung der Liebestrunkenheit Erecs nach außen ausspricht,
diese selbst weder hier noch irgendwo unter Kritik unterstellt.

Es geht also um die Rechtfertigung der Ehe vor der Gesellschaft. Sie ist
in Frage gestellt, und aus diesem Grunde wird auch Enite der Bewährung
ausgesetzt. Die *Joie de la curt*-Episode, als Schluß und Krönung der großen Reise, wird diese Auffassung bestätigen.

Erec legt sich das *ungemach*, die *arebeit* der Aventiure auf, aber auch
seiner Frau. Ja ihr ist viel Schwereres zugedacht. Sie darf kein Wort zu
Erec sprechen, auch nicht bei drohender Gefahr, und Erec meidet die
Tisch- und Bettgemeinschaft mit ihr. Zudem muß sie, nachdem sie — aus
Treue — das Schweigegebot zum erstenmal übertreten hat, Pferdeknecht-
dienst leisten: keine kleine Mühe, denn schon nach den ersten Kämpfen
gilt es zusätzlich acht erbeutete Pferde zu besorgen. Man hat daraus auf
Enites Schuld bzw. Mitschuld schließen wollen: Mißgriff einer Interpre-
tationsweise, die unentwegt nach Motiven sucht, statt an Zwecke zu denken. Wenn es um Rechtfertigung der Ehe geht, muß sie auf Probe gestellt
werden, und dies wird nun gerade ermöglicht durch die Aufgabe der
Minnegemeinschaft. Was Enite auferlegt ist, bedeutet nicht Strafe eines
rabiaten Gatten, sondern Prüfung: *ez was durch versuochen ge-*

tân / *ob si im wære ein rehtez wîp* (6781 f.). Nicht daß Erec an Enites
Liebe, ihrer ‚Treue‘ im engen Wortsinne zweifelte (das ist die Stufe des
primitiv denkenden Mabinogi). Es geht vielmehr um einen höhern, den
höchsten Grad der Treue: völlige Demut, Opferbereitschaft bis zum Tode — die Treue, wie sie die Märchenfigur der Griseldis zu bewähren hat
—, es geht um den Goldgehalt der liebenden Frau (6783 ff.).

Die Frage, warum Hartmann nur die Frau auf ihren Goldgehalt hin prüft
und warum er sie dieser Prüfung durch den in der Frage der Minnegemeinschaft doch mitbeteiligten Partner unterwirft, war für den Dichter
und sein Publikum keine Frage. Bei aller Hochstellung der Frau im höfischen Denken blieb im Bewußtsein dieser Zeit der Mann Herr der Ehe;
Herrin ist die Frau nur im außerehelichen Dienstverhältnis. Er wählt und
wirbt — und entsprechend ist er es, der prüft. Wenn der Verlust der Ritterehre die Minnegemeinschaft mit einschließt — beides ist nicht von einander zu trennen —, so ist es Aufgabe des Mannes, die Ritterehre wieder
zurückzugewinnen, der Frau, die Minne zu bewähren. Wäre Erec nicht
Herr und käme Enite im Sinne des Dichters nicht Gehorchen und Schwei-
gen zu, wie verstünde sich dann die ganze Fahrt? Dann setzte sich Erec
durch Mißhandlung seines Weibes erst recht ins Unrecht. Was er tut, ist
zwar bestimmt nicht höfisch, er muß aber gerade das Höfische in Frage
stellen, um es wieder ganz zu gewinnen. Am Schluß steht die vollkommene höfische Ehe.

Man hat Enite zur Mitschuldigen gemacht, weil sie sich selbst eine Schuld zuschreibt: *ouch geruochte si erkennen daz* / *daz ez ir schult wære* (3007 f.). Das ist
gesagt im Hinblick auf den *itewîz* (3001), der auf Erec fällt, und kann nichts
anderes meinen als die schlichte Tatsache, daß sie, Enite, der Grund von Erecs
verligen ist. Im übrigen könnte, wenn psychologische Erhellung nötig wäre,
darauf hingewiesen werden, daß es die Art des liebenden Weibes ist, das Versagen des Mannes als eigene Schuld zu empfinden. Daß die Ritterschaft die Herrin beklagt (*wê der stunt* / *daz uns mîn vrouwe ie wart kunt!* / *des verdirbet
unser herre* 2996 ff.), versteht sich von selbst: das *wê* richtet sich nicht auf eine
subjektive Schuld der Landesherrin, sondern auf den Umstand, daß Erec eine
Gattin hat, die durch ihre Schönheit und Liebenswürdigkeit seine ritterliche Aktivität neutralisiert.

Wäre es aber nicht Pflicht der Enite, Erec zur Aktivität anzuspornen? Hätte sie
nicht Herrin des Hofes zu sein, lebendiger Maßstab für schönes geselliges Leben?
Auch das ist ausgesprochen worden und muß zurückgewiesen werden. Weil Erec
nach der Grundkonzeption der Erzählung Herr der Ehe ist, kann sie ohne ihn
nicht aktiv werden. Erst wenn er selber als König des Hofes Freude mehrt, vermag sie Königin und Herrin der Gesellschaft zu sein. Vollends darf die Schuld

der Enite nicht in der Tatsache gesucht werden, daß sie den Herrn Gemahl nicht auf die Vernachlässigung seiner ritterlichen und gesellschaftlichen Pflichten aufmerksam macht. Sogenannte ,offene Aussprachen' mögen zum Wesen moderner Ehen gehören, das Mittelalter kennt sie als Forderung nicht.

Die Grundkonzeption Hartmanns in der Wertung der Karnantszene entspricht — was immer dagegen geltend gemacht wurde — derjenigen Chrétiens. Nur e i n e Akzentuierung ist anders. In der Versöhnungsszene verzeiht Chrétiens Erec seiner Gemahlin *forfet* (Fehl) und *parole* (4929 ff.). Das bezieht sich — Enide beklagt es selbst verschiedene Male — auf das Geständnis dessen, was der Hof Erec Übels nachsagt. Enide ist zwar im Recht (*"Dame!" fet il, "droit an eüstes, / Et cil qui m'an blasment ont droit"* 2576 f.), aber daß sie den Tadel der Gesellschaft ausspricht — obgleich gezwungenermaßen ausspricht —, ist ihr *forfet*. Sie a k t u a l i s i e r te dadurch den Ehrverlust Erecs. Das sind Feinheiten des höfischen Ehrbegriffs, die Hartmann seinen Hörern nicht zumuten mochte. Die Kränkung durch das Wort, das eine objektive Wahrheit beinhaltet, liegt auf derselben Ebene wie der Peitschenhieb des Zwergs, der erst eigentlich dadurch real wird, daß er angesichts der Königin erfolgte. In d i e s e m Sinne ist die Enide Chrétiens in den Augen Erecs in der Tat ,schuldig'. Aber das bedeutet nicht, daß Erecs Härte als Strafe zu verstehen ist. Auch Chrétiens Erec erklärt: *Bien vos ai del tot essaiiee* (4921).

Die übrigen Abweichungen Hartmanns liegen ganz im Rahmen seines bisherigen Interpretierens. Er verdeutlicht durch stärkere Kontraste. Wie im Status der Armut des ersten Teils, so meidet er jetzt in der Zeit des *ungemaches* alle höfischen Elemente. In diesem Sinne unterläßt er den offiziellen und damit zeremoniellen Abschied. Hartmann wird immer knapp, wo sein Held in die Tiefe geht: seine Karnantszene zählt 182 gegen 331 Verse Chrétiens.

Technisch sind die Aventiuren der zweiten Ausfahrt anders angelegt als im ersten Teil. Statt Verzahnung Reihung nach dem Prinzip der Doppelung. Die Ruhepause der Mitte, die Zwischeneinkehr bei Artus, ist die Achse spiegelbildlicher Zuordnung einzelner Episoden.

1. Räuberkämpfe (Kampf gegen rohe Gewalt)
2. Der treulose Burggraf (Frauenverführer)
3. Erster Guivreiz-Kampf (ritterlicher Kampf)
   Zwischeneinkehr bei Artus
4. Riesenkämpfe (Kampf gegen rohe Gewalt)
5. Graf Oringles (Frauenverführer)
6. Zweiter Guivreiz-Kampf (ritterlicher Kampf)

Diese Doppelung bringt keine Dubletten, sondern steht in der Ordnung der Steigerung und des Kontrastes. Steigerung: Die Räuber werden im Handumdrehen abgestochen, der Riesenkampf endet mit todähnlicher Ohnmacht; der Burggraf wird von Erec verwundet, Oringles erschlagen. Kontrast: Im ersten Guivreiz-Kampf verhält sich der Zwergenkönig als perfekter Ritter, Erec mit Absicht unhöfisch; in der zweiten Begegnung ist Guivreiz *zwîvelhaft* und *unvrô* (6857), Erec kampfbereit. Das eine Mal siegt Erec, das andere Mal Guivreiz. Die beiden Triaden von Aventiuren stehen aber auch unter anderem Vorzeichen: In der ersten Reihe wird Erec angegriffen, verhält sich in den Bewährungen unwillig, ja beinahe passiv; in der zweiten sucht Erec das Abenteuer, ist voller Kampf- und Einsatzbereitschaft. Dort wehrt er sich seiner Haut, hier kämpft er für die anderen.

Von der Reihe gedoppelter Aventiuren hebt sich die Schlußaventiure *Joie de la curt* durch die Einkehr bei Guivreiz und gesteigerte Ausführlichkeit deutlich ab. Sie ist Spiegelung des ganzen Geschehens auf der Sinnebene (KUHN).

Das erste Thema des Auszugs ist *ungemach*: es antwortet auf das *gemach* der Minneseligkeit. Hartmann entwickelt innerhalb der beiden ersten Episoden eine eindrucksvolle Terminologie des *ungemaches,* die unüberhörbar den Sinn der Fahrt artikuliert.

arebeit 3281, 3514, 3528, 3533, 3586, 3655, 4269; *armez wîp* 3371, 3849, 3886, *mir armen* 3157, *armuot* 3362, 3765; *dulden* 3416, 3437, 3812; *ellende* 4023; *kumber* 3483, 3959, *bekumert* 3325, 3501, *kumberlich* 3466, 3863, 3881; *laster* 3253; *leit* 3295, 3451, 3587, *herzeleit* 3125; *lîden* 3144, 3253, 3280, 3447, 3450, 3586, 3760, 3882, 3959, 4272, 4276, *erlîden* 4268; *müede* 3637; *nôt* 3165, 3359, 3982, 4127, 4160, 4268, 4273; *riuwe, geriuwen* 3142, 3366; *sældenlôs* 3357; *schade* 3133, 3161, 3885, *schaden* 3187; *schande* 3885, 4234; *sorge* 3152, 3296, 3959; *swachez leben* 4195; *trûric und unvrô* 3135; *ungemach* 3283, 3351, 3464, 3511, 3593, 3761, 4273; *unhovebære* 3636.

Das schwerere Teil kommt Enite zu. Sie hat voranzureiten — als Lockvogel im besten *gewæte* — und muß so als erste drohende Gefahren bemerken. Natürlich bricht sie aus *triuwe* das Schweigegebot und erntet dafür harte Worte mit der Auflage, die erbeuteten Pferde zu betreuen. Das Pferdedienstmotiv der Armen Herberge erhält tiefere Bedeutung. Die Umformung der Pferde w e i h e des ursprünglichen Motivs (siehe S. 117) in Pferde d i e n s t erweist sich als weise Planung: die Pferdewartung wird zum Zeichen von Enites Weg in die Tiefe des Leidens, der dienenden Unterordnung.

Einen höheren Beweis der Treue leistet Enite gegenüber dem begehrlichen und geschickt werbenden Burggrafen (bei Chrétien Galoain). Die Warnung allein genügt hier nicht, es bedarf der hinhaltenden List. Die Flucht aus der Herberge gelingt, und der nachreitende Minneräuber wird schwer verwundet zu Boden gestochen, die Begleitung zum Teil getötet, zum Teil in die Flucht geschlagen.

A. Hrubý hat kürzlich die auffallende Parallelität zwischen der Pastourelle und der Galoain-Szene Chrétiens herausgestellt und von da her den Sinngehalt der Episode neu erschlossen: „Enidens Ausgeliefertsein an den Bereich der niederen Minne und die Bewährung ihres essentiellen Adels in dieser Prüfung" (Das Sinngefüge der Galoainepisode in Chrétiens ,Erec‘, Neophilologus 50, 1966, S. 219—234). Was Hartmann betrifft, so ist festzuhalten, daß er nicht nur die pastourellenhaften Züge getilgt hat — der Graf sieht in Enite eine Frau von Stand und hat die ernsthafte Absicht, sie *machen . . . ze vrouwen disem lande —,* sondern in einem langen Raisonnement (3675—3721) den Grafen als einen von der Minne jäh bezwungenen und zur *untriuwe* verführten Ehrenmann verstanden wissen will.

Verglichen mit dem, was folgt, war das Bisherige für Erec *ein ringiu arbeit / unde gar ein kindes spil* (4269 f.). Der Gegner, der naht, ist der ungewöhnlich starke und kampffreudige Zwergenkönig Guivreiz li pitiz, der Kampf mit ihm ein Kampf Ebenbürtiger. Endlich liegt der starke Kleine am Boden, bittet um Leben und *sicherheit,* wirbt um Erecs Freundschaft. Deren erstes Zeichen ist das gegenseitige Verbinden der Wunden: Hartmann hat das bei Chrétien nur beiläufig erwähnte Motiv zu einer kleinen Szene ausgeweitet. Noch gelungener ist der Zusatz des deutschen Dichters von Enites Angstschrei (4425): er weist zurück auf ihre Klage beim Iderskampf (852) und nach vorn auf den Schrei in Oringles' Burg, der Erec aus dem Scheintod erwecken wird. Der Angstschrei ist zudem Ausdruck innigster Anteilnahme und Opferbereitschaft: *solde ich ez vür iuch sîn* (4427)! Möchten mich die tödlichen Schläge treffen!

Die Ansicht Zenkers, Sparnaays und anderer, die verschiedenen Aventiuren der zweiten Ausfahrt verfolgten verschiedene Zwecke, Räuberkämpfe und Guivreizkampf den Erweis der Rittertüchtigkeit Erecs, die Burggrafenepisode die Treueprobe der Enite, ist zurückzuweisen. Vielmehr bestehen beide jede Aventiure gemeinsam: Erec durch seine Tüchtigkeit in Kampf und Abwehr, Enite durch Warnen, List und Anteilnahme, durch *triuwe* im Sinne einer alles umschließenden Solidarität, durch schweigsames Dulden unverdienten Tadels und schlimmer Drohung.

Durch den Sieg über Guivreiz ist Erec wieder artuswürdig geworden. *und die Ririn?*
Das erweist die folgende Zwischeneinkehr in Artus' Zeltlager: Einkehr
bei Artus bedeutet immer Bestätigung ritterlicher *werdekeit* durch die
maßgebende Gesellschaft. Die Besten bemühen sich um Erec: Artus, die
Königin (die seine Wunde mit dem wundertätigen Pflaster der Fâmurgân
heilt), Gawein. Aber nur im objektiven Sinne ist Erec des Hofes würdig.
Er selbst ließ sich nur durch eine freundschaftliche List ins Zeltlager des
Königs locken, und er verläßt es wieder nach einer einzigen Nachtruhe.
Der Bitte zu verweilen hält er entgegen: *swer ze hove wesen sol, / dem
gezimet vreude wol* (5056 f.), er aber ist *unhovebære* (5064). Er kann nur
nehmen, nicht geben. Und über das Ausgesprochene hinaus weiß er, daß
das Minneband mit Enite noch nicht neu geknüpft ist, daß sie weiterer
Bewährungen bedürfen.

Die Szene der Zwischeneinkehr bei Artus ist für die weitere Entwicklung des Artusromans bedeutsam geworden. Sie hat den Charakter einer
Zäsur auf dem Weg des Helden — im ‚Iwein' entspricht ihr die Zwischeneinkehr bei Laudine nach der Befreiung der Lunete, im ‚Parzival' die Einkehr bei Trevrizent —, und es spielen hier zwei repräsentative Vertreter des Hofes ihre charakteristischen Rollen: Gawein und Keie.

Keie war es, der während eines Spazierritts den in der Nähe des Lagers dahin-
ziehenden Erec auf Gaweins Pferd erspähte, ihn nicht zu bekämpfen wagte —
in der Nähe des Artuslagers gilt jeder fremde Ritter grundsätzlich als Feind —
und in zudringlich-täppischer Weise ins Lager locken wollte. Erec denkt nicht
daran, der plumpen Aufforderung Folge zu leisten, und wirft den *seltsænen
man* (4635) mit umgekehrter Lanze aus dem Sattel. Was Keie nicht gelingt, ist
dem Geschick, dem Charme und der überlegenen Redekunst Gaweins beschieden: er versteht es so einzurichten, daß Erec auf Artus stoßen muß.

Gawein ist Warner und Ratgeber des Königs, er kennt die *costumes*, vertritt
die Tradition und ist so schlechterdings die Norm am Artushof. Wer die Freund-
schaft dieses Ritters par excellence gewinnt, ist ausgezeichnet, und das ist der
Grund, warum Gawein immer als spezieller Freund der Titelhelden erscheint.
Selbstverständlich ist er auch der Tapferste, Kühnste und Erfolgreichste im
Streit: deshalb sein Kampf mit dem Helden der Erzählung, wobei sich die
Freunde als Unbekannte gegenüber stehen und keiner siegen darf. So im ‚Iwein'
und ‚Parzival'; im ‚Erec' hat Chrétien diesen Zug noch nicht ausgebildet.

Hartmann gibt Keie einen Steckbrief der Charakteristik mit (4633 ff.): er ist
triuwe und *unstæte, lûter sam ein spiegelglas* und *valsch, küene* und ein *werltzage*,
vor allem aber *quâtspreche* (4664), und von dieser mißlichen Eigenschaft her ergibt sich seine Funktion. Dem Spötter, dem Provokateur gewachsen zu sein,
gehört zu den Aufgaben des Titelhelden. Wer ihn besiegt, hat bewiesen, daß er

seine Person von Zudringlichkeiten, Spott und übler Nachrede zu bewahren weiß. Bei der Erec-Begegnung ist es auf Perfidie bedachte Zudringlichkeit (4629[50] ff.), im ‚Iwein‘ Spott und Nachrede.

Die zweite Triade der Aventiuren spielt sich im Zeitraum eines einzigen Tages ab. Das Paar ist keine Meile vom Artuslager entfernt, so ruft eine klagende Frauenstimme zur Bewährung auf. Es ist diesmal Erec, der sie hört — bisher machte immer Enite auf Gefahr und Not aufmerksam —, und dies entspricht einer neuen Haltung: *sîn muot stuont niuwan dar / dâ er âventiure vunde* (5291 f.). Neu ist auch die Aufgabe selbst: Hilfeleistung für andere. Zwei Riesen treiben im Waldesdunkel den Ritter Cadoc mit Geißelschlägen vor sich her. Erec, von spontanem Erbarmen über die unglückselige Gattin und den mißhandelten Ritter erfaßt, eilt den Unholden nach, erschlägt sie und kann so der Gattin den Gemahl wieder zuführen. Er hat jedoch schwere Wunden erhalten und fällt, kaum hat er die am Wege zurückgelassene Enite wieder erreicht, in eine schwere Ohnmacht. Die verzweifelte Enite glaubt einen Toten beklagen zu müssen.

Die Totenklage bei Chrétien, die 33 Verse beansprucht, hat Hartmann auf annähernd 300 Verse erweitert (5774—6061). Sie steht in antiker Tradition wie die Totenklage der höfischen Epik schlechthin (gegen R. LEICHER, Die Totenklage in der deutschen Epik von der ältesten Zeit bis zur Nibelungen-Klage, Germanist. Abhandlungen 58, Breslau 1927), und ihr Charakter als rhetorisches Prunkstück pathetischer Stilform verbietet uns, Enites Aussagen für deren Psychologie und zur Deutung des Geschehens heranzuziehen. Dies ist wichtig für die Selbstanklage 5940 ff. Entscheidend ist nicht, was Enite in diesem Zusammenhange sagt, sondern einzig, daß sie klagt.

Die laute Klage hat den Ritter Oringles von Limors herangelockt. Er überblickt die Situation blitzschnell: ein toter Ritter und ein wundervolles Weib, das zu besitzen Seligkeit bedeuten muß. Trostrede, Werbung und Heiratsantrag. Enite weist diesen mit Entrüstung zurück, wird mit Gewalt auf die Burg Limors geführt und mit Gewalt dem Grafen vermählt. Sie weigert sich während der festlichen Mahlzeit, einen Bissen zu sich zu nehmen, wünscht nur das eine, Erec nachzusterben. Oringles verliert die Beherrschung, schlägt Enite. Ihr Schrei und Hilferuf weckt Erec, der leblos auf einer Bahre liegt, aus seinem todähnlichen Zustand. Er erhebt sich, ergreift sein Schwert, erschlägt den Grafen mit einem einzigen Schlag und zwei, die neben ihm sitzen, dazu. Flucht in allgemeiner Panik auf e i n e m Pferd. Die Versöhnung der Gatten ist herangereift. Erec fragt, und Enite antwortet.

Hartmann spricht von der *swæren spæhe* und der *vremden wæhe,* die er bis dahin gegenüber Enite an den Tag gelegt hat und die nunmehr ein Ende findet. Beides spricht ein sozusagen taktisches Verhalten aus: *ez was durch versuochen getân / ob si im wære ein rehtez wîp* (6781 f.). Enite hat die Probe glänzend bestanden, und Erec weiß, *daz er an ir hæte / triuwe unde stæte / unde daz si wære / ein wîp unwandelbære* (6788 ff.). Dieser zentralen Aussage entspricht Chrétien vollkommen: *Bien vos ai del tot essaiiee ... et je resui certains et fis, / que vos m'amez parfitemant* (4921 ff.).
Der Prüfung widerspricht nur scheinbar ein Wort der Vergebung. Es hat einen völlig anderen Bezug. Hartmanns Erec bittet Enite um Vergebung für *ungeselleclîchez leben / unde manege arbeit / die si ûf der verte leit* (6797 ff.), also für das durch die Prüfung notwendig bedingte Verhalten Erecs während der Fahrt. Chrétiens Erec jedoch verzeiht Enide jenes *forfet et parole* (4930 f.).

Dieser völlig eindeutige Tatbestand hat noch in jüngster Zeit zu zahlreichen Mißverständnissen geführt. WAPNEWSKI (S. 52) kommt zur Ansicht, daß die Szene bei Chrétien „umgekehrt" verläuft: „Enide entschuldigt sich bei Erec" (!wo?), woraus er folgert, daß „Hartmann die Akzente bewußt verlagert hat", nämlich von der „Strafexpedition gegen ein Fehl Enites" bei Chrétien zu „Bewährung", wo es nichts zu bewähren gab, also — „ein typischer Fall von Verdrängung". Ein falsch gelesener Chrétien („Enite entschuldigt sich") führt hier zu einem umformenden Hartmann, der seine Sache jedoch herzlich schlecht gemacht hat. HRUBÝ (S. 345) stellt fest, daß bei Chrétien Enide das menschliche Wesen Erecs verkenne, Hartmann jedoch verlege ihre Schuld ins Religiöse. Die Verkennung bezieht HRUBÝ auf das *forfet et parole,* die religiöse Schuld ist aus der Totenklage (5941 ff.) abgeleitet.

Der unmittelbar an die Versöhnung anschließende zweite Guivreizkampf ist ein Kampf zwischen Freunden, die sich nicht erkennen, und endet — mit der Niederlage Erecs. Diese ist nicht nur rational durch Erecs *unkraft* (6891; Chrét. *doillanz et las* 4992) begründet — eine Konzession an das Publikum, möchte ich meinen —, sondern dient einer letzten Lehre und Mahnung für Erec: seine *tumpheit* bestand in der *unmâze* (einzig an dieser Stelle hat dieser Begriff höhere Relevanz!), eine fremde Straße für sich allein in Anspruch zu nehmen und *guoten knehten* zu verweigern (7012 ff.). Dies ist ein Zusatz Hartmanns, und er verstärkt den *san* der zweiten Abenteuer-Triade: die Ausrichtung ritterlicher Tat auf den Dienst am andern, den Verzicht auf unprovozierte Aventiure.
Nû was ouch slâfennes zît (7079). Man rüstet in einer Waldlichtung ein nächtliches Laublager, wobei dem wieder versöhnten Paar der schönste

Platz zwischen drei Buchen und zunächst dem wärmenden Feuer zugedacht ist. Am andern Morgen bricht die Gesellschaft zum Wasserschloß
des Zwergenkönigs auf. Erec wird von den beiden heilkundigen Schwe-
stern Guivreiz' in beste Pflege genommen. Vierzehn Tage währt der Aufenthalt. Zum Abschied werden die beiden Gäste aufs reichste beschenkt.
Vor allem erhält *frouwe Enîte* ein auserlesenes und prunkvoll ausgestattetes Pferd. Dann geht es, in Begleitung des Freundes, dem letzten Abenteuer entgegen.

Das rhetorische Prunkstück der Pferdebeschreibung (7286—7766) übertrifft die
Vorlage (Chrét. 5316—5351) um das annähernd Vierzehnfache. Hartmann zieht
hier sämtliche Register, die der damaligen Schilderungskunst zur Verfügung
standen, an Motiven wie an stilistischen Kunstgriffen. Die Beschreibung ist keineswegs „frostig". Sie ist im Gegenteil wie kaum eine andere durch Munterkeit
und Frische ausgezeichnet, der Dialog mit dem Publikum (7493 ff.) ein Muster-
stück der Selbstironie, das Ganze ein höchst gekonnter Versuch, unziemliche
Länge durch Kunstmittel der Publikumsbezogenheit wettzumachen. Die allegorische Interpretation, die PETRUS W. TAX (Studien zum Symbolischen in Hartmanns ‚Erec', ZfdPh 82, 1963, S. 29—44) versucht hat, halte ich für unverbind-
lich, da dem Genus des Artusromans fremd, die daraus gezogenen Schlüsse kann
ich nur mit Entschiedenheit (um nicht Leidenschaft zu sagen) zurückweisen.
„Erst das symbolische Verständnis der Schilderung von Enites Pferd erschließt
die wirkliche, ethisch-religiöse Bedeutung von Erecs und Enites früherer Schuld:
indem die Einstellung des Paares gegenüber der ehelichen Liebe so verkehrt war,
hatten beide sich der concupiscientia (!), damit aber der Gewalt des Teufels (!)
ergeben. Das hätte aber zunächst Enite als ‚die Beherrscherin und Verwalterin
der ritterlichen Daseinswerte' verhindern sollen" (S. 43). Das ist nicht nur eine
Erneuerung des selbstgefälligen Moralismus vergangener Zeiten, verstärkt durch
handgreifliche Satanologie, sondern, um nun auch theologisch zu sprechen, eine
„Sünde wider den Geist", nämlich den Geist der Dichtung.

Joie de la curt

nennt sich die Aventiure, der Erec entgegengeht, und sie hat ihren Namen von dem Baumgarten, der zu Stadt und Burg Brandigan gehört. Es
ist ein Wundergarten, in dem wie in Alkinoos' Garten Früchte neben
Blüten glänzen, Blumen duften und Vögel aufs lieblichste singen. Aber
es ist ein locus amoenus mit Schrecken: in ihm drohen Schande und Tod
durch den ungestümen, nie besiegten Ritter Mabonagrin. Dieser hatte
seiner Dame das Gelübde geleistet, immer bei ihr in diesem herrlichen
Garten zu verweilen, bis ein Ritter käme, der ihn zu überwinden vermöchte. Niemandem ist dies bisher gelungen, alle bezahlten ihre Kühn-

heit mit dem Leben. Auf den Eichenpfosten des Gartens stecken, ein schauerlich-makabrer Anblick, die Köpfe der Erschlagenen, und jeder Eindringling darf mit entmutigender Wahrscheinlichkeit damit rechnen, binnen kurzem mit seinem eigenen Haupte die fragwürdige Gartenzier zu ergänzen.

Erec ist entschlossen, diese Aventiure ohnegleichen zu bestehen und den Garten wieder seiner wahren Bestimmung, der *hoves vreude,* zurückzugeben. Er fühlt: es ist m e i n e Aventiure, die Erfüllung meiner Fahrt. Vergeblich will ihn Guivreiz zur Umkehr bewegen, vergeblich sind die Klagen der Stadtbewohner, die ihn in den sichern Tod reiten sehen, vergeblich die Warnung des Burgherrn und Gastgebers König Ivreins. Ein neues — gegenüber Chrétien zusätzliches — Stimulans zur Tat ist der Anblick der achtzig auserlesen schönen Damen, die in einer Kemenate der Burg leben, alle in Trauergewändern und mit Tränenspuren: es sind die Witwen der von Mabonagrin erschlagenen Ritter. Erec, von Mitleid ergriffen, möchte sie wieder der höfischen Freude zuführen.

Der große *wurf* im *wunschspil* (8530 ff.) gelingt in einem Kampf, der den ganzen Tag währt, und es ist der Gedanke an die weinend zurückgelassene Enite, der der letzte Kraftanstrengung zum Sieg ermöglicht. Es ist nicht nur der Sieg über einen ungewöhnlich starken Kämpfer, sondern eine Erlösungstat: der Garten wird wiederum zu wahren *hoves vreude* für alle — die ganze Bevölkerung strömt in ihn *die niuwen genâde schouwen* (9765) —, und Mabonagrin und seine Freundin werden der *werlt* zurückgegeben. Sie lebten hier ein Leben der Minne und waren trotzdem unselig. Gewiß, der Garten war *daz ander paradîse* (9542), aber die Liebenden in ihm sind *lebende begraben* (9599). So kann der Besiegte erklären: *Ich wæne hiute erworben hân / ein schadelôse schande, / sît mich von disem bande / hât erlœset iuwer hant* (9583 ff.).

Die *Joie de la curt*-Episode hat als einzige der ganzen Dichtung Elemente des Wunderbaren (die sonst, wie bei der Jagd auf den weißen Hirsch, immer nur berührt werden): die Wolkenwand, die niemand zu durchbrechen vermag, die Früchte, die man wohl genießen, aber nicht aus dem Garten tragen kann, die ständige Dauer der schönen Jahreszeit, das Horn, das nur der Sieger zu blasen vermag. Alle diese Motive reizen zu sagengeschichtlicher Erhellung (siehe LOOMIS, Arth. Tradition S. 168—184; W. A. NITZE, Erec and the Joy of the court, Speculum 29 (1954), S. 691—701), aber ihre Zurückführung auf keltische Erzählmotive leistet keinen Beitrag zur Interpretation von Chrétiens und Hartmanns Werk. Man kann nur feststellen, warum Chrétien diese Motive als einzige in der Sphäre des Übersinnlichen belassen hat: um der mit großer Kunst gesteigerten Erwartung einer ruhmreichen Aventiure gerecht zu werden.

Es ist aufgefallen, daß die *Joie de la curt*-Aventiure für sich allein steht, aber sie fällt kompositorisch keineswegs „ganz aus dem Rahmen" (FOERSTER und mit ihm die gesamte ältere Forschung): ihr Gegenstück ist der Sperberkampf des 1. Teils (BEZZOLA, KUHN). Die letzte Bewährung antwortet dem Erfolg des Beginnenden. Hier und dort und nirgend sonst steht nicht nur Ritter gegen Ritter, sondern Paar gegen Paar. Die Ritter kämpfen, die Damen, ihre Schönheit, ihre Minne, sind Anreiz zu äußerster Steigerung der Kräfte und des Siegeswillens. Beim Sperberpreis war es der unmittelbare Blick auf Enite, der Erec obsiegen ließ, im Baumgartenkampf ist es der Gedanke an Enite (9230f.; dazu 8864ff.). Die Gegner und deren Freundinnen sind verwandten Schlages: Iders und Mabonagrin stolz und erbarmungslos, grobschlächtig und ohne Beziehung zur Gesellschaft; die Damen zwar schön, aber streng und eigensüchtig — Gegenbilder der Enite. Beiden Kämpfen geht eine gastfreundliche Beherbergung voran, hier und dort nimmt die ganze Bevölkerung Anteil am Kampfe. Endlich gibt das siegreiche Abenteuer beide Male Erec dem Artushof zurück, aber auch den besiegten Gegner und dessen Geliebte der höfischen Gemeinschaft, wobei beim Sperberkampf das Schwergewicht auf der wiedererlangten Artuswürdigkeit, beim Baumgartenkampf auf der Erlösung des verwunschenen Paares liegt.

Von da her erschließt sich auch der Sinngehalt der *Joie de la curt*-Aventiure, den die Chrétien- und Hartmann-Forschung bis zu BEZZOLA und KUHN in eigentümlicher Weise verkannte: Zerstörung der *hoves vreude* durch selbstsüchtige Minne in bloßer Zweisamkeit und Wiederherstellung der *hoves vreude* durch Rückkehr in die verpflichtenden Ordnungen der Gesellschaft. Das aber ist der Weg Erecs und Enites! Wie der Aufenthalt des Paares im Wundergarten (mit silbernem Bett in prächtigem Zelt!), so bedeutet die selbstverlorene Minnegemeinschaft Erecs und Enites in Karnant Verlust der *hoves vreude*.

Die Parallele geht bis in den Wortlaut: *sîn* (Erecs) *hof wart aller vreuden bar* (2989); (*Joie de la curt*) *was et schœner vreuden bar* (9595). Was Erec und Enite dann auf ihrem Wege in der Hofesferne erfahren haben, die gesellschaftliche Funktion auch einer Liebesgemeinschaft, das wird Mabonagrin und seiner Dame durch Erecs Sieg als unerwarteter Gewinn zuteil. Und Erec weiß um diesen Gewinn: *ouch zæme disiu vrouwe baz, / diu disiu jâr hinne saz, / under anderen wîben. / wie ir mohtet belîben / ein alsô wætlîcher man, / wie mich des verwundern enkan! / wan bî den liuten ist sô guot* (9432ff.).

Erec besiegt in Mabonagrin, der nur der Minne lebte, sich selbst, das ist
den Königssohn in Karnant. Wir verstehen jetzt, warum er diese Aventiure so sehr als die seine betrachtet, verstehen die innere Gelöstheit, die
bezwingende Siegesgewißheit. *Mit lachendem munde* und *vrœlîchem sange*
zieht er in Brandigan ein (8155 ff.), und das volle Wissen um die tödliche Aventiure vermag seine Gewißheit nur zu steigern, hier das zu finden, was er bisher dunkel suchte: *Ich weste wol, der Sælden wec / gienge
in der werlde eteswâ, / rehte enweste ich aber wâ, / wan daz ich in suo-
chende reit / in grôzer ungewisheit, / unz daz ich in nû vunden hân. / got
hât wol ze mir getân / daz er mich hât gewîset her . . . / diz sint genædec-
lîchiu dinc* (8521 ff.).
In der Art, wie Erec dieses Abenteuer als das seine erkennt, liegt eine geradezu religiöse Ergriffenheit. In nicht viel anderer Weise erkennt Gregorius den Bußweg zur Felseninsel als den seinen, von Gott bestimmten
Weg, und in ähnlicher Weise haben die Heiligen der Märtyrerviten je und
je ihre Proben auf sich genommen.

Die religiöse Akzentuierung ist Hartmanns Eigentum. KUHN hat von einer
„analogia entis“, einer „gleichen inneren Struktur von Weltdienst und Gottes-
dienst“, gesprochen (S. 147). Mit Recht, denn diese Analogie ergibt sich schon
aus dem Gleichklang von Hartmanns Legenden und Artusdichtungen. Hingegen
kann ich die (angebliche) Weiterführung der KUHNschen „Analogie“ zu einem
handfesten theologischen Symbolismus durch WILLSON (der Baumgarten ist Analogie zum verlorenen Paradies, Hauptthema des ‚Erec‘ der Abfall vom Stand der
Freude als Folge der Sünde und Erlösung durch Wiedergeburt) nur als Mißverständnis beurteilen, das vom Kunstwerk ebenso entschieden wegführt wie
freischwebende Allegorese vom Bibelwort. Das Wort von *Joie de la curt* als
„allegorischer Spiegelung“ kann nicht bedeuten, daß die Episode selbst eine Allegorie sei, deren Sinn außerhalb der Dichtung, in der christlichen Heilsgeschichte,
zu suchen sei. WILLSONS Aufsatz scheint mir symptomatisch für eine starke Tendenz innerhalb der neuesten Forschung, mittelalterliche Dichtung nur noch
nach ihrem theologischen Sinn zu befragen und Erzählungen wie biblische
Schriften zu exegetisieren. Der unbestreitbare Gewinn, den der offene Blick auf
die Theologie für die Dichtung des Mittelalters bedeutete, könnte bei Weiterführung dieser Richtung eines ‚Ovide moralisé‘, d. i. einer allegoria illata, zum
Ärgernis werden.

Gegenüber Chrétien hat Hartmann die *Joie de la curt*-Episode um über
tausend Verse, das ist auf den doppelten Umfang, erweitert. Die Anrei-
cherung geht fast ganz auf Kosten der Schilderungen und einer breiteren
Erzählweise; nur das Witwenmotiv gibt Hartmanns Darstellung einen
wirklich neuen Aspekt. Es verdeutlicht die Funktion Erecs als Bringer

der *vreude,* indem er die traurige Schar an den Artushof führt, wo sie, wie Artus selbst attestiert, des *hoves wünne ... mêret* (9947f.); zudem führt es zusätzlich die *erbärmde* als Beweggrund für Erecs Kampfentschlossenheit ein (8334ff.). Einen künstlerischen Gewinn für das Ganze hat der deutsche Dichter mit seinen Zutaten nicht erreicht. Im Gegenteil, der hinreißende Zug von Chrétiens Erec zur alles erfüllenden Aventiure hin erleidet Unterbrechungen, und die Steigerung des Faszinosum der *joie,* die zugleich Glanz und Todesdrohung ist, hat Hartmann durch Vorwegnahme der Mabonagrin-Geschichte (8008ff.; 8459ff.) weitgehend aufgehoben. Chrétiens Erec — und mit ihm der Leser — weiß bis zum Eintritt in den Wundergarten nichts vom Gegner und den näheren Bewandtnissen von *Joie de la curt,* er weiß nur, daß er dort *sa joie* (5772) erfahren wird, während ihn die Bevölkerung fast im Stil der antiken Tragödie als Verlorenen beklagt (5518ff.; 5705ff.).

Das Ende ist Feier und Preis: *hôchzît* auf Brandigan, Rückkehr zu Artus, der die achtzig Witwen mit Kleidern ausstattet, *sô si ze vreuden beste stât* (9961), Zuerkennung der *êren krône ... sîner arbeit ze lône* (9890f.) und glückliche Heimkehr in sein Reich. Auf Chrétiens Apotheose der festlich-feierlichen Königskrönung des Helden in Karnant hat Hartmann verzichtet, wohl um den Schlußakzent unmißverständlich auf den Artushof zu legen, von dem das Geschehen ausgegangen ist.

Im Tristanroman, der Chrétien bekannt sein mußte, hat er doch nach der Werkliste des ‚Cligés' eine Geschichte *del roi Marc et d'Ysalt la blonde* — mutmaßlich ein Episodengedicht — geschrieben und im ‚Erec' dreimal auf Isolt angespielt, tritt die Minne in der Form der Ehebruchminne in Widerstreit nicht nur zum tätigen Rittertum, sondern zur Gesellschaft. Chrétien hebt im ‚Erec' diesen Antagonismus auf, und wir denken mit Köhler (Ideal und Wirklichkeit S. 155f.) in bewußter Korrektur, indem er Minne und Aventiure aufs engste verknüpft und die Minne in ihre gesellschaftliche Funktion zurückführt. Das war nur möglich in der Form der ehelichen Minne, von der Andreas Capellanus, der Theoretiker der höfischen Minne, im Einklang mit den Trobadors festgestellt hatte, daß sie nicht in der Lage sei, „ihre Kräfte zu entfalten". Chrétien beweist in seinem ersten Artusroman das Gegenteil, aber nicht durch Negation der höfischen Minne, sondern durch deren Bindung an die Ehe. Die Werte der höfischen Minne, die den Mann zur ritterlichen Tat und zur vollen Entfaltung seiner Kräfte antreiben, werden gewahrt, d. h. durch die Krisis der falsch verstandenen Ehegemeinschaft errungen. Das Verhältnis der ehelichen zur höfischen Minne hat den Interpreten beträchtliche Schwierigkeiten bereitet (siehe zuletzt HRUBÝ S. 338 ff.), weil der Umstand, daß Erec Herr der Ehe ist, den Voraussetzungen der höfischen Minne aufs entschiedenste entgegenläuft. Aber gerade dieses im Grunde so reale Eheverhältnis und die Läuterung zu vollkommener Liebe (Chrét. 4925) zeigen an, daß das Wesen der höfischen Minne nicht an äußeren Gegebenheiten liegen kann. Erec im Zweikampf mit Mabonagrin erhält seine Kraft ebenso von der Gattin (Chrét. 5856 ff., Hart. 9182 ff.; 9230 f.) wie der Gegner von der Minneherrin auf dem silbernen Bett. Ja, indem Erec obsiegt, erweist sich die Virtus s e i n e r Minne als überlegen. Hartmann hat diese Vorstellung verdeutlicht, indem er den Baumgartenkampf als Minnespiel darstellte (9106 ff.). Eheliche Liebe, wie sie Erec und Enite *in dem ellende* (10107) zuteil wird, ist also nicht nur virtuell höfische Minne, sondern verwirklicht diese in ihrer vollkommensten Gestalt. Komposition und Thematik sprechen den *san* der ,Erec'-Dichtung unmittelbar aus. Der Artushof, Repräsentation der maßgebenden Gesellschaft, als Mitte und Bezugspunkt ritterlichen Lebens und ritterlicher Werte; die zweifache Bahn des ,anhebenden' und ,fortschreitenden' Ritters in Bewährungen, die in jedem Fall die ,Leistung' der Gefährtin mit einschließt; die diesem zweifachen Kursus entsprechenden Doppelungen der Episoden, im zweiten Aventiurekreis mit dem Artushof als Achse, *Joie de la curt*- und Sperberabenteuer als Krönungen des beginnenden und des vollendeten Paars; die Spiegelung des ,Sinns' in der Thematik und Anlage der Baumgartenszene: das hat in seiner Geradlinigkeit und Durchsichtigkeit kaum seinesgleichen. Dem Schöpfer des ,Erec' ist zuzustimmen, wenn er im Hochgefühl erster Meisterschaft erklärt: *Crestiiens de Troies ... tret d'un conte d'avanture / une mout bele conjointure* (13 f.).

c) ,Iwein'

A u s g a b e n : G. F. BENECKE und K. LACHMANN, Berlin 1827, [6]1964 (von L. WOLFF durchgesehene Ausgabe); E. HENRICI, Text und Kommentar (Germ. Handbibl. 8, 1.2), Halle a. Saale 1891/93; eine neue kritische Ausgabe von L. WOLFF steht vor dem Erscheinen. — Chrétiens Yvain (Löwenritter): W. FOERSTER, Kristian von Troyes: Sämtl. erhaltene Werke, Bd. 2, Halle 1887; ders., Rom. Bibl. 5, Halle [2]1926; M. ROQUES, Les Romans de Chrétien de Troyes IV, Paris 1960; Text und deutsche Prosaübersetzung in: Klassische Texte des roman. Mittelalters in zweisprachigen Ausgaben, hrsg. von H. R. JAUSS und E. KÖHLER, übersetzt und eingeleitet von I. NOLTING-HAUFF, München 1962. — Owein: J. LOTH, Les Mabinogion II, Paris [2]1913, S. 1—45; G. JONES and TH. JONES, The Mabinagion (Everyman's Library Nr. 97), London-New York 1963, S. 155 bis 182.

IX. Hartmann von Aue

Literatur : G. F. Benecke, Wörterbuch zu Hartmanns Iwein, Göttingen 1833, ³1901 von C. Borchling; Verhältnis zu Chrétien: A. Witte, Hartman von Aue und Kristian von Troyes, PBB 53 (1929), S. 65—192; K. H. Halbach, Franzosentum und Deutschtum in höfischer Dichtung des Stauferzeitalters. Hartmann von Aue und Crestien de Troyes. Iwein-Yvain, Berlin 1939. — Interpretation: H. Sacker, An Interpretation of Hartmann's ,Iwein‘, The Germanic Review 36 (1961), S. 5—26; K. Ruh, Zur Interpretation von Hartmanns ,Iwein‘, in: Philologia deutsch. Festschrift Walter Henzen, Bern 1965, S. 39—51; A. T. Hatto, Der aventiure meine in Hartmann's ,Iwein‘, in: Medieval Studies presented to Frederick Norman, London 1965, S. 94—103; R. Endres, Der Prolog von Hartmanns ,Iwein‘, DVjS 40 (1966), S. 509—537; Th. Cramer, Saelde und êre in Hartmanns ,Iwein‘, Euph. 60 (1966), S. 30—47. — Zu Chrétiens Yvain: siehe Bibliographie bei Nolting-Hauff, S. 336 ff.; ergänzend: J. P. Collas, The Romantic Hero of the Twelfth Century, in: Medieval Miscellany presented to Eugène Vinaver, New York 1965, S. 80—96; F. Whitehead, Yvain's Wooing, ebd. S. 321—336. — Zur Quellenfrage und Sagengeschichte: R. Zenker, Forschungen zur Artusepik I. Yvainstudien (Beihefte zur Zs. f. rom. Philol. 70), Halle 1921; H. Sparnaay, Zu Yvain-Owein, Zs. f. rom. Philol. 46 (1926), S. 517—62 (= ders., Zur Sprache und Literatur des Mittelalters, Groningen 1961, S. 147—197); Loomis, Arth. Tradition S. 269—331.

Hartmanns Artusromane liegen fünfzehn bis zwanzig Jahre auseinander, getrennt durch die beiden Legenden. Diese führen nicht, oder doch nur stilistisch, zum ,Iwein‘ hin: die Rückkehr zum Artusroman ist nur als Tatsache zu registrieren, nicht als Endpunkt einer innern Entwicklung des Dichters zu begreifen. Nach Gehalt und Anlage steht der ,Iwein‘ neben dem ,Erec‘.

Nicht so bei Chrétien. Auch dessen ,Erec‘ und ,Yvain‘ trennt zwar ein gutes Jahrzehnt mit dem ,Cligés‘ und dem ,Chevalier de la charrete‘ (Lancelot), aber diese Dichtungen, zumal der ,Lancelot‘, bilden wichtige Voraussetzungen für das Verständnis des ,Löwenritters‘. Das muß auch für Hartmanns Werk in Anschlag gebracht werden, weil die Deutung einer Nachdichtung immer das Verständnis des Vorbilds voraussetzt. Die bisherigen Vergleiche der beiden Dichtungen sind immer so angestellt worden, als handle es sich um eine Zusammenschau auf gleicher Ebene, während sich in Wahrheit Modell und Nachbild gegenüberstehen. Das heißt aber auch, daß das Chrétien-Verständnis Hartmanns zur Diskussion steht.

Schon Chrétiens ,Erec‘ nahm Bezug auf den Tristanroman, indem er der Ehebruchminne, sozusagen sanktioniert durch den Liebeskodex der Zeit, die Minneehe als ideale Form der höfischen Minne, die sich verwirklichen läßt, gegenüberstellte. Im ,Cligés‘ schuf er ein Tristan-Modell in der

Dreieckbeziehung Cligés — Fenice — Alis, aber Fenice will keine Isolt
sein: „Lieber wollte ich mich verbrennen lassen, als daß an uns beiden die
Liebe von Isolt und Tristan erneuert würde, von der man so viele Tor-
heiten erzählt" (3145 ff.). Die Ehe mit dem ungeliebten Alis wird — für
unser Empfinden künstlich genug — vermieden mittels eines Zauber-
trankes, der den Gatten impotent macht, aber doch die Freuden der Liebe
vorgaukelt. Damit gehört Fenice nur dem Geliebten an. Da aber diese
technische Lösung des fatalen Dreieckverhältnisses keine gesellschaftlich-
verbindliche Ordnung zu schaffen vermag, muß der Gatte — in einem
Anfall von Raserei — sterben, damit die Verbindung der Liebenden zur
wirklichen Ehe werden kann. Vom Thematischen her sind wir geneigt,
von einer Tristan-Parodie zu sprechen. Doch kann kein Zweifel darüber
bestehen, daß der ‚Cligés' als ernstgemeinter ‚Anti-Tristan' konzipiert
worden ist und als solcher verstanden werden will.
Im ‚Chevalier de la charrete' hatte sich Chrétien erneut mit
dem ‚Tristan' auseinanderzusetzen. Das Verhältnis Lancelot-Guenievre
(Ginover)-Artus entspricht dem Dreieck Tristan-Isolt-Marke, und die
Liebe Lancelots zur Königin ist als höfische Minne im Sinne der Trou-
badourdichtung und der Minneregeln des Andreas Capellanus dargestellt.
So wollte es die Auftraggeberin Marie de Champagne, die Enkelin des
ersten Trobadors, wenn wir Chrétiens Prologverse *matiere et san li done
et livre / la contesse* (26 f.) richtig verstehen. Der Auftrag mit seinem Programm mochte für den Dichter den Reiz des Neuen und Gewagten haben;
wenn wir uns jedoch die Tatsache vor Augen halten, daß der Dichter sein
Werk nicht selbst abschloß, sondern die Vollendung (ab Vers 6137) dem
Berufskollegen Godefroi de Leigni anvertraute, wird wahrscheinlicher,
daß er sich von seiner Konzeption distanzierte oder überhaupt an einer
organischen Lösung zweifelte. Diese Vorstellung drängt sich aber auch
durch die Analyse der Dichtung auf, die erkennen läßt, daß Chrétien die
vorgegebene *matiere* und den vorgegebenen *san* in einer Weise behan-
delte, die eine Bestätigung der ‚Tristan-,Wahrheit' mit allen Mitteln zu
vermeiden suchte. Diese ‚Wahrheit' schloß den Widerspruch zwischen
wahrer Minne und der gesellschaftlichen Ordnung, aber auch zwischen
Minneverpflichtung und Ritterehre in sich. In welcher Weise suchte Chrétien diesen Widerspruch aufzuheben?

1. Er klammert insofern König Artus als Gatten aus, als er ihn nicht
an der Minnehandlung teilhaben läßt. Das entbindet ihn, das Problem
des Ehebruchs, obschon dieser faktisch vollzogen wird, zu stellen. Aber
auch das Problem des Verhältnisses von Individuum und Gesellschaft

bleibt unaktualisiert; denn nicht nur der Gatte ist ohne Argwohn, auch der Hof — die Gesellschaft — tritt nicht zwischen die Liebenden. Die Lancelot-Guenievre-Minne wird behandelt, als gäbe es keine Ehe und keine die moralische und feudale Ordnung stützende Gesellschaft. Diese Konstellation wird durch den Umstand erleichtert, daß Lancelot zwar zur Tafelrunde gehört, aber sich völlig unabhängig von ihr bewegt. Man darf das Geschick und die Konsequenz dieser Lösung bewundern; dennoch wird Chrétien nicht übersehen haben, daß er dadurch den Artushof als solchen aus seiner Mitte und sinngebenden Funktion herausgenommen hat.

2. Chrétien versuchte die Forderung unbedingter Unterwerfung des Liebhabers unter die Gesetze der Minne mit ritterlicher Tat zu vereinen. Lancelot ist der perfekte Minneritter. Die Regeln VII und XXV des Capellanus schreiben vor, daß der Liebende seiner Herrin jederzeit und in allem zu gehorchen hat, ja daß der wahre Minner kein ander Gut kennen soll, als der Geliebten Willen zu erfüllen. Dazu bekennt sich Lancelot: *Mout est, qui aimme, obeissanz* (3816), und er handelt darnach. Seine ganze Haltung der Königin gegenüber ist die eines Knechtes und Untergebenen, *moult humblement*; selbst bei der Gewährung der höchsten Gunst bleibt die Suprematie der Frau gewahrt: seine *joie,* so heißt es ausdrücklich, ist durch den *congiez* der Dame ermöglicht worden. Auch im *penser* ist Lancelot ein vorbildlicher Minner. Das weltentrückte Sinnen führt ihn bis zur ‚Minnelähmung‘, einem Motiv, das Chrétien aufs glücklichste im ‚Perceval‘ (Bluttropfenszene) wieder aufgegriffen hat. Das Gebot unbedingter Treue erfüllt Lancelot, indem er allen Versuchungen, und sie sind nicht harmloser Natur, standhält. Die Minne steigert sich zu religiös gefärbter Verehrung, wenn der Karrenritter den Kamm der Guenievre mit deren blonden Haaren wie eine Reliquie behandelt (1460 ff.). Eine ausgesprochen ekstatisch-religiöse Note hat das Stelldichein vor dem Turmfenster (4670 ff.). — Dieser ideale höfische Liebhaber soll nun zugleich vorbildlicher Ritter sein. Lancelot ist es, indem er, und er allein — Gauvains Parallelaktion scheitert —, die Königin aus der Gefangenschaft des Meleagant befreit, wobei der Anblick der Geliebten ihm Mut und Kraft zum Sieg über den ungestümen Gegner verleiht. Hier ist der Einklang zwischen Minne und Rittertat vollkommen. Daneben aber, wenn es die Laune der Königin will, stellt sich Lancelot in einem Turnier wie ein Tölpel an und erduldet den Spott der Zuschauer. Wird diese äußerste Demonstration des Gehorsams gegenüber dem Minnegebot durch einen erneuten Wink der Dame allsogleich mit brillanter Tat korrigiert,

so bleibt die berühmte Karrenszene im Widerstreit zwischen Minnegesetz und Ritterehre. Lancelot besteigt den ehrlosen Karren, weil dieser allein ihn zur Königin zu bringen verspricht (*Amors le vialt e il i saut; | que de la honte ne li chaut | puis qu'amors le comande et vialt* 379 ff.). Daß dieses Tun gegen das Gesetz des Artushofes verstößt, beweist Gauvain, der die Aufforderung, den Schinderkarren zu besteigen, mit Entrüstung zurückweist. Minne geht für Lancelot über Ritterehre. Das aber ist die ,Wahrheit' des ,Tristan' (Tristan der Narr!), die Chrétien hier — ungewollt oder gezwungenermaßen — bestätigt. Die strenge Form ,provenzalischer' Minne gestattete also keinen ungebrochenen Einklang der Minne mit Ritterehre und Ritterpflicht.

Am Bilde Lancelots wie der unergründlichen Minneherrin haftet viel Doktrinäres. Es gehört, um dies vorwegzunehmen, zu den großen Leistungen des anonymen Schöpfers des ,Prosa-Lancelot', daß dieser die Liebe des Lancelot und der Guenievre bei voller Bewahrung ihres höfischen Charakters ins unmittelbar Menschliche zu überführen verstanden hat.

Die gegenüber dem ,Erec' veränderte Grundkonzeption der ,Charrete' erforderte eine veränderte kompositorische Gesamtanlage. Der Weg Lancelots ist nicht mehr ein zweigeteilter wie derjenige Erecs, der Weg des ,Beginnenden' und des ,Fortschreitenden', sondern ein einziger Weg der Bewährung — um nicht Demonstration zu sagen — vollendeter Minneritterschaft. Dementsprechend beschreibt die Erzählung einen einzigen Kreis, beginnend mit der Herausforderung Meleagants am Artushof, der die Entführung der Guenievre zur Folge hat, und endend mit dem Sieg Lancelots über den frechen Entführer und persönlichen Feind vor dem Forum der Artusgesellschaft. Das Prinzip der Zweiteiligkeit ist jedoch insofern gewahrt, als mit dem ersten Zweikampf mit Meleagant und der Befreiung der Gefangenen von Gorre eine deutliche Zäsur gesetzt ist: die Marke eines halben Weges. Man kann so auch im Bereich der Komposition das Bestreben des Künstlers beobachten, trotz veränderter Voraussetzungen die Verbindung mit dem ,Erec'-Modell zu versuchen.

Chrétiens ,Y v a i n' wurde mit Recht „als gewolltes Gegenstück und als Korrektiv des ,Lancelot' " bezeichnet (KÖHLER S. 170). Das Korrektiv besteht zunächst in der Rückkehr zur höfischen Ehe und damit, auch kompositionell, zum ,Erec'-Schema. Die notwendige Verbindung mit dem ,Lancelot' aber ist mit der Gestalt der Dame (Laudine) hergestellt, die keine zweite Enide, sondern eine zweite Guenievre, das heißt Minneherrin ist. Wenn Yvain diese Dame durch ein glückhaftes Unternehmen, wie Erec seine Enite, gewinnt und sich ihr vermählt, so unterstellt er sich der fordernden Macht und dem Gebot der Minne. Das Problem wird sein: Läßt sich der im ‚Lancelot' gestörte Einklang von Minne und Ritterverpflichtung und damit von Individuum und Gesellschaft durch die Bindung der Minneherrin an die Ehe erreichen?

Chrétien hat den Zusammenhang zwischen ‚Yvain' und ‚Lancelot' durch die dreifache Erwähnung der Entführung der Königin im ‚Löwenritter' (3706 ff.; 3918 ff.; 4740 ff.) unüberhörbar gemacht. Notwendig war dieses Motiv im ‚Yvain' keineswegs — es gab andere Möglichkeiten, die Abwesenheit Gauvains vom Artushof zu begründen —: es versteht sich als Merkzeichen für das Verständnis des ‚Yvain'. Dieses bedarf des Blickes auf den ‚Lancelot'.

Verfügte Hartmann über diesen Blick? Kannte er die ‚Charrete'? Das Lancelot-Motiv der Ginover-Entführung hat er übernommen, ja zu einer eigentlichen Episode ausgeweitet (4528—4726), aber diese Schilderung mit ihren auffallenden Abweichungen von Chrétiens Erzählung läßt daran zweifeln, daß sie auf der ‚Karre' beruht. Sie hat den Anschein, Hartmanns Kenntnisse gingen auf wenig detailliertes Hörensagen zurück (das Motiv als solches lebte auch außerhalb des ‚Lancelot'), das der Dichter nach eigenen Vorstellungen ausgestaltet hat. Die Vermutung, Hartmann sei die ‚Charrete' unbekannt geblieben, bestätigen aber auch einige Bruchstellen seines ‚Iwein', die man als Mißverständnisse auffassen darf. Diese besagen, daß Hartmann bei Erweiterungen oder besondern Akzentuierungen seine Vorlage nicht verdeutlicht, sondern die Gesamtkonzeption außer acht läßt, der er sich doch, wie die ungewöhnlich getreue Nachbildung erkennen läßt, verpflichtet fühlen mußte. Solche Verzeichnungen betreffen fast immer Person und Stellung der Laudine, die Hartmann nicht eindeutig und konsequent als Minneherrin verstanden hat. Das wird sich in der folgenden Analyse erweisen.

Die Thematik der ‚Iwein'-Dichtung trifft sich in ihrem weitesten Aufriß mit derjenigen des ‚Erec'. Sie zeigt den Weg eines miles electus zu sich selbst, indem dieser zunächst in der Aventiure des Beginnenden das gewinnt, was die persönliche Wertschätzung und das persönliche Glück des Ritters ausmacht: Ritterpreis und Frauenminne, höchste Güter, die nach selbstverschuldetem Verlust neu zu erringen und neu, nämlich als gesellschaftsbezogene Werte, zu verstehen und zu bewähren sind. Dieser Thematik entsprechen zwei konzentrische Kreise der Komposition. Soweit herrscht Übereinstimmung mit dem ‚Erec'. Die Interpretation hat darauf in gleichem Maße zu achten wie auf die Abweichungen. Diese sind bedeutend, in der Thematik wie in der Anlage, die den ,Sinn' spiegelt. In welcher Weise dies der Fall ist, darüber ist die Forschung noch durchaus kontrovers. Sie hat überhaupt erst in den allerletzten Jahren angefangen, die Analyse des Gehalts und der Gestalt des ,Iwein' als Aufgabe zu sehen.

Der erste Handlungszyklus

setzt zögernder ein als im ,Erec'. Der Artushof sonnt sich im Nachglanz des Pfingstfestes. Man gibt sich verschiedenen Beschäftigungen hin. Die einen treiben Sport, andere musizieren oder unterhalten sich mit den Damen, wiederum andere erzählen sich Geschichten. Es entspricht der Atmosphäre heiterer Zwanglosigkeit, wenn Artus und die Königin sich nach dem Essen zum Mittagsschläfchen hinlegen *mê durch geselleschaft . . . dan durch deheine trâkheit* (83 f.). Das bedeutet eine für Hartmann bezeichnende Korrektur Chrétiens. Dieser stellt den Mittagsschlaf des Königs gleich an den Beginn, und die Ritter wundern sich darüber und finden den Rückzug ins Gemach entschieden unschicklich (42 ff.). Hartmann hat nicht nur den Tadel der Ritter weggelassen, sondern den Mittagsschlaf Artus' an einer Stelle eingefügt, wo er weder für die Artusritterschaft, noch für den Hörer schockierend wirken konnte: das Pfingstfest ist nach dem Essen, bei dem das königliche Paar *sich ûf ir aller willen vleiz* (61), in ein Stadium individueller Ungezwungenheit eingetreten: *mänlich im die vreude nam / der in dô aller beste gezam* (63 f.). Dieser Korrektur im Sinne der Untadeligkeit des Königs und der höfischen Gesittung am Artushof entsprechen die Retuschen, die Hartmann wenig später beim temperamentvollen, die Grenzen der *hövescheit* streifenden Rededuell zwischen der Königin und Keii vorgenommen hat (Chrét. 86 ff.; Hart. 137 f..).

Das königliche Mittagsschläfchen wollte ZENKER (S. 225 ff.) als unbewältigtes Motiv der Vorlage (die hier mit der ,Owein'-Fassung gleichgesetzt wird) verstehen. Nun stammt aber gerade das Element des Faux pas von Chrétien, der damit dem Schlaf des Königs (der ursprünglich die Funktion haben mochte, Iweins Alleingang zur Quelle zu ermöglichen) eine neue und besondere Akzentuierung gibt. Sie besteht, wenn auch nur als Andeutung, in jener bewußten spielerischen Provokation, die wir vom ,Erec'-Beginn her kennen. Der Zuhörer sieht sich in eine fast ängstliche Erwartung versetzt (Wird es zu einem Skandal am Artushof kommen?), die sich in der Folge als Irreführung erweisen wird: der Schlaf des Königs geht durchaus in Ordnung; der Ausgeruhte kündet mit drei starken Schwüren eine Aventiure-Fahrt an (661 ff.).

In das von Hartmann mit Charme geschilderte arthurianische Idyll hat die Aventiure einzubrechèn. Sie tut es nicht überraschend und fast gewalttätig wie im ‚Erec', sondern im Reflex einer Erzählung, die den Helden zur Tat stimuliert. Der Ritter Kalogreant erzählt sein bereits zehn Jahre zurückliegendes Abenteuer von der Gewitterquelle. Es führte ihn durch die Waldwildnis von Breziljân zu einer einsamen Burg, wo er die Gastlichkeit des Wirtes und die Liebenswürdigkeit des allerschönsten Burgfräuleins erfährt, und von hier zu einem mißgestalteten, aber keineswegs bösartigen Waldmenschen, der dem nach Aventiure Fragenden den Weg zu einer zauberhaften Quelle weist. Sie fließt unter einer herrlichen Linde, die das ganze Jahr in frischem Grün dasteht; an einem ihrer Äste hängt ein goldenes Becken. Wer damit Wasser auf den Brunnenstein gießt, erregt ein fürchterliches Unwetter, das den Mutwilligen zu Boden schlägt. So ergeht es Kalogreant. Er hat, kaum wieder bei Besinnung, den Kampf mit dem heranstürmenden Quellenritter Ascalon aufzunehmen, wird beim ersten Aufeinanderprall vom Pferde geworfen, verliert Roß und Waffen und muß ehrlos den Rückzug antreten. Eine mißglückte Aventiure! Sie zu bestehen und zugleich die Schmach des blutsverwandten Kalogreant zu rächen, ist Iwein spontan entschlossen. Er erntet dafür den Spott Keiis; doch gefährlicher für sein Unternehmen als die Pfeile des *quâtsprechȩ* ist Artus' Entschluß, mit seiner ganzen Ritterschaft zur Quelle aufzubrechen. Iwein sieht voraus, daß im Kampf mit dem Brunnenverteidiger Gawein oder gar Keii zum Zuge kommen werden. So verläßt er heimlich den Hof, um dem königlichen Aufbruch zuvorzukommen.

Dieser Anstoß zur Aventiure ist durchaus legitim. WAPNEWSKI und noch bestimmter CRAMER haben Iweins erstes Unternehmen, das mit Waffenruhm und Gewinn von Weib und Land enden wird, als „ursurpierte", „angemaßte" und „unrechtmäßige" Tat charakterisiert; „Iweins Ausritt [sei] keine wahre *aventiuren*-Fahrt, sondern vielmehr ein Akt der *superbia*" (CRAMER S. 34). Es gehört nun aber nicht nur zu den festen Gepflogenheiten, sondern zu den unausweichlichen Pflichten der Artusritter, eine mißglückte Aventiure neu zu versuchen. Iwein ist dazu im besonderen Maße aufgerufen, da dieses Mißgeschick seinem *neven* widerfahren ist. Daß aber Artus spontan das Aufgebot zum Gewitterbrunnen *mit aller sîner maht* (902) ergehen läßt, muß jeden Zweifel an der Rechtmäßigkeit dieser Aventiure niederschlagen. Wäre die Wunderquelle „Ort des Unrechts" und die Erregung des Unwetters „verwerflicher Mutwille" (CRAMER S. 35), so träfe das Verdikt nicht nur Iwein, sondern in gleicher Weise Artus. Das aber ist undenkbar, für Chrétien wie für Hartmann.

Konsequent zu Ende geführt, wird durch solche Interpretation aus dem ‚Iwein‘ ein Anti-Artusroman! Außerhalb des Tadels liegt auch Iweins Bestreben, der Aktion des Königs zuvorzukommen, d. h. die Aventiure für sich zu beanspruchen. Aventiuren sind Konkurrenzunternehmungen. Selbst die Furcht vor Gawein und Keii ist gerechtfertigt. Hier ist entscheidend, daß Iweins Quellenabenteuer die Tat des Beginnenden ist: es gilt, sich gegenüber Keii zu behaupten und durch eine Waffentat Gaweins Achtung und Freundschaft zu erlangen. Eine andere Legitimation, die nach Recht und höherm Zweck fragt, ist nicht der Selbstverwirklichung des Beginnenden, sondern des Gereiften eigen. Zunächst kommt das Individuum mit seinen Ansprüchen zum Zuge.

Das Unternehmen Iweins verläuft glückhaft. Der Ritter findet alles präzis und unverändert so vor, wie es Kalogreant berichtet hatte — Abenteuerwege und -gegebenheiten unterstehen keiner Zeit —: die Burg mit dem gastlichen Wirt und der liebreizenden Tochter, den Waldmenschen, die Quelle selbst. Beherzter und glücklicher im Kampf, bringt Iwein dem Gegner eine tödliche Wunde bei und verfolgt den in die nahe Burg Fliehenden *âne zuht* (1056). Vor einem Falltor der innern Burg schlägt er ihm eine zweite Wunde. Sekunden später ist er ein Gefangener. Das Gatter hinter ihm braust hernieder, eine weitere Falltüre schließt sich unmittelbar nach dem Durchgang Ascalons. Die Errettung aus dieser todbringenden Falle läßt nicht lange auf sich warten. Lunete, Kammerfrau und Vertraute der Burgherrin Laudine, erkennt im Gefangenen Iwein, der sich ihrer einstmals als einziger des ganzen Artushofes freundlich angenommen hatte — das Motiv der Dankbarkeit wird hier zum ersten Mal angeschlagen —, und ist entschlossen, ihn zu retten. Dazu dient ein Ring, der Iwein unsichtbar macht und den ihn suchenden Burgbewohnern, die ihren erschlagenen Herrn rächen wollen, entzieht. Dann beobachtet Iwein durch ein Fenster Laudine, wie sie, über den toten Gemahl gebeugt, sich lauter Klage hingibt. Ihre auserlesene Schönheit selbst im Zustand hoffnungsloser Trauer berückt Iwein so sehr, daß er alle Not und Gefahr vergißt. Er macht Lunete zu seiner Vertrauten, und in behutsamer, ebenso natürlicher wie raffinierter Diplomatie gelingt es dieser, ihre Herrin über den Verlust Ascalons hinwegzutrösten und ihr den siegreichen Ritter Iwein als Gatten genehm zu machen. Die Quelle müsse ja verteidigt werden, schon sei Artus mit seiner Ritterschaft unterwegs, Wiederverheiratung sei Pflicht und Notwendigkeit und welcher Ritter wohl fähiger, die Quelle und damit Burg und Land erfolgreich zu verteidigen, als der Besieger des Ascalon? Diesen Argumenten kann sich Laudine nicht verschließen: die

Hochzeit wird geschlossen, und Iwein ist glücklicher Besitzer einer schönen Frau und eines reichen Landes.

Iwein hat seine Gattin nicht selbst gewählt, so sehr er sie begehrte, oder
gar zu sich emporgehoben wie Erec seine Enite. Laudine ist es, die ihn —
und nicht ohne consensus ihrer Getreuen — zu ihrem Gemahl und zum
Verteidiger der Quelle bestimmt. Erec führt Enite in sein väterliches Königreich; Iwein wird zum Herrn eines Landes durch seine Gemahlin. Das
alles geschah glückhaft, aber keineswegs unverdient oder gar unrecht-
mäßig. Im Sinne der Geschichte kann es Glück und Recht der rasch ge-
schlossenen Ehe nicht beeinträchtigen, daß die Witwe den Töter ihres
Gatten heiratet. Es gilt hier, von jeglichem moralischen Maßstab abzusehen. Dies erheischen das vorgegebene Motiv und die Konzeption des
Ganzen. Nun fiel es schon Chrétien und Hartmann, die christliche Dichter
waren und grundsätzlich sittlich dachten, nicht leicht, diesem Erfordernis
gerecht zu werden, aber es ist unverkennbar, daß beide auf ihre Weise
bemüht waren, die ungewöhnliche Ehe mit keinem Schuldkomplex zu
verbinden. Anders hätten sie die Iwein-Geschichte nicht erzählt. Denn ihr
sittlicher Gehalt liegt auf einer ganz anderen Ebene, und eben diesen sittlichen Gehalt müßte eine Darstellung aufheben, die den Ehebund mit
moralischen Implikationen belastete. Dies zu begreifen, scheint der ‚Iwein‘-
Forschung ungemein schwer zu fallen.

Zweierlei ist zu beachten:

1. Laudine ist Quellenherrin. Es lag nicht im Belieben des Dichters, weder
Chrétiens noch Hartmanns, diese Gegebenheit zu verändern: sie konsti-
tuiert die Erzählung als solche. Als Quellenherrin obliegt der Laudine der
Schutz der Quelle, der zugleich Schutz von Land und Leuten ist. Sie bedarf dazu eines auserlesenen Ritters, und ihre Gunst ist es, die ihn für die
Verteidigung der Quelle belohnt. Chrétien hat den wunderbaren Brunnen und dessen Verteidigung zu einer *costume* (1848) gemacht und so die
zwanghafte Rechtlichkeit der damit gegebenen Verpflichtungen unter-
strichen. Von da her gesehen, sind die Argumente der Lunete keineswegs
Sophistereien, und Laudines Entschluß eine Notwendigkeit.

Die ursprüngliche Form des reich bezeugten Quellenmotivs und dessen Umformung durch Chrétien sind einigermaßen präzis zu fassen. Die Quelle ist in der
Hut einer Fee, die jeden Frevel, mutwilliges Vergeuden des Wassers, Abdeckung
des Brunnensteins usw., mit Gewitter und Überschwemmung straft. Tritt dieses
reine Märchenmotiv in die ritterliche Vorstellungswelt ein, so versteht es sich
von selbst, daß der Brunnen von einem Ritter mit Waffen verteidigt wird. Das
Motiv des schauerlichen Gewitters war somit der ursprünglichen Funktionalität

beraubt, wurde aber als spektakuläres Kennzeichen und Anreiz zur Provokation mit Vorteil beibehalten. Solche Verritterlichung duldete keine Fee als Quellenherrin mehr: sie wird zur Dame, und der Verteidiger der Quelle zu ihrem Kämpfer und *amis*. Dieses Verhältnis erfordert aber auch, daß ein Besieger des Brunnenverteidigers an dessen Stelle zu rücken hat.

Zum sagengeschichtlichen Verständnis der Gewitterszene ist immer noch grundlegend ZENKER S. 129—145; ergänzend dazu siehe: SPARNAAY II, S. 26 ff.; LOOMIS, Arth. Tradition, S. 289—293.

2. Die rasche Ablösung des erschlagenen Ascalon durch Iwein hätte sich ohne sittliche Bedenken gefügt, wenn der Quellenverteidiger Liebhaber, nicht Gemahl der Laudine wäre. Daraufhin war das ursprüngliche Motiv zweifellos angelegt. Chrétien aber mußte im Hinblick auf den Fortgang der Erzählung den Verteidiger und Liebhaber zum Gemahl erheben, gleichzeitig galt es, die Suprematie der Dame zu wahren. Dies ermöglichte die Minneauffassung der Zeit: die Quellenherrin wird zugleich zur Minneherrin. Damit ist sie grundsätzlich sittlicher Wertung entzogen. Sie ist Gebieterin und darf vom Manne fordern, was ihr beliebt; umgekehrt hat es des Liebenden höchste Pflicht zu sein, der geliebten Herrin Willen zu erfüllen (Regel XXV des Capellanus). Erst in dieser Pflicht steckt ein Element sittlicher Rechtfertigung: sie ermöglicht die Entfaltung und Steigerung der besten Manneskräfte. Dies zu erkennen, ist entscheidend für die Schuldfrage.

Die Verbindung der Quellenherrin mit der Minneherrin war ein Meistergriff schöpferischer Gestaltung; sie brachte den erzählerischen Reiz des Märchenmotivs mit Idealvorstellungen der zeitgenössischen Gesellschaft in Einklang. Einzig der (unvermeidliche) Status der Ehe mußte Schwierigkeiten schaffen, da er von den geltenden Rechts- und Schicklichkeitsvorstellungen nicht schlechterdings abzulösen war. Selbst Andreas Capellanus fordert, daß eine Witwe zwei Jahre um ihren verstorbenen Geliebten trauern soll (Regel VII).

Chrétien gleitet über diese Schwierigkeiten durch munteres, schwereloses Erzählen hinweg. Man hat von seiner ironischen Skepsis gegenüber Frauen und ihrer Treue gesprochen. Ich kann sie nicht finden; was in den vielbemühten Stellen 1638 ff. und 1736 ff. zum Ausdruck kommt, ist liebenswürdige Frauenpsychologie, die keine Dame verletzen wollte. Dem Schöpfer der Enide, Fenice und Blancheflor (Kondwiramurs) dürfte man ohnehin kein Frauenbild zumuten, wie es die Forschung in Laudine zu erkennen glaubt. Auch die Diplomatie der Lunete, zu der das auszeichnende Signum der Treue gehört, setzt die neue Ehe der Laudine nicht der Fragwürdigkeit aus. Im übrigen mag man bezweifeln, ob es Chrétien gelungen sei, den schwierigen Weg zur neuen und raschen Ehe für sein Publikum glaubwürdig zu machen: nur daran ist nicht zu zweifeln, daß diese Ehe geschlossen werden mußte, und zwar, nach der Intention des Erzählers, eine Ehe, der kein Makel und keine Problematik anhaften sollten.

Hartmann folgte Chrétien auf diesem Wege und in dieser Absicht, aber mit veränderten Akzenten. Er kommentiert, wie immer an wichtigen Stellen der Handlungsführung, indem er die Dame verteidigt (1863 ff.; siehe oben S. 108). Solche Rechtfertigung hatte Laudine, streng genommen, nicht nötig, und Hartmann weiß es. Es galt aber für ihn, dringlicher noch als für Chrétien, Einwände des Hörers aufzufangen (Wolfram hat er bekanntlich nicht überzeugt: Lunetes Rat! Parz. 253, 10ff.). Das Nebenher dieser Rechtfertigung wird durch Verallgemeinerung — Hartmann spricht von den *wîben* schlechthin — und heiter-spielerische Form mit rührenden Reimen angezeigt. Jedenfalls kann keine Rede davon sein, daß die *michel vuoge* der Ehe (2417), weil Selbstzitat aus dem ‚Armen Heinrich‘ (1511), „bitter-ironischer Kommentar" Hartmanns sei (CRAMER S. 37).

Die Sanktionierung von Iweins Gewinn und Glück durch den Artushof bestätigt unsere Deutung. Artus mit den Seinen ist zum angezeigten Termin zur Quelle gekommen und hat das Gewitter entfacht; Iwein bewährt sich als Quellenritter, indem er Keii, der den Kampf für sich forderte, unsanft zu Boden wirft: Triumph über den Spötter. Hierauf gibt er sich zu erkennen, Artus und seine ganze Begleitung werden Gäste des neuen Paares. Es herrscht ungeteilte Freude und Genugtuung über Iweins Gelingen. Wenn man dem Artushof auch hier die Funktion zubilligen will, die man ihm sonst zuschreibt, so kann die festliche Teilnahme des Artushofs an Iweins Erfolg nur bedeuten, daß dieser seine sozusagen gesellschaftliche Bestätigung erhält, und Gaweins Freundschaft, daß Iwein nunmehr zu den würdigsten gehört. Iwein steht dort, wo Erec nach der Rückkehr zum Artushof gestanden hat: er besitzt *êre* (2649), *ein schœne wîp, / ein rîchez lant ... und swes ein man zer werlte gert* (2747 ff.). Dies ist das Fazit der Quellenaventiure, und Gawein ist es, der es formuliert.

Der Weg vom Artushof in die erfolgreiche Aventiure und wieder zurück zum Artushof gilt nicht nur für den *premerains vers* des ‚Erec‘, sondern auch des ‚Iwein‘, jedoch mit dem Unterschied, daß sich hier der Artushof zu Laudine begibt. Dies ist zunächst nur technisch durch den Umstand bedingt, daß Laudine Quellenherrin ist und ihren Ort nicht verlassen kann. Darüber hinaus wird diese Strukturverschiebung aber auch zum

Zeichen: der Minneherrin Laudine kommt ein eigener Bereich zu, der sich
ideologisch mit dem Artuskreis nicht ganz zu decken vermag. Das erweisen
Verlauf und Sinn des

zweiten Handlungszyklus

des ,Iwein'. Er setzt, wie im ,Erec', mit einer Krisis ein, und diese wird
durch den ersten Repräsentanten der Artusritterschaft, Gawein, ausgelöst
(2763 ff.).

Über diesen Neueinsatz herrscht selbst dort große Unsicherheit, wo man sich
für die Zweiteiligkeit der ,Iwein'-Komposition entschieden hat. Empfohlen
wurden 2971 (nach der Beurlaubung), 3029 (nach dem Minneexkurs), 3201 (nach
dem Ausbruch des Wahnsinns). Wenn man beachtet, daß die ,Feier' des Helden
die Bestätigung der Aventiure vor der *werlt* bedeutet, so kann der zweite Teil
nur mit Vers 2763 (= Chrétien 2476) beginnen. Daß Chrétien freilich Ab-
schlüsse von Aventiuren markiert (*li premerains vers* Erec 1844, dem im ,Yvain'
die Zäsur nach 2329 entspricht) und *hôchgezît* und Krisis in e i n e m Zug erzählt, ist nicht zu übersehen. Im ,Erec' liegt die Wende zur Krisis mitten in
einem Satz, wenn auch betont durch ein unüberhörbares *Mes* (2434), und auch
der ,Yvain' kennt an dieser Stelle keine Erzählpause. Doch sind das auf die Vor-
tragswirkung hin berechnete Spannungsbögen, die mit der sinngebenden Balance
des Strukturgefüges nichts zu tun haben.

Vor der Verabschiedung der Gäste nimmt Gawein den Freund auf die
Seite und ins Gebet, indem er den Jungverheirateten vor dem *verligen*
und damit dem Ehrverlust warnt, so wie es Erec widerfahren sei
(2787 ff.). Dieser Mahnung fügt er als abschreckendes Beispiel das drastische Bild eines Krautjunkers hinzu, der nach der Eheschließung zu Hause
verbauert. Letzteres ist eine Zutat Hartmanns, und sie gehört, so sehr sie als
Schilderungsstück zu gefallen vermag, nicht zu den gelungenen Erweiterungen, verformt sie doch eine ernsthafte Warnung zur Groteske. Schwer-
wiegender ist jedoch der Umstand, daß Gawein als Freund, d. h. in nur
privater Zuständigkeit, an Iwein herantritt. Bei Chrétien ist er Sprach-
rohr des Artushofes, der „die ganze Woche ... Hern Yvain nach Kräften
mit Bitten zugesetzt hatte, daß er mit ihnen käme" (2479 ff.). Unauf-
merksamkeit des Nachdichters oder absichtliche Entlastung des Artushofes
auf Kosten Gaweins? Das letztere scheint zuzutreffen. Denn, nachdem
Iwein seinen auf ein Jahr befristeten Urlaub von Laudine erhalten hat,
läßt der deutsche Dichter durchblicken, *daz mîn her Gâwein in [Iwein]* /
mit guoter handelunge / *behabte unde betwunge* / *daz er der jârzal ver-*
gaz / *und daz gelübede* [der pünktlichen Rückkehr] *versaz* (3052 ff.). So-

mit wird der gute Freund und *der höfschste man / der rîters namen ie ge-
wan* (3037 f.) zu Iweins *ungevelle* (3030). Daß Gawein Iwein festhält, ist
zwar auch bei Chrétien angedeutet (2668 f.; 2676 ff.), aber erst die Akzentuierung Hartmanns macht die Frage einer Mitschuld Gaweins virulent.

Hier war Hartmann schlecht beraten. Denn erstens kam es dem Artushof durchaus zu, nach Iweins Vermählung seinen Anspruch auf die aktive Ritterschaft des
Protagonisten und damit auf dessen *êre* geltend zu machen, und zweitens konnte
der Warner damit in keiner Weise zum Mitschuldigen an Iweins späterem Versäumnis werden — es sei denn durch ein beabsichtigtes Zurückhalten von der
Heimkehrverpflichtung. Hartmann steuert diesen Weg an, der nur ins Unge-
reimte führen konnte, solange nämlich Gawein im Werkganzen die Funktion
des Vorbildlichen zukommt, und dies macht der abschließende Gawein-Iwein-
Kampf zur Gewißheit. Hartmann hat denn auch diese Interpretationslinie nicht
weiter verfolgt (siehe jedoch unten S. 157).

Iwein glänzt auf Turnieren und versäumt den Tag der Rückkehr. Da
erscheint Lunete (bei Chrétien ist es eine anonyme Botschafterin) vor der
Tafelrunde, grüßt alle außer dem einen, dem *verrâtære: daz ist hie der
herre Îwein* (3119). Sie erklärt diesen im Namen ihrer Herrin *vür einen
triuwelôsen man,* der *rîters namen* verwirkt habe, und streift ihm Laudines Ring, Zeichen der Minnegemeinschaft, vom Finger. Die Wirkung
auf Iwein ist furchtbar. Ohne ein Wort zu sagen, wie ein Geschändeter
und Geächteter verläßt er den Artushof. Draußen in der Einsamkeit trifft
ihn der Wahnsinn wie ein Schlag. Er wirft Waffen und Gewand von sich
und irrt nackt und verstört in der Wildnis herum.

Mit der Anklage der Lunete und dem Sturze Iweins in Elend, Verzweif-
lung und Wahnsinn ist die Schuldfrage gestellt. Die Schuld liegt zunächst
ganz schlicht im Versäumnis des Rückkehrtermins. Ist Laudine Minneherrin, so ist die Mißachtung des Minnegebots ein Minneverbrechen. So
faßt es Laudine auf, und Iwein akzeptiert dieses Urteil: *sît diu selbe
schulde / niemens ist wan mîn, / der schade sol ouch mîn eines sîn*
(4218 ff.).

Man hat, zuletzt CRAMER (S. 38), auf ein Gegenwort Iweins hingewiesen: *der
[mîner vrouwen hulde] mangel ich ân schulde* (5470). Es darf zu den Verzeichnungen Hartmanns gerechnet werden, denn es widerspricht nicht nur Chrétien,
der an dieser Stelle Iwein sein *acheison* und *forfet* (4602) bekennen läßt, und
sich selbst, d. h. dem oben zitierten Selbstbekenntnis, sondern auch — und dies
ist der entscheidende Punkt — der ganzen Haltung Iweins nach dem Sturz, die
ohne Einsicht in den Fall schlechterdings nicht denkbar ist.

Die Mißachtung eines Termins ist ein formales Verschulden, das für uns
wenig bedeutet. Deshalb der Widerstand der ,Iwein'-Interpreten, sie als
„eigentliche" Schuld zu akzeptieren. Man dürfte aber auch dem Dichter
und seiner Zeit nicht unerträglichen Formalismus nachsagen, denn es geht
freilich nicht ausschließlich um einen vergessenen Termin. Iweins Versäumnis ist äußeres Zeichen eines inneren Versagens — genau wie Parzivals
Versäumnis der Frage vor dem Gral. Worin dieses innere Versagen zu
suchen ist, spricht die Anklage der Lunete aus: sie lautet auf Treulosig-
keit. Es wäre falsch, diesen Begriff zu wägen und auf seine Berechtigung
hin zu untersuchen. Weder Chrétien noch Hartmann tun es. Warum jedoch Iwein als *triuwelôser man* (3183) beschuldigt werden konnte, das
zeigt der Weg an, der ihn zu Laudine zurückführen wird. Zur ,Psycho-
logie' von Iweins Schuld nur dies eine: Seine ,Treulosigkeit' gegenüber
Laudine ist nicht Treueverlust, sondern Unterlassung des Treubeweises,
genau so wie die ritterliche Untätigkeit Erecs nicht bedeutet, daß dieser
die potenziellen Tugenden eines Ritters verloren hat. Iwein hörte nie auf,
Laudine zu lieben, er ließ sein Herz bei ihr zurück, wie sie ihm das ihre gegeben hat (2990 ff.), aber während seiner Turnierfahrt bleiben die
Minnekräfte unaktualisiert. Im Versäumen und Unterlassen, im Untätig-
und Stummbleiben liegt die eigentliche und tiefste Schuld, hier und überall in der klassischen höfischen Epik. Sie verrät sich nur leise, ist nicht mit
spektakulösen Todsünden gleichzusetzen, und trotzdem läßt sie sich unmittelbar fassen, nämlich in ihren Wirkungen und im Gewicht, das ihr
vom Schuldigen zugemessen wird.

Wie wenig gerade diese leise Art der Schuldgestaltung, die zum Tiefsten und
Wesentlichsten gehört, was uns die klassische Epik des Mittelalters zu sagen hat,
verstanden wird, zeigen die Versuche, Iweins „eigentliche" Schuld handfest in
der Aventiure des Beginnenden nachzuweisen, die als angemaßtes Unternehmen,
die Entfachung des Unwetters als Rechtsverletzung, der Sieg über Ascalon als
Mord qualifiziert werden (WAPNEWSKI und noch konsequenter CRAMER). D a -
f ü r hätte Iwein zu büßen, nicht für die Überschreitung eines „willkürlich auf-
oktroyierten Termins". Gegen diese Interpretation der Schuldfrage kann nichts
überzeugender geltend gemacht werden als der Umstand, daß damit — eine
mißlungene Dichtung bewiesen wird! Der ,Iwein' mit seinen „Kompromissen
und poetischen Verzweiflungsaktionen", „wie sie jeder inneren und äußeren
Wahrhaftigkeit Hohn sprechen, entbehrt ... in seiner höfischen Fassung eines
organisch gestalteten, logisch durchgeführten, konsequent entwickelten Grund-
problems. Vielmehr klafft eine Diskrepanz zwischen *matiere* und *san*, zwischen
Stoff und Tendenz" (WAPNEWSKI S. 69).

Die einzige Stütze einer schuldhaften Tat Iweins im Rahmen der Quellenaventiure bietet Hartmanns *her Îwein jagt in âne zuht* (1056). Der zweite Schlag unmittelbar vor dem Fallgitter scheidet als Argument für Hartmanns moralische Kritik aus, da er offensichtlich nur der Erklärung dient, daß Iwein dem todbringenden *slegetor* entgeht: *er hete sich nâch dem slage / hin vür geneiget unde ergebn: / alsus beleip im daz lebn* (1108 ff.). Im übrigen müßte schon die raffinierte Technik dieser getarnten Guillotine jeden Versuch verbieten, in Ascalon einen zu Unrecht herausgeforderten Ehrenmann zu erblicken. Iweins wilde Verfolgung steht im Zusammenhang mit dem Siegesnachweis, wie ihn ein Ehrbegriff erheischt, der an die Beglaubigung durch die Gesellschaft gebunden ist. Deshalb das Erfordernis des Siegeszeichens und die nie vergessene Verpflichtung des Besiegten, seine Niederlage an zuständiger Stelle zu melden! Iwein treibt so die (nach den Regeln des Artushofes verständliche!) Sorge um den Siegesnachweis zu einer Verfolgung an, die Hartmann, wie es scheint (warum eigentlich?), als regelwidrig empfand: *âne zuht*. Ich will damit das Punktuelle dieser Kritik betonen und sehe die Berechtigung dazu im Umstand, daß Iwein wenige Verse zuvor mit Nachdruck *ein sô hövesch man* (1040) genannt wird. Ich leugne nicht mein Bemühen, mit einer unangenehmen Stelle fertig zu werden. Man übersehe aber nicht, daß es noch viel weniger angeht, diese einzige Wendung zum Ausgangspunkt einer Interpretation zu machen, die den sozusagen immanenten Sinnzusammenhang der ganzen Erzählung in Frage stellt.

Iwein hat alles verloren: seine *êre,* seine Ritterschaft, seine Minne, ja seine Menschenwürde. Er steht tiefer als jener Waldmensch, dem er auf der ersten Ausfahrt begegnet ist. Das Verlorene zurückzugewinnen, ist die Aufgabe des Gestürzten. Dazu bedarf er zuerst fremder Hilfe. Sie kommt bezeichnenderweise von einer Frau, der Dame von Narison. Sie erkennt im schlafenden Iwein den bekannten Artusritter, erbarmt sich seiner und vermag ihn durch ein wundertätiges Pflaster zu heilen. Damit ist Iwein auch wieder im Besitz seiner moralischen Kräfte. Er nimmt den Grafen Aliers gefangen, der als abgewiesener Liebhaber die Frau von Narison hart bedrängt — ein Akt der Dankbarkeit und Dienst am Mitmenschen —, weist aber den Lohn, der Dame *lîp* und *guot* (3799), zurück und bewahrt so Laudine gegenüber die Treue.

Es folgt — bei Chrétien präzis in der Mitte der Dichtung (3341—3484), eine Auszeichnung, die Hartmann übersehen hat — die Löwenbefreiung und Löwendankbarkeit. Das von Iwein aus den Fängen eines feuerschnaubenden Drachen befreite edle Tier folgt dem Erretter und steht ihm in kommenden Nöten bei; es leistet vorbildlich und sinnbildlich das, was Iwein auf seiner Prüfungsfahrt zu bewähren hat: Treue und Dankbarkeit.

152

Die zwei folgenden schweren Kämpfe sind Gerichtskämpfe. Der erste gilt Lunetes Befreiung vom Feuertode. Lunete ist vom Truchseß der Laudine des Verrats bezichtigt und kann nur durch den Gerichtskampf, den ein Ritter, der für sie antritt, mit dem Ankläger und mit zwei Brüdern zu führen hat, befreit werden. Indem Iwein den ungleichen Kampf mit drei Gegnern aufnimmt und den Sieg davonträgt, leistet er Lunete den gleichen Dienst, den sie dem hoffnungslos Gefangenen im Burgtor erwiesen hatte.

Lunetes Befreiung findet bei der Burg der Laudine statt. Iwein spricht mit seiner Gattin, die ihn nicht erkennt, aber Anteil an seinem *swæren ungemüete* (5538) nimmt: erstes Zeichen einer möglichen Versöhnung.

In einem zweiten Gerichtskampf setzt sich Iwein für das Recht der jüngern Tochter des Grafen vom Schwarzen Dorn ein; ihr macht die ältere Schwester ihren Anteil am väterlichen Erbe streitig. Sein Gegner ist Gawein, den die Ältere für ihre Sache zu gewinnen wußte. Unerkannt kämpfen die beiden Freunde vor dem versammelten Artushof einen ganzen langen Tag, bis die Nacht den unentschiedenen Zweikampf unterbricht und die Kämpfer ihren Namen nennen. Die Bewährung im Kampfe mit Gawein ist Ausweis höchster Rittertüchtigkeit. Iweins *êre* ist vor der höchsten Instanz wiederhergestellt.

Zwischen diesen Gerichtskämpfen hatte Iwein zweimal Riesenkämpfe zu bestehen, wobei es galt, Hartbedrängte von roher, brutaler Gewalt zu befreien: zuerst eine Familie vom Riesen Harpin, der sechs Söhne des Burgherrn gefangen genommen hatte, weil dieser sich weigerte, seine Tochter dem Unhold auszuliefern; dann dreihundert edle Frauen, die durch ein Riesenpaar, bzw. einen von ihnen in Eidespflicht genommenen Burgherrn zu unedler Fronarbeit gezwungen werden (‚Pesme aventure‘, ‚Burg vom schlimmen Abenteuer‘). Beide Riesenkämpfe bringen Iwein in äußerste Terminnot.

Die Löwenritter-Abenteuer sind in strenger Weise nach der Technik der Fugung komponiert. Die Mittelachse bildet die Zwischeneinkehr bei Laudine (die im ‚Erec‘ der Zwischeneinkehr bei Artus entspricht). Um sie sind die beiden Gerichtskämpfe in der Weise angeordnet, daß nach der jeweiligen Exposition (Lunetes Haft, bzw. Rechtsstreit der Grafentöchter) die Riesenkämpfe als Ganzes eingeschachtelt sind, worauf es zur Durchführung der bereits verabredeten Gerichtskämpfe kommt. Außerhalb dieser festen Bindung stehen der Aliers-Kampf und die Löwenbefreiung. Es sind epische Vorzeichen, welche den Sinn der folgenden Aventiuren anzeigen: Dankbarkeit und selbstlosen Dienst.

(Gerichtskämpfe)

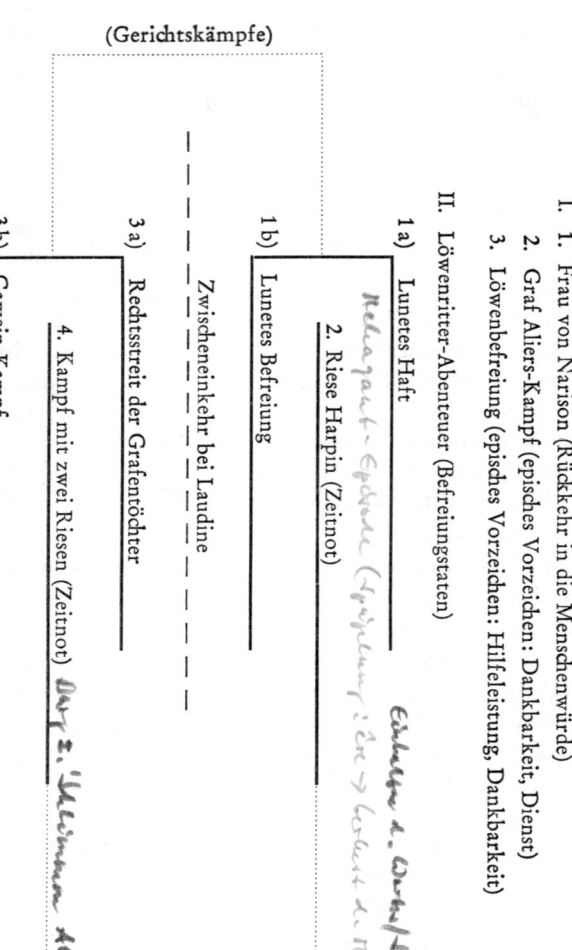

I. 1. Frau von Narison (Rückkehr in die Menschenwürde)

  2. Graf Aliers-Kampf (episches Vorzeichen: Dankbarkeit, Dienst)

  3. Löwenbefreiung (episches Vorzeichen: Hilfeleistung, Dankbarkeit)

II. Löwenritter-Abenteuer (Befreiungstaten)

  1 a) Lunetes Haft

    2. Riese Harpin (Zeitnot)

  1 b) Lunetes Befreiung

  Zwischeneinkehr bei Laudine

  3 a) Rechtsstreit der Grafentöchter

    4. Kampf mit zwei Riesen (Zeitnot)

  3 b) Gawein-Kampf

(Riesenkämpfe)

154

Als technischer Fehler ist, wie schon oben S. 142 bemerkt, Hartmanns Episode von der Entführung der Königin zu beurteilen. Zwar wird auch sie in das Geschehen eingefügt, nämlich in die Harpin-Aventiure, aber sie hat kein Gegenstück in der *Pesme aventure*! Dieser Stellenlosigkeit der Episode entspricht der Umstand, daß sie nur Motiv-, nicht Sinnträger ist. Eine Kompositionsanalyse (siehe das Schema S. 154) darf sie ausklammern.

Die Löwenritter-Abenteuer zeigen den Weg eines Ritters, der sich in den Dienst bedrängter Mitmenschen stellt. Sie sind alle Befreiungstaten. Das hebt sie ab vom Quellenabenteuer, das dem persönlichen Ruhme galt, unternommen von einem Manne, *der êre mit listen / kunde gevristen* (947 f.). Der ,fortschreitende‘ Ritter findet sich zur Gemeinschaft. Ritterliche Aktivität als solche (Turnierfahrten) genügt nicht, oder doch nur für den Inzipienten; zur *êre* hat die *rehte güete* zu treten.

Solcher Wandel wird erst möglich durch die Krisis, den Fall. Der Totalverlust öffnet den Weg zu höherem Gewinn. Da der Sturz in die Tiefe aber Schuld anzeigt, wird dieser Weg zum Bußweg. Es bestätigt unsere Auffassung der Schuld, daß Iwein das gutzumachen hat, worin er fehlte, und dies bis zur (liebenswürdigen und übrigens recht mittelalterlichen) Pedanterie: Er bewährt sich nicht nur in der *triuwe* gegenüber Laudine (durch zweimalige Zurückweisung eines Minneangebots) und in der Dankbarkeit (gegenüber der Frau von Narison und Lunete), sondern auch in der Pünktlichkeit (durch zweimalige Terminnot). Das alles steht in so präzisen Bezügen, daß an der sinngebenden Funktionalität der zweiten Abenteuerfolge nicht zu zweifeln ist.

Der Gawein-Kampf vor den Tafelrundern stellt Iweins Artuswürdigkeit wieder her. Aber noch ist die Liebesgemeinschaft mit Laudine gebrochen. Die Minnenot, unter der neu erworbenen Sonne der Artus-*êre* übermächtig geworden, zwingt Iwein, das Äußerste zu versuchen. Der Weg von einstmals wird wiederholt im heimlichen Aufbruch vom Artushof, im Gang zur Quelle, in der Entfachung des Unwetters, im Willen nach ,Gewinn‘, aber unter anderem Vorzeichen. Es geht nicht um *êre*, sondern um Befreiung von *kumber* (Kennwort 7797 ff.!), nicht um Sieg und Lohn, sondern um Gnade. Daß die Huld der schwergekränkten Gattin mittels Lunetes Rat und List erlangt wird, mag den modernen Leser unbefriedigt lassen, ist jedoch durch die Parallele zur Quellenaventiure bedingt. Die Überlistung der Laudine besagt nicht, daß deren neue Huld nicht verpflichtend und von Dauer ist. Es hat ja ohnehin nicht an ihr gefehlt. Immerhin ist nicht zu übersehen, daß der ,Iwein‘-Schluß ohne die Aufmerksamkeit und das Textverständnis geschrieben worden ist, die Hartmann sonst eigen sind. Die Versöhnungsszene enthält das größte Mißverständnis der Nachdichtung. Auf das Bekenntnis Iweins: *vrouwe, ich habe missetân* (8102), das Chrétiens: *Si m'an rant coupable et forfet* (6785) entspricht, reagiert Hartmanns Laudine mit Fußfall und der Bitte: *nû wil ich iuch durch got biten / daz ir ruochet mir vergebn, / wand er* [Iweins *grôzer kumber*] *mich, unz ich hân daz lebn, / iemer mêre riuwen muoz* (8126 ff.). Hartmann mag hier einem Bedürfnis, die Gestalt der Laudine zu vermenschlichen, nachgegeben oder an eine neue Solidarität, die sich auch im Verzeihen äußert, gedacht haben. Doch er tat nicht gut daran, denn er stellte damit die Konzeption des Ganzen in Frage, die Laudine als Minneherrin nicht in den Schuldkomplex einbezieht.

Erinnern wir uns, daß im ‚Lancelot' die Harmonie von Minne und Ritterverpflichtung infolge der Konzeption der Minneherrin gestört ist. Der ‚Iwein' hat diese Konzeption beibehalten, aber den Liebhaber zum Gemahl seiner Minneherrin gemacht. Läßt sich nun diese modifizierte Form der höfischen Minne mit den Forderungen der Gemeinschaft in Einklang bringen?

Der Vergleich der ‚Iwein'- mit der ‚Erec'-Komposition ergibt, daß die Artusstationen, auf die im ‚Erec' als alleiniger Mitte hin das Geschehen ausgerichtet ist, im ‚Iwein' zu Gunsten eines zweiten Zentrums, der Hofburg der Laudine, verschoben sind. Noch bestätigt der Artushof Glück und Heirat Iweins, aber es geschieht am Hofe der Laudine. Die Zwischeneinkehr bei Artus als Mittelachse des zweiten Teils ist zu einer Zwischeneinkehr bei Laudine geworden, und das Auffallendste: die letzte Station und das letzte Ziel ist nicht mehr Artus, sondern Laudine. Das dürfte doch heißen, daß Laudine als Minneherrin ihren eigenen Bereich behauptet. Sie hat ihren ‚Ort' nicht wie Enite am Artushof *bî den liuten*. Minne provenzalischer Provenienz, auch in der Bindung an die Ehe, gestattet keinen Einklang mit der Gesellschaft.

Eine weitere Beobachtung: Iwein kehrt an den Artushof zurück, und er mißt sich als Ebenbürtiger mit Gawein. Damit ist die Verbindlichkeit des Artushofes ausgesprochen. Aber zunächst nur für Iweins Rittertüchtigkeit und *êre*. Es wäre also die eine Seite der ritterlichen Idealexistenz, das was im Begriff der Aventiure beschlossen ist, dem Artushof, die Minne jedoch einem privaten Bereich zugeordnet. Was im ‚Erec' in unlösbarer Einheit verbunden war, was noch in der ‚Charrete' gegen *matiere* und *san* versucht wurde, das klaffte im ‚Iwein' auseinander!

Ich glaube nicht, daß Chrétien und, ihm folgend, Hartmann diese Trennung im ‚Iwein' sanktioniert haben sollten, und sehe die Bindung beider

Kräfte und Ordnungen in folgendem: Der Weg Iweins zu Artus und zu
Laudine ist, genau besehen, ein einziger Weg. So wie in der Prüfungsfahrt
Erecs jede Rittertat die Leistung der Partnerin mit einschließt, so ist der
Weg, auf dem Iwein die Artuswürdigkeit neu gewinnt, der gleiche Weg,
der ihn zu Laudine zurückführt. Iweins Ritterschaft in Kampf und Sieg
ist immer zugleich eine *triuwe*-Leistung und damit auf Laudine bezogen.
Wenn aber in den Löwenrittertaten Aventiure und Minne integriert erscheinen, so dürfen auch der Artushof und die Laudineminne nicht als
zwei verschiedene Ziele, sondern als gemeinsamer Endpunkt verstanden
werden. Was im epischen Bericht sich notwendigerweise als ein Nachein-
ander darstellen mußte, das ist dem Sinne nach ein Miteinander: Aventiure u n d Minne. Aber es gilt nur für Iwein. Laudine bleibt draußen. Als
Minneherrin ist sie immer nur selbst Mitte. Vielleicht weist das auffallende zweimalige *wænlich* (8148, 8159), womit Hartmann die *süeze zît*
und das *guot leben* der Wiedervereinten akzentuiert, leise darauf hin, daß
dem Dichter die zwar erstrebte, aber nicht restlos erfüllte Harmonie der
ritterlichen Lebensmächte bewußt war.

Zu überlegen ist in diesem Zusammenhang noch, ob die Tatsache, daß Gawein
als Kämpfer für die ältere Grafentochter auf der Seite des Unrechts steht, und
dies nicht gänzlich ohne Wissen — niemand darf erfahren, daß er sich ihr verpflichtet hat —, im Bewußtsein des Erzählers und Nacherzählers eine Einschränkung der Artusideologie bedeutet. Sie steht im Zusammenhang mit der turbu-
lenten Szene der Entführung der Königin; der Artushof weist Züge der Des-
orientierung auf. Der Burgherr, der vom Riesen Harpin bedroht ist, hat Gawein nicht am Hofe getroffen; die jüngere Schwester findet dort gleichfalls
keinen Kämpfer. Versagen des Artushofes, dem der wahre Helfer Iwein gegenüber gestellt wird? In dieser Richtung interpretiert am konsequentesten SACKER
(bes. S. 18 ff.). Allein einer solchen Konzeption widerspricht die sonstige Funktion Gaweins (und das wiederholte Lob, das diesem zuteil wird: siehe besonders
Chrétien 2400 ff.) und des Artushofes. In der etwas bemühenden Hilflosigkeit
der Tafelrunder scheint ein handlungsbedingtes Element — die jüngere Grafentochter d a r f ja keinen andern Helfer als Iwein finden, und Gawein m u ß im
Gerichtskampf auf der Seite des angemaßten ,Rechts' stehen — dem *san* nicht
unterworfen zu sein, und zwar bei Chrétien und bei Hartmann.

Als Chrétien den ,Yvain' schrieb im Versuch, die höfische Minne für den
Artushof, d. h. für die Gesellschaft und deren Ordnung, zu retten, mußte
ihm bewußt werden, wie schwer dies war und wie aufs Äußerste ge-
spannt und ungesichert die erreichte Lösung. Das Minneproblem drohte
die Artusideologie auseinanderzureißen. Dies führte Chrétien zur ,Perce-

val'-Dichtung, in der die ritterlichen Werte neu gebunden werden: im Religiösen.

Auch Hartmann konnte die ideologische Gespanntheit des ‚Iwein‘ nicht verborgen bleiben. Er festigte die Ideologie, welche die Erzählung selbst nicht mehr restlos zu legitimieren vermochte, im Programm des Prologs. Dieser wurde zum gültigsten Ausdruck, den die Artusidealität in der deutschen Dichtung gefunden hat:

> Swer an rehte güete
> wendet sîn gemüete
> dem volget sælde und êre.

Der Artusroman, wie ihn Chrétien geschaffen und Hartmann zuerst den deutschen Höfen in künstlerisch vollendetem Nachvollzug vermittelt hat, ist eine Schöpfung ohnegleichen. Er lebt aus der dichterischen Kraft, das eine unmittelbar im andern, den *san* in der *matiere*, das Geistige im Sinnlichen, das Transzendente im Irdischen sichtbar zu machen. Diese Symbolhaftigkeit bleibt auf die höchsten Leistungen des Genus beschränkt: außerdem Werk Chrétiens, Hartmanns und Wolframs auf den Prosa-Lancelot, ‚La mort li roi Artus‘ und ‚Sir Gawain and the Green Knight‘. Sonst bedient sich mittelalterliche Dichtung, sofern sie deuten will, fast ausschließlich der Allegorie, die in verschiedenen Spielarten aus spätantiker und vor allem aus christlicher Tradition, als Emblem, Gleichnis, Figuraldeutung oder auch als Zahlensymbolik, verfügbar war; nur in den seltenen Stunden, wo sich das Schöpferische von der unmittelbaren Bindung an Zweck und Anwendung freizumachen vermag, kommt es zum ‚Sinn‘, der sich in der Organisation des Stoffes selbst manifestiert.

Diese Organisation stellt sich zunächst als Kreis von Ausfahrt und Rückkehr mit bestimmten, immer wiederkehrenden Stationen dar, ein Weg, der ein Zusichselberkommen, Selbstverwirklichung, Wesenssuche ausspricht. Es ist aber zugleich Weg des Heils, und damit trifft eine vertikale Sinnstruktur auf horizontale Archetypik. Aber keineswegs als Allegorese, als fixes ‚Bedeuten‘ christlicher Heilstatsachen — so versteht WILLSON den ‚Erec‘ (siehe oben S. 135) und HATTO den ‚Iwein‘ —, sondern in Bezügen die das Höhere und für alle Verbindliche im Gefälle und Anstieg des Aventiureweges durchscheinen lassen. Diese Diaphanie aufzuweisen, bedürfte eines besonderen methodischen Ansatzes, der hier nicht geleistet werden konnte, mehr geahnt als begriffen ist.

Den Blick dafür aber weitet die Zusammenschau der Hartmannschen Artusepen mit den beiden Legenden. Es waltet hier eine — zunächst — überraschende Einheit des ,Sinns'. Das hat HUGO KUHN zum ersten Mal richtig gesehen (Hartmann von Aue als Dichter, S. 17 ff.). Hartmann führt seine ,Helden' alle in die Tiefe, in den Verlust, und daraus erwächst ihr eigentlicher Gewinn, die Höhe des Ziels. Das ist ein Heilsweg, ob er in Minneglück und Herrscherglanz (Erec), im päpstlichen Gnadenstand des *heilære* (Gregorius), im *êwigen rîche ... nâch süezem lanclîbe* (Armer Heinrich) oder in neuer Huld der unverlierbaren *frouwe* (Iwein) seine Erfüllung finden mag. Ebenso gemeinsam ist den vier Dichtungen eine unmittelbare Deutung von ,Schuld', die nicht lehrhaft oder gar kasuistisch (oder dies nur in explizierter Nebenläufigkeit) gefaßt, sondern als Existenzverlust erfahren wird. Iwein flüchtet als Geächteter in die Wildnis der Wälder wie Gregorius in die Wildnis der Felsenküste, beide schließen sich nackt von der Menschheit aus, *aller gnâden eine* (Greg. 3104). Heinrich ist (nicht ohne langes Widerstreben: das ist die Besonderheit seines Weges) bereit, auf Glück und Gesundheit zu verzichten; Erec gibt das preis, was ihm Eins und Alles war, seine Minne. Oder man denke daran, daß der aussätzige Heinrich das selbstlose Opfer des Pächtertöchterchens nicht anders erfährt als Erec die opferbereite *triuwe* der Enite. ,Lachend' (8029, 8156, 8442) geht Erec in die Aventiure von *Joie de la curt*, die allen Schmach und Tod bedeutet, ihm aber *vröide* bringen wird, und ebenso, *mit lachendem muote* (2815, 2946), ergreift Gregorius seine Buße im Wissen um *gotes hulde* (2958).

Man könnte die Parallelen weiter führen, aber der Blick auf die sinntragenden Schwerpunkte ,Heil' und ,Schuld' genügt, um zu erkennen, daß derselbe Hartmann aus den Legenden wie den Romanen spricht. In der Betroffenheit der Schulderfahrung und im Heil, das widerfährt und gesucht wird, liegt die eigentliche, und das ist die christliche ,Wahrheit', die sich in der verfremdeten Märchenwelt der Romane nicht anders spiegelt als in der Wunderwelt der Legenden.

Die Diaphanie des Sinns in der besondern Formung des Stoffes, *der aventiure meine*, wie Gottfried von Straßburg es nannte, ins Bewußtsein zu heben und begrifflich zu fassen, bedarf noch vieler Anstrengungen und Versuche. Daran ist aber nicht zu zweifeln, daß sie Auszeichnung und Signum der Hartmannschen Epik ist.

Register

Personen — Denkmäler — Sachen — Begriffe

Nicht aufgenommen sind Personen literarischer Werke. Bei den modernen Autoren (Forschung) bleiben die bloßen Literaturangaben unberücksichtigt. Bei der Auswahl von Sachen und Begriffen ist die Thematik der besprochenen Dichtungen bis auf Weniges und Spezifisches ausgeklammert.